國學經典故事
魯國卷

萬安培 主編

《國學經典故事》
編輯委員會

專家顧問：李學勤　清華大學出土文獻研究中心主任，夏商周斷代工程和中華文明探源工程首席專家

張希清　北京大學中國文化研究所所長，著名文史專家

王震中　中國社會科學院學部委員、歷史研究所副所長，著名先秦史專家

劉玉堂　湖北省社會科學院副院長、華中師範大學特聘教授，著名楚文化專家

韓養民　西北大學歷史學院教授，著名秦文化專家

江林昌　煙臺大學副校長、山東師範大學齊魯文化研究院院長，著名齊魯文化專家

主　　編：萬安培

編輯委員會（按姓氏筆畫排序）：

王　凡　王廣西　付武林　刑　磊　吳正章　宋　海

李勇衛　李會明　周　林　周　峻　周傳琴　林明學

胡宏兵　夏緒虎　陳以志　游　峰　童其志　黃守岩

萬安培　葛　文　賈志杰　鄒進文　劉寶瑞　鄧天洲

鄧　紅　鞠加亮　韓曉生

編寫組成員（按姓氏筆畫排序）：

汪子鈞　邱小明　胡　博　孫　樂　國應福　張軍翠

萬俊峰　萬憬浩　劉海燕　潘陳靜　譚曉藝

責任編輯：陳曉東　鄒少雄　靳　強　沈　紅

余兆偉　黃　沙　劉天聞　劉　佳

中華優秀傳統文化傳承需要國學傳播方式的現代表達

今天我們所說的「國學經典」，包括經、史、子、集等，範圍是非常廣泛的。廣義的「國學經典」，包括一些著名的蒙學讀物、詩詞曲賦、志怪小說、世情小說、歷史演義等。這些著作，不少是經過時間淘瀝和歷史沉澱的文化精品，是傳統文化的精華。由優秀傳統文化結晶形成的文化寶庫，不僅是中華民族屹立於世界民族之林的獨特標識，也是今天實現偉大復興強國夢取之不盡、用之不竭的智慧之源。

中華優秀傳統文化或者說國學經典的傳承，不應該只是文史領域少數專家學者的孤芳自賞，至少應包括兩個主要的內容。一是各級領導幹部要帶頭學國學，以學益智、以學修身、學以致用、身體力行；二是要培養全民族特別是青少年研習國學經典的興趣，藉助於誦讀經典，提高全民族的國學素養，激發青少年熱愛中華文化的拳拳之心和殷殷之情。

近年來，由於黨和國家的高度重視，一股學國學、講國學，注重吸取優秀傳統文化滋養的良好風尚正在形成。不過，就整體而言，國學經典的普及與推廣還面臨不少障礙：一是一些人墨守過去大批判的

思路，對中國傳統文化採取一概排斥、一棍子打死的態度；二是大眾古文和傳統文化基礎知識薄弱；三是網路時代速食文化盛行，大量擠佔公眾閱讀的空間與時間。

對待歷史虛無主義，最好的辦法是讓人們通過閱讀國學經典，從中汲取和提煉修身處世、治國理政的智慧，養浩然之氣，塑高尚人格，不斷提高人文素養和精神境界。面對國學基礎薄弱和速食文化盛行的挑戰，則必須考慮在經典傳播表達方式上大膽突破創新。

研讀國學經典是一種高含金量的文化閱讀，除需要一定的古文功底，還需涉獵大量的歷史典故知識。要營造全民學國學、講國學的文化氛圍，就必須在國學經典的大眾化、通俗化和趣味性方面做文章。這方面，先秦諸子百家早已為我們樹立了榜樣。他們在表達自己的政治觀點和學術主張時，從來不是長篇大論和空洞說教，而是巧借通俗生動的寓言故事，來闡發修身齊家治國平天下的大智慧。面對網路時代閱讀形態、閱讀人群和閱讀終端的新變化，國學經典的傳播不能沿襲傳統的表達和傳播方式，必須在創新上狠下功夫。習近平總書記提出要「推動中華優秀傳統文化創造性轉化、創新性發展」。我以為，傳統文化創造性轉化和創新性發展的一個重要方面，就是國學傳播方式的現代表達。中央電視臺《中國詩詞大會》節目大獲成功就是一個重要例證。

以往的國學經典傳播，大多是「原文＋註解＋翻譯＋點評」的模式。一些研究性著述引經據典，章節繁複，不厭其詳，未能考慮網路時代「90後」「00後」讀者的感受。與傳統的國學經典表達和傳播方式相比，萬安培先生主編的這套《國學經典故事》，至少具有以下三個特點：

第一是短小精悍，通俗易懂。從國學經典中選取情節精彩的篇章，以短小精悍的故事形式呈現，既保留了國學精華，又便於閱讀記憶，還可進一步培養讀者閱讀經典原著的興趣。

第二是系統全面。這套叢書上起先秦，下迄清末，含括了中國上下數千年主要國學經典著作，計劃收錄故事兩萬個以上。從目前已完成的春秋戰國卷約二千八百個故事來看，這應該是一個較大的系統工程。《國學經典故事》的出版問世，將是國學經典普及的大事和幸事。

第三是生動活潑，寓教於樂。《國學經典故事》致力於發掘國學經典中膾炙人口、發人深省的內容，以講故事的形式傳播國學，實施倫理道德教化，受眾面更寬，能充分發揮優秀傳統文化滋養社會主義核心價值觀的功能。以往一說起國學經典，人們很自然聯想到枯燥的「之乎者也」，現在改為輕鬆快樂講故事，各個年齡層次和文化結構的人應該都會喜聞樂見。

二〇一七年一月二十五日，中共中央辦公廳和國務院辦公廳聯合印發了《關於實施中華優秀傳統文化傳承發展工程的意見》，其中特別提到要深入闡發中華優秀文化精髓，創新表達方式，編纂出版系列文化經典，綜合運用大眾傳播、群體傳播、人際傳播等方式，構建全方位、多層次、寬領域的中華文化傳播格局，推動中外文化交流，助推中華優秀傳統文化的國際傳播。萬安培先生策劃推出的《國學經典故事》系列，與該意見精神高度吻合。目前他們正策劃將國學經典故事精華譯成外文出版，爭取將其作為中外文化交流的禮品書，期待國學經典像《格林童話》《安徒生童話》《伊索寓言》一樣傳遍世界，造福全人類。相信廣大讀者對這類助推中華優秀傳統文化國際傳播的

嘗試和努力，一定會給予充分肯定和大力支持。

　　萬安培先生是經濟學專業博士，長期在金融部門工作，但他醉心文史，嘗試國學經典傳播方式的現代表達。二〇一六年四月他推出「楚楚動人網」微信公眾號，每天發表以國學經典故事為背景的短論，很受讀者歡迎。作為企業界人士，能在繁忙的工作之餘堅持國學研究，專注於經典傳播，其精神令人感動，而他這種創新的國學經典傳播方式也值得稱許，這也是我很樂意為叢書作序的原因所在。衷心希望這套叢書能得到社會各界人士的喜愛，達到編纂者所希望的效果。

　　是為序。

郭齊勇
二〇一八年二月二十三日

目錄

魯國卷

　　魯國是周朝分封的姬姓諸侯國，侯爵，始封君為周武王的弟弟周公旦，大約與太公望呂尚同時為武王所封。武王去世後，成王年幼，周公留鎬京輔佐成王，以長子伯禽代為赴任，建立魯國。魯國從伯禽赴任至魯頃公二十四年（西元前256年）為楚考烈王所滅，共歷三十四君，約享國八百年。在周王室的眾多邦國中，魯國是姬姓「宗邦」、諸侯「望國」，是周禮的保存者和實施者，世人稱「周禮盡在魯矣」。《左傳》《國語》的作者左丘明、「坐懷不亂」的柳下惠、「不朽」的臧文仲、工匠魯班等均為魯國名人，大思想家孔丘則為儒學創始者，他與出生於鄒國的孟軻創立的學說被後世譽為「孔孟之道」。

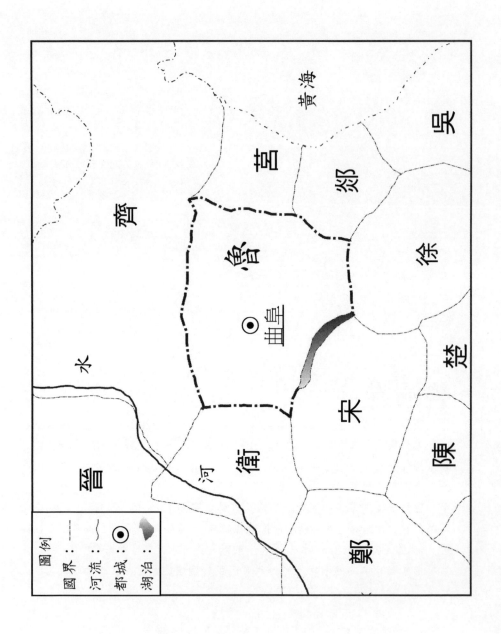

能事鬼神

　　周公旦是周武王的弟弟。周文王在世的時候，周公旦作為兒子非常孝順，忠厚仁愛。武王即位後，周公旦輔佐武王處理很多政務。武王東征勝利後，封周公旦於少昊故墟曲阜，號為魯公。因國事需要，周公旦留在朝廷繼續輔佐武王。武王滅紂稱王的第二年，天下統一大業尚未完成，武王突然患病，群臣恐懼。姜太公和召公卜問吉凶，周公說：「不可以令我們的先王擔憂。」於是以自身為質，設立三個祭壇，向北站立，捧璧持圭，向太王、王季、文王之靈祈禱。命史官作冊文祝告說：「你們的長孫周王發，辛勞成疾，如果三位先王欠上天一個兒子，請以旦代替周王發。旦靈巧能幹，多才多藝，能侍奉鬼神。周王發不如旦多才多藝，不會侍奉鬼神。但周王發受命於天庭，要普濟天下，能使你們的子孫在人世安定地生活，四方人民無不敬畏他。他能使天賜寶運長守不失，我們的先王也能永享奉祀。現在我通過占卜的大龜聽命於先王，你們若能答應我的要求，我將圭璧獻上，聽從你們的吩咐。你們若不答應，我就把圭璧收藏起來。」而後到三王祭壇前占卜。卜人都說吉利，翻開兆書一看，果然是吉。周公非常高興，又開鎖察看藏於櫃中的占兆書，也是吉象。周公隨即進宮祝賀武王說：「您沒有災禍，我剛剛接受了三位先王之命，讓您只需考慮周室天下的長遠之計，別無他慮。」周公把冊文收進金絲纏束的櫃中密封，告誡守櫃者不許洩露。第二天，武王的病就好了。

【出處】

　　周公旦者，周武王弟也。自文王在時，旦為子孝，篤仁，異於群

子。及武王即位，旦常輔翼武王，用事居多。武王九年，東伐至盟津，周公輔行。十一年，伐紂，至牧野，周公佐武王，作牧誓。破殷，入商宮。已殺紂，周公把大鉞，召公把小鉞，以夾武王，釁社，告紂之罪於天，及殷民。釋箕子之囚。封紂子武庚祿父，使管叔、蔡叔傅之，以續殷祀。遍封功臣同姓戚者。封周公旦於少昊之虛曲阜，是為魯公。周公不就封，留佐武王。武王克殷二年，天下未集，武王有疾，不豫，群臣懼，太公、召公乃繆卜。周公曰：「未可以戚我先王。」周公於是乃自以為質，設三壇，周公北面立，戴璧秉圭，告於太王、王季、文王。史策祝曰：「惟爾元孫王發，勤勞阻疾。若爾三王是有負子之責於天，以旦代王發之身。旦巧能，多材多藝，能事鬼神。乃王發不如旦多材多藝，不能事鬼神。乃命於帝庭，敷佑四方，用能定汝子孫於下地，四方之民罔不敬畏。無墜天之降葆命，我先王亦永有所依歸。今我其即命於元龜，爾之許我，我以其璧與圭歸，以俟爾命。爾不許我，我乃屏璧與圭。」周公已令史策告太王、王季、文王，欲代武王發，於是乃即三王而卜。卜人皆曰吉，發書視之，信吉。周公喜，開籥，乃見書遇吉。周公入賀武王曰：「王其無害。旦新受命三王，維長終是圖。茲道能念予一人。」周公藏其策金縢匱中，誡守者勿敢言。明日，武王有瘳。（《史記》〈魯周公世家〉）

出舉遠方

周公旦代行天子職位，頒佈德政，廣施恩惠，不分遠近。任命十二州牧守，並委派三名特使，專門出外考察遠方的民情。如有挨餓受

凍缺衣少食的，因為官司訴訟流離失所的，因有賢才不被舉薦的，統統彙集入朝稟告天子。於是，國君入朝進見時，天子便拱手請他們上前，詢問說：「也許我的政令教化不夠妥當吧？為什麼治下還有臣民挨餓受凍；還有治獄不稱職；還有賢才未予舉薦呢？」那些國君回去後，便召集本國大夫，拿天子的話責問他們。百姓聽說這件事情，都高興地說：「這才是天子啊！不然為什麼居住在遠都深宮，卻能這樣明察我們的情況呢？這樣的天子誰敢騙他呢？」因此，所有州牧，廣開四方之門，明察四方情況，傾聽四方呼聲。這樣，使得鄰近的百姓親附，邊遠的百姓安居樂業。《詩經》上說：「安撫遠方，親善近鄰，使得王室安定。」說的就是這種情況啊！

【出處】

周公踐天子之位，布德施惠，遠而逾明。十二牧，方三人，出舉遠方之民，有饑寒而不得衣食者，有獄訟而失職者，有賢才而不舉者，以入告乎天子。天子於其君之朝也，揖而進之曰：「意朕之政教有不得者與？何其所臨之民有饑寒不得衣食者？有獄訟而失職者？有賢才而不舉者也？」其君歸也，乃召其國大夫告用天子之言，百姓聞之皆喜曰：「此誠天子也！何居之深遠而見我之明也？豈可欺哉？」故牧者所以辟四門，明四目，達四聰也，是以近者親之，遠者安之。《詩》曰：「柔遠能邇，以定我王。」¹此之謂矣。（《說苑》〈君道〉）

---

1. 「柔遠能邇，以定我王」，出自《詩經》〈大雅・民勞〉。

憂勞天下

西周初年，武王去世，成王尚在襁褓之中。周公怕天下人聽說武王去世而背叛朝廷，就替成王代為處理政務，主持國家大事。管叔和他的諸弟在國中散佈流言說：「周公將對成王不利。」周公就告訴太公望、召公奭說：「我之所以不避嫌疑代理國政，是怕天下人背叛周室，使太王、王季、文王等三代先王的辛勞努力毀於一旦。武王早逝，成王年幼，為了完成穩定周朝的大業，我只能這樣做。」周公讓兒子伯禽代替自己到封地魯國就任，告誡伯禽說：「我是文王的兒子，武王的弟弟，成王的叔父，地位不算低賤了。但我洗次頭就有三次撩起頭髮，吃頓飯就有三次放下筷子來接待士子，猶恐失去考察天下賢士的機會。你到了魯國，千萬不要因執掌國政而驕傲啊。」紂王之子武庚認為時機已到，圖謀復國，挑唆管叔、蔡叔，製造謠言說周公想謀篡王位，管叔、蔡叔等人果然在淮夷造反。周公奉成王之命，果斷舉兵東征，誅斬管叔，殺死武庚，流放蔡叔。東方安定後，周公回報成王，作詩《鴟鴞》贈給成王。周成王看後心中不服，但也未敢責備周公。

【出處】

其後武王既崩，成王少，在強葆之中。周公恐天下聞武王崩而畔，周公乃踐阼代成王攝行政當國。管叔及其群弟流言於國曰：「周公將不利於成王。」周公乃告太公望、召公奭曰：「我之所以弗辟而攝行政者，恐天下畔周，無以告我先王太王、王季、文王。三王之

憂勞天下久矣，於今而後成。武王蚤終，成王少，將以成周，我所以為之若此。」於是卒相成王，而使其子伯禽代就封於魯。周公戒伯禽曰：「我文王之子，武王之弟，成王之叔父，我於天下亦不賤矣。然我一沐三捉髮，一飯三吐哺，起以待士，猶恐失天下之賢人。子之魯，慎無以國驕人。」管、蔡、武庚等果率淮夷而反。周公乃奉成王命，興師東伐，作《大誥》。遂誅管叔，殺武庚，放蔡叔。收殷餘民，以封康叔於衛，封微子於宋，以奉殷祀。寧淮夷東土，二年而畢定。諸侯咸服宗周。天降祉福，唐叔得禾，異母同穎，獻之成王，成王命唐叔以饋周公於東土，作《饋禾》。周公既受命禾，嘉天子命，作《嘉禾》。東土以集，周公歸報成王，乃為詩貽王，命之曰《鴟鴞》。王亦未敢訓周公。（《史記》〈魯周公世家〉）

世子之道

　　成王年幼，不能即位履行天子職務，由周公出面輔佐，代行天子職權。周公把教育太子的一套規定搬了出來，要求自己的兒子伯禽在陪伴成王時首先做到，目的就是要讓成王懂得父子、君臣、長幼之道。成王如果有做不到的地方，周公就痛打伯禽，使成王看了懂得如何做個太子。

【出處】

　　成王幼，不能涖阼，周公相，踐阼而治。抗世子法於伯禽，欲令成王之知父子、君臣、長幼之道也；成王有過，則撻伯禽，所以示成

王世子之道也。(《禮記》〈文王世子〉)

一食三起

　　周武王去世後，周公留鎬京輔佐成王，讓兒子伯禽替代自己到魯國受封執政。伯禽即將赴任之際，周公告誡他說：「你到任之後，千萬不要倚仗自己是魯國國君而對士人傲慢無禮啊！我聽說：德行廣大而恭謙自守的人才有尊榮；土地豐饒而生活節儉的人才會安寧；爵位高大而行為謙卑的人才會顯貴；兵多將廣、武備精良而行事謹慎的人才能獲勝；機敏聰慧卻大智若愚才會受益；博聞強記卻自認淺薄才叫廣博。這六種操守，講的都是謙虛的美德。貴為天子，富有四海，不懂得謙虛謹慎也會丟失天下，身敗名裂，桀、紂就是活生生的例子。所以《易經》上講：有一個字，大足以守天下，中足以保國家，小足以安自身，這就是『謙』字。上天的規律是減損盈滿增益不足；大地的規律是讓水從盈滿處流向空虛低窪處；鬼神會損害盈滿者保佑謙讓者；人世的規律也是厭惡盈滿而喜好謙虛。《易經》上說：『謙卦亨通，君子有好結果，吉祥。』《詩經》上說：『商湯謙卑不怠，聖明恭謹之德日益提升。』[2]你一定要引以為鑑，善待士人啊！」

【出處】

　　昔成王封周公，周公辭不受，乃封周公子伯禽於魯。將辭去，周公戒之曰：「去矣！子其無以魯國驕士矣！我，文王之子也，武王之

---

2. 「湯降不遲，聖敬日躋」，出自《詩經》〈商頌・長發〉。

弟也，今王之叔父也，又相天子，吾於天下亦不輕矣。然嘗一沐三握髮，一食而三吐哺，猶恐失天下之士。吾聞之曰：德行廣大而守以恭者榮，土地博裕而守以儉者安，祿位尊盛而守以卑者貴，人眾兵強而守以畏者勝，聰明睿智而守以愚者益，博聞多記而守以淺者廣。此六守者，皆謙德也。夫貴為天子，富有四海，不謙者先天下亡其身，桀紂是也，可不慎乎！故《易》曰：『有一道，大足以守天下，中足以守國家，小足以守其身，謙之謂也。』『夫天道毀滿而益謙，地道變滿而流謙，鬼神害滿而福謙，人道惡滿而好謙。』是以衣成則缺衽，宮成則缺隅，屋成則加錯，示不成者，天道然也。《易》曰：『謙，亨，君子有終，吉。』《詩》曰：『湯降不遲，聖敬日躋。』其戒之哉！子其無以魯國驕士矣！」（《說苑》〈敬慎〉）

文武俱行

　　成王分封伯禽為魯公，召見並告誡他說：「你知道做人主的道理嗎？凡是身居高位的人，一定要恭敬地對待下屬，聽從有德行的人的勸諫。要廣開言路，善於接納批評的意見，不要用威勢震懾他們。如果只懂文治而無武功，對下就沒有威望；如果只有武功而不懂文治，臣民就會害怕不敢親近你。只有文治武功並用，人主的威德才能確立。有了威德，老百姓才會親服你，清白廉潔的賢士才會向你靠近，奸猾諂媚的佞人才會遠避而行，敢於直言勸諫的人才會得到舉薦，忠直誠信的人才會聚集在你身邊。」伯禽向成王再次拜謝，接受封命和教誨後告辭而去。

　　成王封伯禽為魯公，召而告之曰：「爾知為人上之道乎？凡處尊位者，必以敬下，順德規諫，必開不諱之門，撙節安靜以借之。諫者勿振以威，毋格其言，博采其辭，乃擇可觀。夫有文無武，無以威下；有武無文，民畏不親；文武俱行，威德乃成；既成威德，民親以服；清白上通，巧佞下塞；諫者得進，忠信乃畜。」伯禽再拜受命而辭。（《說苑》〈君道〉）

魯有王跡

　　伯禽與姜太公同時受封。過了三年，姜太公入朝晉見周天子。周公問他：「你治理國家怎麼這樣快呢？」太公回答說：「尊重賢人，先用疏遠的後用親近的，先立規矩後施仁愛。」這是成就霸業的人所走的路。周公說：「太公的恩澤只能蔭蔽後世五代人。」過了五年，伯禽來朝見天子，周公問：「你治理國家怎麼這樣艱難呢？」伯禽回答說：「親近父母，施政先從宮內開始，然後才是宮外，先施仁愛後立規矩。」這是成就王業的人所走的路。周公說：「魯君的恩澤能蔭蔽後世十代人。」因此，魯國後來有行王道的傾向，是因為仁厚；齊國後來有行霸道的傾向，是因為崇尚武力。齊國之所以不如魯國，是因為姜太公不如伯禽賢明啊！

【出處】

　　伯禽與太公俱受封而各之國，三年，太公來朝，周公問曰：「何

治之疾也？」對曰：「尊賢，先疏後親，先義後仁也，此霸者之跡
也。」周公曰：「太公之澤及五世。」五年，伯禽來朝，周公問曰：
「何治之難？」對曰：「親親者，先內後外，先仁後義也，此王者之
跡也。」周公曰：「魯之澤及十世。」故魯有王跡者，仁厚也；齊有
霸跡者，武政也；齊之所以不如魯也，太公之賢不如伯禽也。（《說
苑》〈政理〉）

平易近民

　　「平易近民」，本意是指政治上平實簡易的意思。唐代為避太宗
李世民的名諱，改為「平易近人」。如此一改，意思也變了，從治政
風格變成了處世態度。殷商滅亡後，周王朝為穩固政權，推行分封
制，將其貴族和功臣列封四方，建都立國。伯禽到達魯國之後，過
了三年才回鎬京向周公匯報施政情況。周公問他說：「為什麼過了這
麼久才來匯報？」伯禽回答說：「改變當地的風俗禮儀，必須服喪三
年，除服之後才能看到效果，因此遲了。」姜太公受封於齊國，到任
五個月後就返回向周公匯報施政情況。周公問他說：「為什麼回來得
這麼快？」太公回答說：「我簡化了君臣之間的禮節，盡量遵從當地
風俗。」太公聽說伯禽三年後才回國匯報政情，嘆息著說：「唉！魯
國的後代將要向齊國稱臣了。為政不簡約易行，人民就不會親近；政
令平易近民，人民自然歸附。」

　　魯公伯禽之初受封之魯，三年而後報政周公。周公曰：「何遲也？」伯禽曰：「變其俗，革其禮，喪三年然後除之，故遲。」太公亦封於齊，五月而報政周公。周公曰：「何疾也？」曰：「吾簡其君臣禮，從其俗為也。」及後聞伯禽報政遲，乃嘆曰：「嗚呼，魯後世其北面事齊矣！夫政不簡不易，民不有近；平易近民，民必歸之。」（《史記》〈魯周公世家〉）

梓者子道

　　伯禽與康叔封朝覲成王，三次見到周公，就被鞭打了三次。康叔面帶懼色，對伯禽說：「有個賢人名叫商子，我倆去請教一下他吧。」康叔封、伯禽對商子解釋說：「我倆來朝覲成王，三次見到周公，就挨了三次鞭子，這是什麼緣故呢？」商子說：「你二人何不去南山的陽面看看，那裡有種樹名叫橋。」二人於是前往南山陽面觀看，看見橋樹巍然聳立，結的果實向上揚起。回去後告訴商子，商子說：「橋樹表現的就是做父親的道理啊。」商子又說：「你二人再去南山的陰面看看，那裡有種樹名叫梓。」於是二人又前往南山的陰面觀看，看見梓樹生長旺盛，結的果實向下低垂。回去後告訴商子，商子說：「梓樹表現的就是身為人子的道理啊。」第二天，伯禽、康叔封去拜見周公，進門後小步疾走，上堂後雙膝下跪。周公上前撫摸著兩人的頭，拿食品慰勞他們，然後問：「你們見到了哪位君子呢？」二人回答說：「見到了商子。」周公讚歎說：「商子真是個品德高尚的人啊！」

　　伯禽與康叔封朝於成王，見周公，三見而三笞。康叔有駭色，謂伯禽曰：「有商子者，賢人也，與子見之。」康叔封與伯禽見商子曰：「某某也，日吾二子者朝乎成王，見周公，三見而三笞，其說何也？」商子曰：「二子盍相與觀乎南山之陽？有木焉，名曰橋。」二子者往觀乎南山之陽，見橋竦焉，實而仰，反以告乎商子，商子曰：「橋者，父道也。」商子曰：「二子盍相與觀乎南山之陰？有木焉，名曰梓。」二子者往觀乎南山之陰，見梓勃焉，實而俯，反以告商子。商子曰：「梓者，子道也。」二子者明日見乎周公，入門而趨，登堂而跪。周公拂其首，勞而食之，曰：「安見君子？」二子對曰：「見商子。」周公曰：「君子哉！商子也。」（《說苑》〈建本〉）

不言而知

　　齊國人王滿生求見周公，周公出宮接見他說：「有勞先生遠來，請問有什麼教誨？」王滿生說：「談國內的事在宮內，談國外的事在宮外。現在是談內事呢，還是談外事呢？」周公於是請他入宮。王滿生說：「談大事坐著，談小事站著。今天是談大事呢，還是談小事呢？」周公於是恭敬地請他入座。問他說：「先生有何指教呢？」王滿生說：「我聽說聖人有先知先覺；如果不是聖人，說了他也不懂。現在您是想要我說呢，還是不說？」周公低頭無語。王滿生便用筆在木簡上寫了「國家將危」四字，然後貼在胸前。周公抬頭看見所寫的

字，便說：「是，是，我恭敬地接受您的教誨。」第二天便誅殺了管叔、蔡叔。

【出處】

齊人王滿生見周公，周公出見之，曰：「先生遠辱，何以教之？」王滿生曰：「言內事者於內，言外事者於外，今言內事乎？言外事乎？」周公導入。王滿生曰：「敬從。」布席，周公不導坐。王滿生曰：「言大事者坐，言小事者倚。今言大事乎？言小事乎？」周公導坐。王滿生坐。周公曰：「先生何以教之？」王滿生曰：「臣聞聖人不言而知，非聖人者雖言不知。今欲言乎？無言乎？」周公俯念，有頃，不對。王滿生借筆牘書之曰：「社稷且危。」傅之於膺。周公仰視見書曰：「唯！唯！謹聞命矣。」明日誅管、蔡。（《說苑》〈指武〉）

尸祿之臣，不能存君

周公旦代理天子執政的七年間，身分低下的讀書人被周公當作老師執禮相見的有十二人，貧寒之士被周公接見的有四十九人，得到周公即時舉薦的賢才有上百人，受過周公教化點撥的士子有上千人，經周公選拔任用的官員有上萬人。這七年間，如果周公對人傲慢而吝嗇，天下來投奔的賢士就會很少，來投奔的，就只能是一些貪婪且尸位素餐的人。臣子空領俸祿不幹活，君主憑什麼保有國家？

周公攝天子位七年，布衣之士，執贄所師見者十二人，窮巷白屋所見者四十九人，時進善者百人，教士者千人，官朝者萬人。當此之時，誠使周公驕而且吝，則天下賢士至者寡矣，苟有至者，則必貪而尸祿者也，尸祿之臣，不能存君矣。（《說苑》〈尊賢〉）

參而伍之

周成王剛剛即位的時候，完全是個稚氣未脫的小孩。周公幾乎是背著成王接受群臣的朝見，最終平定天下。一次成王病重、十分危急，周公剪下自己的指甲沉入黃河，祈禱說：「國君年幼無知，都是我在當權執政，若有禍患降臨，應該由我來接受懲罰。」祈禱之後，把這些禱詞書寫下來收藏在檔案館裡，這是非常可信的第一手資料。等到成王能親自處理國政時，有奸臣造謠說：「周公旦圖謀不軌已經很久了，大王若不加防備，一定會出大事的。」成王於是大發雷霆，周公旦逃奔到楚國。後來成王到檔案館審閱檔案，發現了周公旦的禱告書，流著眼淚說：「誰說周公旦想要作亂呢！」隨即殺了造謠生事的大臣，請周公旦回歸。所以《周書》上說：「一定要多方詢問，反覆審察。」周公歸國後，怕成王年輕，為政荒淫放蕩，就寫了《多士》《毋逸》來告誡成王。成王居於豐京，當時天下雖已安定，但周朝的官職制度尚未安排得當，於是周公又主持編寫《周官》《立政》等，劃定百官職責，利國便民，百姓歡悅。

昔周成王初立，未離襁褓，周公旦負王以朝，卒定天下。及成王有病甚殆，公旦自揃其爪以沈於河，曰：「王未有識，是旦執事。有罪殃，旦受其不祥。」乃書而藏之記府，可謂信矣。及王能治國，有賊臣言：「周公旦欲為亂久矣，王若不備，必有大事。」王乃大怒，周公旦走而奔於楚。成王觀於記府，得周公旦沈書，乃流涕曰：「孰謂周公旦欲為亂乎！」殺言之者而反周公旦。故周書曰「必參而伍之」。（《史記》〈蒙恬列傳〉）

周公歸，恐成王壯，治有所淫佚，乃作多士，作毋逸。……成王在豐，天下已安，周之官政未次序，於是周公作周官，官別其宜，作立政，以便百姓。百姓說。（《史記》〈魯周公世家〉）

周公之德

周公在豐京患病，臨終遺言說：「一定要把我埋葬在成周，以表明我不敢離開成王。」周公死後，成王也很謙讓，把周公葬在畢邑，陪伴文王，以表示自己不敢以周公為臣。周公去世後，秋天莊稼尚未收割，一場暴風雷霆導致莊稼倒伏，大樹連根拔起。國人非常害怕。成王和眾大夫身著朝服打開金縢之書，看到周公願以己身代武王去死的冊文。太公、召公和成王詢問史官和當事人員，回答說：「確有此事，但周公命令我們嚴守祕密。」成王手執冊文哭泣說：「今後不要再篤行占卜了！過去周公為王室辛勞，我因年幼不能理解。現在上天發威來彰明周公之德，我應該設祭迎其神，這也符合國家之禮。」成

王舉行郊祭之禮時，天下起了雨，風向反轉，倒伏的莊稼全部立起。太公、召公命國人扶起倒下的大樹，培實土基，當年糧食大獲豐收。於是成王特准魯國可以行郊祭和廟祭文王之禮。魯國所以享有周天子一樣的禮樂，是因為褒獎周公的德行啊。

【出處】

　　周公在豐，病，將沒，曰：「必葬我成周，以明吾不敢離成王。」周公既卒，成王亦讓，葬周公於畢，從文王，以明予小子不敢臣周公也。周公卒後，秋未獲，暴風雷，禾盡偃，大木盡拔。周國大恐。成王與大夫朝服以開金縢書，王乃得周公所自以為功代武王之說。二公及王乃問史百執事，史百執事曰：「信有，昔周公命我勿敢言。」成王執書以泣，曰：「自今後其無繆卜乎！昔周公勤勞王家，惟予幼人弗及知。今天動威以彰周公之德，惟朕小子其迎，我國家禮亦宜之。」王出郊，天乃雨，反風，禾盡起。二公命國人，凡大木所偃，盡起而築之。歲則大孰。於是成王乃命魯得郊祭文王。魯有天子禮樂者，以褒周公之德也。（《史記》〈魯周公世家〉）

魯孝義保

　　魯孝義保，就是魯孝公的保姆，臧氏的寡婦。當初，魯武公帶長子括和中子戲朝見周宣王，周宣王執意廢長立少，立戲為魯太子。武公去世後，戲繼位，號為懿公。公子稱在兄弟中排行最小，由臧氏帶著兒子進宮扶養。後來括的兒子伯御發動叛亂，攻殺懿公後自立，同

時在宮中各處搜捕公子稱。義保得知伯御想加害公子稱，就讓自己的兒子穿上稱的衣服，睡在稱的床上。伯御不知就裡，就把義保的兒子殺了。義保把公子稱抱出宮門，遇見公子稱的舅父魯大夫，舅父問她說：「稱死了嗎？」義保說：「沒死，在這兒哩。」舅父問：「是怎麼逃過的呢？」義保含淚回答說：「拿我兒子頂替的。」義保隨後帶著公子稱逃走了。伯御即位十一年後，魯國大夫知道了公子稱被保姆收養的消息，於是請周天子下令殺伯御立稱，是為孝公。魯人對義保評價很高。《論語》中所說的「可以托六尺之孤」，指的就是義保這種人啊！

【出處】

孝義保者，魯孝公稱之保母，臧氏之寡也。初，孝公父武公與其二子長子括、中子戲朝周宣王，宣王立戲為魯太子。武公薨，戲立，是為懿公。孝公時號公子稱，最少。義保與其子俱入宮，養公子稱。括之子伯御與魯人作亂，攻殺懿公而自立。求公子稱於宮，將殺之。義保聞伯御將殺稱，乃衣其子以稱之衣，臥於稱之處，伯御殺之，義保遂抱稱以出，遇稱舅魯大夫於外，舅問稱死乎，義保曰：「不死，在此。」舅曰：「何以得免？」義保曰：「以吾子代之。」義保遂以逃。十一年，魯大夫皆知稱之在保，於是請周天子殺伯御立稱，是為孝公。魯人高之。《論語》曰：「可以托六尺之孤。」其義保之謂也。（《列女傳》〈節義傳〉）

矢魚於棠

　　魯隱公五年（西元前718年）春季，隱公準備到棠地觀看捕魚。臧僖伯勸諫說：「凡是一種東西不能用到講習祭祀和兵戎的大事上，它的材料不能製作禮器和兵器，國君對它就不應採取行動。國君的職責，就是使百姓的行為符合法度與禮制的規定。所以演習大事以端正法度叫作『軌』，選用材料製作重要器物叫作『物』。事情不合乎『軌』『物』，叫作亂政。亂政屢次上演，國家就將敗亡。所以春蒐、夏苗、秋獮、冬狩，都是在農閒時演習的。每三年進行演習，演習完畢，再整治隊伍回來，祭祖告宗廟，宴請臣下，犒賞隨員，以計算俘獲的東西。要車服文采鮮明，貴賤有別，辨別等級，少長有序，這是演習威儀。鳥獸的肉不擺上宗廟的祭器裡，它的皮革、牙齒、骨角、毛羽不用到禮器上，國君就不去射它，這是古代的規定。至於山林河澤的產品，一般器物的材料，這是下等人的事情，屬於官吏的職責，不是國君所該涉及的。」隱公辯解說：「我是去視察邊境呀！」於是前往棠邑，在那裡觀賞捕魚的場景。臧僖伯推說身體有病，沒有隨從前往。

【出處】

　　五年春，公將如棠觀魚者。臧僖伯諫曰：「凡物不足以講大事，其材不足以備器用，則君不舉焉。君將納民於軌物者也。故講事以度軌量謂之軌，取材以章物采謂之物，不軌不物謂之亂政。亂政亟行，所以敗也。故春蒐夏苗，秋獮冬狩，皆於農隙以講事也。三年而治

兵，入而振旅，歸而飲至，以數軍實。昭文章，明貴賤，辨等列，順少長，習威儀也。鳥獸之肉不登於俎，皮革齒牙、骨角毛羽不登於器，則公不射，古之制也。若夫山林川澤之實，器用之資，皂隸之事，官司之守，非君所及也。」公曰：「吾將略地焉。」遂往，陳魚而觀之。僖伯稱疾，不從。書曰「公矢魚於棠」，非禮也，且言遠地也。（《左傳》〈隱公五年〉）

滕薛爭長

　　魯隱公十一年（西元前712年）春季，滕侯和薛侯前來朝見魯君，兩人爭執行禮的先後。薛侯說：「我先受封。」滕侯說：「我是成周的卜正官，薛國是外姓，我不能落後於他。」魯隱公派羽父跟薛侯商量說：「承您和滕侯問候寡君，成周的俗話說：『山上有樹木，工匠來加以量測；賓客有禮貌，主人來加以選擇。』成周的會盟，異姓在後面。寡人如果到薛國朝見，就不敢和任姓諸國並列，承蒙您加惠於我，希望您能同意滕侯的請求。」薛侯同意，就讓滕侯先行朝禮。

【出處】

　　十一年春，滕侯、薛侯來朝，爭長。薛侯曰：「我先封。」滕侯曰：「我，周之卜正也。薛，庶姓也，我不可以後之。」公使羽父請於薛侯曰：「君與滕君辱在寡人。周諺有之曰：『山有木，工則度之；賓有禮，主則擇之。』周之宗盟，異姓為後。寡人若朝於薛，不敢與

諸任齒。君若辱貺寡人,則願以滕君為請。」薛侯許之,乃長滕侯。（《左傳》〈隱公十一年〉）

奪而自妻

魯惠公的正妻沒生兒子,賤妾聲子生子名息。息長大後,惠公為息迎娶宋國公主。等見到宋女,見她姿色迷人,就自己娶為妻子,並生下兒子允。惠公將宋女升為正妻,並立允為太子。到惠公死時,因為允年齡幼小,魯大夫們就讓息代理國政。魯隱公十一年（西元前712年）冬,羽父（公子揮）向息（隱公）獻媚說:「老百姓都很喜歡您,您就去掉代理正式做國君吧。我請求為您殺掉子允,您讓我當國相。」隱公說:「先君有命在前,我是因允年幼才代理國政的。現在允已經長大,我正在菟裘蓋房子準備養老,以便把國政交給子允。」羽父害怕子允得知自己的陰謀,於是去向子允誣陷隱公說:「隱公想除掉你正式做國君,你可要認真對待啊。請允許我為你殺死隱公。」子允答應了。十一月,隱公將要祭祀鐘巫之神,在社圃齋戒,住在蒍氏家中。羽父派人在蒍氏家裡殺死隱公,立子允為魯君,就是桓公。

【出處】

四十六年,惠公卒,長庶子息攝當國,行君事,是為隱公。初,惠公適夫人無子,公賤妾聲子生子息。息長,為娶於宋。宋女至而好,惠公奪而自妻之。生子允。登宋女為夫人,以允為太子。及惠公

卒，為允少故，魯人共令息攝政，不言即位……十一年冬，公子揮諂謂隱公曰：「百姓便君，君其遂立。吾請為君殺子允，君以我為相。」隱公曰：「有先君命。吾為允少，故攝代。今允長矣，吾方營菟裘之地而老焉，以授子允政。」揮懼子允聞而反誅之，乃反譖隱公於子允曰：「隱公欲遂立，去子，子其圖之。請為子殺隱公。」子允許諾。十一月，隱公祭鐘巫，齊於社圃，館於蔿氏。揮使人殺隱公於蔿氏，而立子允為君，是為桓公。（《史記》〈魯周公世家〉）

大物不可以命

　　魯桓公六年（西元前706年）九月，桓公的兒子出生，向申繻詢問取名字的學問。申繻回答說：「取名有五種方式，有信，有義，有象，有假，有類。用出生的某一種情況來命名是信，用祥瑞的字眼來命名是義，用相類似的字眼來命名是象，假借某種事物的名稱來命名是假，借用和父親有關的字眼來命名是類。命名不用國名，不用官名，不用山川名，不用疾病名，不用牲畜名，不用器物禮品名。周朝人用避諱來侍奉神明，名，人死之後就要避諱。所以用國名命名，就會廢除國名，用官名命名就會改變官稱，用山川命名就會改變山川的神名，用牲畜命名就會廢除祭祀，用器物禮品命名就會廢除禮儀。晉國因為僖公而廢除司徒之官，宋國因為武公而廢除司空的官名，我國因為先君獻公、武公而廢除具山、敖山兩座山名，所以大的事物不可以用來命名。」桓公說：「這孩子的出生，和我在同一個干支，就叫他『同』吧。」

公問名於申繻。對曰:「名有五,有信,有義,有象,有假,有類。以名生為信,以德命為義,以類命為象,取於物為假,取於父為類。不以國,不以官,不以山川,不以隱疾,不以畜牲,不以器幣。周人以諱事神,名,終將諱之。故以國則廢名,以官則廢職,以山川則廢主,以畜牲則廢祀,以器幣則廢禮。晉以僖侯廢司徒,宋以武公廢司空,先君獻、武廢二山,是以大物不可以命。」公曰:「是其生也,與吾同物,命之曰同。」(《左傳》〈桓公六年〉)

公薨於車

魯桓公十八年(西元前694年)春季,桓公攜夫人文姜到齊國旅行。申繻勸阻說:「女人有夫家,男人有妻室,不可以互相輕慢,這就叫有禮。違反這一點必然壞事。」桓公和齊襄公在濼地會見,然後就和文姜到達齊國都城。齊襄公和文姜通姦,桓公譴責文姜,文姜轉告齊襄公。襄公設宴招待魯桓公,宴後派公子彭生隨桓公登車,將桓公殺死車中。魯國人得知消息,畏懼齊國的強大,對齊襄公說:「我們國君畏懼您的威嚴,不敢苟安,來到貴國重修舊好,禮儀完成後卻沒能回國。我國不知道該歸罪於誰,在諸侯中造成了惡劣影響。請求以彭生來清除影響。」齊國於是殺死公子彭生。

【出處】

十八年春,公將有行,遂與姜氏如齊。申繻曰:「女有家,男有

室，無相瀆也，謂之有禮。易此，必敗。」公會齊侯於濼，遂及文姜如齊。齊侯通焉。公謫之，以告。夏四月丙子，享公。使公子彭生乘公，公薨於車。（《左傳》〈桓公十八年〉）

魯桓文姜

　　文姜是齊國君主的女兒，魯桓公的夫人。沒有出嫁時就品行不端，與她的兄長齊襄公淫亂。有一次，桓公要去齊國商量討伐鄭國的事情，出發的時候，打算帶夫人一起去。大夫申繻勸阻說：「帶著夫人不妥。女人有丈夫，男人有妻子，不互相輕慢褻瀆，才叫作有禮，否則就會出亂子。而且依照禮法，婦女出嫁之後，如果不是被休棄是不能回娘家的。」桓公不聽，帶著夫人一起去了齊國。結果文姜與襄公再次私通，頻繁相會。桓公非常生氣，多次警告，絲毫不起作用。文姜把桓公生氣的情形告訴了齊襄公。於是襄公設酒宴邀請桓公，把桓公灌醉，而後叫公子彭生扶他登車。彭生趁機把桓公的肋骨折斷，殺死在車上。魯國人知道桓公被殺，強烈要求懲辦兇手，齊襄公只得殺死彭生暫時平息魯國的憤恨。《詩經》中所說的「大亂非是從天降，出自婦人那一方」[3]講的就是這件事啊！

【出處】

　　文姜者，齊侯之女，魯桓公之夫人也。內亂其兄齊襄公。桓公將伐鄭納厲公，既行，與夫人俱將如齊也，申繻曰：「不可。女有

---

3. 「亂匪降自天，生自婦人」，出自《詩經》〈大雅‧瞻卬〉。

魯桓文姜

家，男有室，無相瀆也，謂之有禮，易此必敗。且禮婦人無大故則不歸。」桓公不聽，遂與如齊。文姜與襄公通，桓公怒，禁之不止。文姜以告襄公，襄公享桓公酒，醉之，使公子彭生抱而乘之，因拉其脅而殺之，遂死於車。魯人求彭生以除恥，齊人殺彭生。《詩》曰：「亂匪降自天，生自婦人。」此之謂也。（《列女傳》〈孽嬖傳〉）

公子糾來奔

　　魯莊公八年（西元前686年）冬，齊公子糾逃亡到魯國。次年，魯國想武力護送公子糾返回齊國為君，被齊桓公小白捷足先登。齊桓公發兵攻魯，魯國危急，只得殺死公子糾，他的隨臣召忽自殺了，另一隨臣管仲也被抓了起來。齊人告知魯國，要將齊桓公小白的仇人管仲押送到齊國來。魯人施伯說：「齊國想得到管仲，並非是想殺他，而是要重用他。管仲得到重用後對魯國不利。不如殺死管仲，把屍體還給齊國。」莊公沒有採納施伯的建議，把管仲放回齊國。齊人果然重用管仲為相國。

【出處】

　　八年，齊公子糾來奔。九年，魯欲內子糾於齊，後桓公，桓公發兵擊魯，魯急，殺子糾。召忽死。齊告魯生致管仲。魯人施伯曰：「齊欲得管仲，非殺之也，將用之，用之則為魯患。不如殺，以其屍與之。」莊公不聽，遂囚管仲與齊。齊人相管仲。（《史記》〈魯周公世家〉）

一鼓作氣

魯莊公十年（西元前684年）春季，齊國派兵攻打魯國。莊公準備迎戰。曹劌請求拜見。他的老鄉勸諫說：「當權者會謀劃此事的，你又何必參與呢？」曹劌說：「當權者淺陋無知，缺乏深謀遠慮。」於是進宮拜見魯莊公，說：「魯國憑什麼應戰？」莊公說：「衣食養生的東西，不敢獨自享受，一定分給別人。」曹劌回答說：「小恩小惠不能遍及民眾，百姓不會為您拚命的。」莊公又說：「祭祀用的牛羊玉帛，不敢虛報誇大數目，一定對神說實話。」曹劌回答說：「一點誠心也不能代表一切，神明不會降福的。」莊公說：「大大小小的訴訟案件，雖然不能完全明察，也一定辦得合情合理。」曹劌回答說：「這是為百姓儘力的一種表現，憑這一條可以和齊國一戰。交戰時，請允許我跟隨您前去。」莊公和曹劌同乘一輛兵車，與齊軍在長勺交戰。莊公準備擊鼓，曹劌說：「還不行。」齊國人擊了三通鼓。曹劌說：「可以擊鼓進軍了。」齊軍大敗，莊公準備追擊，曹劌說：「還不行。」下車細看齊軍的車轍，然後登上車前的橫木遠望，說：「可以了。」於是追擊齊軍。戰勝齊軍之後，莊公問曹劌取勝的原因。曹劌回答說：「作戰全憑勇氣。第一次擊鼓振奮勇氣，第二次擊鼓勇氣就少了一些，第三次擊鼓勇氣就衰竭了。他們的勇氣衰竭，我們的勇氣卻剛剛振奮，所以戰勝了他們。大國的情況難於捉摸，恐怕有埋伏。我細看他們的車轍已亂，遠望他們的旗幟已倒，所以才下令追逐他們。」

十年春，齊師伐我。公將戰，曹劌請見。其鄉人曰：「肉食者謀之，又何間焉。」劌曰：「肉食者鄙，未能遠謀。」乃入見。問何以戰。公曰：「衣食所安，弗敢專也，必以分人。」對曰：「小惠未遍，民弗從也。」公曰：「犧牲玉帛，弗敢加也，必以信。」對曰：「小信未孚，神弗福也。」公曰：「小大之獄，雖不能察，必以情。」對曰：「忠之屬也，可以一戰，戰則請從。」公與之乘。戰於長勺。公將鼓之。劌曰：「未可。」齊人三鼓，劌曰：「可矣。」齊師敗績。公將馳之。劌曰：「未可。」下，視其轍，登軾而望之，曰：「可矣。」遂逐齊師。既克，公問其故。對曰：「夫戰，勇氣也，一鼓作氣，再而衰，三而竭。彼竭我盈，故克之。夫大國難測也，懼有伏焉。吾視其轍亂，望其旗靡，故逐之。」（《左傳》〈莊公十年〉）

見信天下

齊桓公攻打魯國，魯國不敢輕易迎戰，於是在距離都城五十里的地方劃定邊界，請求比照附庸國來聽從齊國，齊桓公答應了。曹劌對魯莊公說：「您是願意死而又死呢，還是生而又生？」莊公說：「此話怎講？」曹劌說：「您聽從我的話，國土必定廣大，自身必定安樂，這就是生而又生；如果不聽我的，國家必定滅亡，您自身也會遭到危險，這就是死而又死。」莊公說：「我聽你的。」第二天將要盟會時，莊公與曹劌懷揣寶劍到達盟會的土壇上。莊公左手抓住桓公，右手抽出劍來指向他說：「魯國國都原本距邊境幾百里，如今離邊境

只有五十里，反正也無法生存了。不如同歸於盡，死在您的面前。」
管仲、鮑叔上到土臺，曹劌手按利劍站在兩階之間說：「兩位君主將
另作商量，誰都不許上前！」莊公說：「在汶水定邊界就可以，不然
就一起死。」管仲對桓公說：「領土是用來保衛君主的，不是用君主
來保衛領土的。君主就答應他吧！」於是齊桓公答應以汶水劃定疆
界，然後與莊公締盟。桓公回國後想反悔。管仲說：「不可以。人家
要劫持您，說明並沒有跟您訂立盟約的意思，可您卻沒看出來，這不
能說是聰明；面對危難而受人脅迫，不能說是勇敢；答應了人家卻又
反悔，不能算有誠信。不聰明、不勇敢、不誠信，有這三種行為，還
怎麼建功立業？還給魯國土地，雖說失去了土地，卻能得到誠信的名
聲。用四百里土地在天下人面前顯示誠信，還是划算的。」莊公是仇
人，曹劌是敵人，對仇人和敵人都講誠信，更何況對其他人呢？桓公
多次成功與諸侯盟會，一呼百應，都是誠信產生的結果啊！管仲可以
說最善於因勢利導了。他把恥辱變成光榮，把困窘變成通達。前邊雖
有所失，後來卻得到很多回報。況且世上的事物，本來就不可能十全
十美啊。

【出處】

　　齊桓公伐魯。魯人不敢輕戰，去魯國五十里而封之。魯請比關內
侯以聽，桓公許之。曹劌謂魯莊公曰：「君寧死而又死乎，其寧生而
又生乎？」莊公曰：「何謂也？」曹劌曰：「聽臣之言，國必廣大，
身必安樂，是生而又生也；不聽臣之言，國必滅亡，身必危辱，是死
而又死也。」莊公曰：「請從。」於是明日將盟，莊公與曹劌皆懷劍
至於壇上。莊公左搏桓公，右抽劍以自承，曰：「魯國去境數百里。

今去境五十里，亦無生矣。鈞其死也，戮於君前。」管仲、鮑叔進。曹劌按劍當兩陛之間曰：「且二君將改圖，毋或進者！」莊公曰：「封於汝則可，不則請死。」管仲曰：「以地衛君，非以君衛地。君其許之！」乃遂封於汝南，與之盟。歸而欲勿予，管仲曰：「不可。人特劫君而不盟，君不知，不可謂智；臨難而不能勿聽，不可謂勇；許之而不予，不可謂信。不智不勇不信，有此三者，不可以立功名。予之，雖亡地，亦得信。以四百里之地見信於天下，君猶得也。」莊公，仇也；曹劌，賊也。信於仇賊，又況於非仇賊者乎？夫九合之而合，一匡之而聽，從此生矣。管仲可謂能因物矣。以辱為榮，以窮為通，雖失乎前，可謂後得之矣。物固不可全也。（《呂氏春秋》〈離俗覽‧貴信〉）

士之有誄

　　魯莊公率軍與宋國軍隊在乘丘作戰。魯莊公所乘的戰車由縣賁父駕馭，卜國擔任護衛。作戰時，駕車的馬忽然受驚亂跑，把莊公從車上摔了下來。幸虧副車上的人遞給莊公登車的引繩，把他拉上了副車。莊公說：「馬驚失列，是駕車者的責任。我沒有事先占卜駕車者的人選，所以事情才會這樣。」縣賁父說：「平常駕車，馬不亂跑；今天駕車竟亂跑起來，這說明我還缺乏勇氣。」於是赴敵而死。後來馬伕洗馬，發現有一支箭射到馬大腿內側的肉裡。莊公說：「原來如此。是我錯怪縣賁父了。」於是寫了一篇表彰死者功德的誄文。士這

一階層也能有誄，就是從這件事開始的。[4]

【出處】

　　魯莊公及宋人戰於乘丘。縣賁父御，卜國為右。馬驚，敗績，公隊。佐車授綏。公曰：「末之卜也。」縣賁父曰：「他日不敗績，而今敗績，是無勇也。」遂死之。圉人浴馬，有流矢在白肉。公曰：「非其罪也。」遂誄之。士之有誄，自此始也。（《禮記》〈檀弓上〉）

丹楹刻桷

　　魯莊公要把先父桓公宗廟的楹柱塗上紅漆，並在屋椽上雕刻花紋。匠師慶[5]勸諫莊公說：「我聽說先王中那些創基立業的聖人，總要以身作則，為後人樹立樣板，教導後人走正道，以使他們的功業能代代相傳。先君桓公倡導節儉，您卻倡導奢侈，傳統的美德眼看就要泯滅了。」莊公說：「我這樣做正是想美化先君啊。」回答說：「這對您沒有益處，反而會泯沒先君的美德。所以我說，這件事應該停下來。」遺憾的是，莊公沒有聽從匠師慶的意見。

【出處】

　　莊公丹桓宮之楹，而刻其桷。匠師慶言於公曰：「臣聞聖王公之先封者，遺後之人法，使無陷於惡。其為後世昭前之令聞也，使長

---

4. 誄文：哀祭文的一種，敘述死者生平，相當於如今的致悼詞或哀悼文章。
5. 匠師慶：魯國掌管工匠事務的大夫御孫，名慶。

監於世，故能攝固不解以久。今先君儉而君侈，令德替矣。」公曰：「吾屬欲美之。」對曰：「無益於君，而替前之令德，臣故曰庶可已矣。」公弗聽。（《國語》〈魯語〉）

男女無別

　　哀姜到了魯國，莊公讓同宗大夫們的妻子帶上玉、帛之類的禮物去拜見她。宗人夏父展批評說：「這不合先王的規矩。」莊公說：「國君可以制定規矩。」夏父展回答說：「國君的創造合乎禮就可以成為規矩，違反禮就會在史書上記載違禮。我忠於自己的職守，生怕這違禮的事情被記載下來傳於後世，所以不敢不告訴您。女人進見的禮物不過是棗、栗之類，用以表示誠敬。男人進見的禮物則有珠玉、絲帛、禽鳥之類，用以表明尊卑等級的不同。現在女人拿著玉、帛一類的禮物，這就是男女無別了。男女的區別是國家的大禮節，不能沒有啊。」

【出處】

　　哀姜至，公使大夫、宗婦覿用幣。宗人夏父展曰：「非故也。」公曰：「君作故。」對曰：「君作而順則故之，逆則亦書其逆也。臣從有司，懼逆之書於後也，故不敢不告。夫婦贄不過棗、栗，以告虔也。男則玉、帛、禽、鳥，以章物也。今婦執幣，是男女無別也。男女之別，國之大節也，不可無也。」公弗聽。（《國語》〈魯語〉）

請糴於齊

　　魯國發生饑荒，臧文仲對魯莊公說：「與鄰國結好，取得諸侯的信任，用婚姻關係來加強它，以盟約誓言來鞏固它，乃是為了應付國家的急難。鑄造鐘鼎寶器，貯藏珠玉財物，乃是為了救助百姓的困苦。現在國家遇到困難，國君為何不拿鐘鼎寶器向齊國請求購買糧食呢？」莊公說：「派誰去呢？」臧文仲回答說：「國家遇到饑荒，派卿大夫外出求購糧食，這是古代的制度。臣充列卿位，願意前往。」於是莊公派遣臧文仲赴齊。臧文仲的侍從說：「國君並沒有指派您，您卻主動要求，這不是自己挑選差事去幹嗎？」文仲說：「賢明的人應該急難讓易，做官就應該主動承擔責任，身居高位，就應該體恤百姓的憂患，這樣國家才能安定。如果我不去齊國，就算不上迎難而上。處於上位而不體恤百姓，當官而懶於理事，這不是臣子侍奉國君應有的行為。」臧文仲到達齊國後，用邑圭和玉磬向齊國求購糧食，說：「天災流行，殃及敝國。饑荒降臨，使我國百姓挨餓受困，生命不保，對周公、太公的祭祀無法保證，給王室的貢品也難以操辦，我們國君很擔心因此獲罪，所以不敢再珍惜先君的寶器，請求交換貴國積餘的陳糧。這既可減輕貴國管糧人的負擔，也可解救敝國的饑荒，使我們能擔當向王室朝貢的職守。不但我們的國君和臣子能感受到貴國國君的恩惠，就是周公、太公和天地間的所有神祇，也能繼續得到祭祀。」齊人於是把糧食借給魯國，並退還了寶器。

　　魯飢，臧文仲言於莊公曰：「夫為四鄰之援，結諸侯之信，重之以婚姻，申之以盟誓，固國之艱急是為。鑄名器，藏寶財，固民之疹病是待。今國病矣，君盍以名器請糴於齊！」公曰：「誰使？」對曰：「國有饑饉，卿出告糴，古之制也。辰也備卿，辰請如齊。」公使往。從者曰：「君不命吾子，吾子請之，其為選事乎？」文仲曰：「賢者急病而讓夷，居官者當事不避難，在位者恤民之患，是以國家無違。今我不如齊，非急病也。在上不恤下，居官而惰，非事君也。」文仲以鬯圭與玉磬如齊告糴，曰：「天災流行，戾於弊邑，饑饉薦降，民羸幾卒，大懼乏周公、太公之命祀，職貢業事之不共而獲戾。不腆先君之幣器，敢告滯積，以紓執事；以救弊邑，使能共職。豈唯寡君與二三臣實受君賜，其周公、太公及百辟神祇實永饗而賴之！」齊人歸其玉而予之糴。（《國語》〈魯語〉）

魯臧孫母

　　魯臧孫母，指的是魯國大夫臧文仲的母親。一次，文仲代表魯國出使齊國，母親為他送行時說：「你做人刻薄寡恩，好逞威風，魯國容不下你，才派你出使齊國。大凡禍事的發生，都是在變動時刻；想加害你的人，應該會在這時下手。你要謹慎防範呵！魯國與齊國是鄰國，魯國得寵的大臣中怨恨你的人，多半會與齊國的高子、國子相勾結，讓他們在齊國拘留你。所以你要施恩布惠，日後才好向人求助。」於是文仲趕緊疏通了季、孟、叔三家的關係，隨後出使齊國。

齊國人果然拘留了他，而且聲稱要出兵襲擊魯國。文仲悄悄地派人給魯君送信，又怕信落到別人手裡，就在信中故意寫些奇怪的詞句說：「斂小器，投諸台；食獵犬，組羊裘。琴之合，其思之。臧我羊，羊有母。食我以同魚，冠纓不足，帶有餘。」魯君收到信後，召集卿大夫一齊研究，都不懂信中的含義。有人對魯侯說：「臧孫氏的母親是世家之子，素有才學，您何不召她來問問？」於是召她來問，說：「我派臧子到齊國去，現在他寫信回來，但不知是什麼意思。」臧孫母看完信後，哭著說：「我的兒子被拘留了！」魯公問：「你怎麼知道呢？」臧母說：「『斂小器，投諸台』的意思，是讓君主把城外的人眾及物資歸入城內；『食獵犬，組羊裘』，是說趕緊養足戰士的精神，修繕武器裝備，抓緊備戰；『琴之和，甚思之』，是說思念妻子；『臧我羊，羊有母』，是告誡妻子要孝養我母親；『食我以同魚』，所謂『同魚』，指的是美麗交錯的文采，『錯』是做鋸子用的，鋸子是用來治木器的，是說我兒子已經身戴枷鎖，繫於牢獄了；『冠纓不足』是說頭髮亂了無法梳理，『帶有餘』，是饑餓而不得進食的意思。」魯君聽了臧母的話，立即派兵加強邊境駐防，齊國人得知消息，於是放棄發兵偷襲的打算，放回了文仲。人們稱讚臧母識微見遠，《詩經》裡說：「登臨荒蕪山崗上，遠遠把我母親望。」[6]說的正是她啊！

【出處】

　　臧孫母者，魯大夫臧文仲之母也。文仲將為魯使至齊，其母送之曰：「汝刻而無恩，好盡人力，窮人以威，魯國不容子矣，而使子之

---

6. 「陟彼屺兮，瞻望母兮」，出自《詩經》〈魏風・陟岵〉。

齊。凡奸將作，必於變動。害子者，其於斯發事乎！汝其戒之。魯與齊通壁，壁鄰之國也。魯之寵臣多怨汝者，又皆通於齊高子、國子。是必使齊圖魯而拘汝。留之，難乎其免也。汝必施恩布惠，而後出以求助焉。」於是文仲托於三家，厚士大夫而後之齊。齊果拘之，而興兵欲襲魯。文仲微使人遺公書，恐得其書，乃謬其辭曰：「斂小器，投諸台。食獵犬，組羊裘。琴之合，甚思之。臧我羊，羊有母。食我以同魚。冠纓不足，帶有餘。」公及大夫相與議之，莫能知之。人有言：「臧孫母者，世家子也，君何不試召而問焉？」於是召而語之曰：「吾使臧子之齊，今持書來云爾，何也？」臧孫母泣下襟曰：「吾子拘有木治矣。」公曰：「何以知之？」對曰：「斂小器投諸台者，言取郭外萌，內之於城中也。食獵犬組羊裘者，言趣饗戰鬥之士而繕甲兵也。琴之合甚思之者，言思妻也。臧我羊羊有母者，告妻善養母也。食我以同魚，同者，其文錯。錯者，所以治鋸。鋸者，所以治木也。是有木治繫於獄矣。冠纓不足帶有餘者，頭亂不得梳，飢不得食也。故知吾子拘而有木治矣。」於是以臧孫母之言軍於境上，齊方發兵，將以襲魯，聞兵在境上，乃還文仲而不伐魯。君子謂臧孫母識微見遠。《詩》云：「陟彼屺兮，瞻望母兮。」此之謂也。（《列女傳》〈仁智傳〉）

其馬必敗

東野稷以善於駕車得到魯莊公的召見。他駕車時進退都在一條直線上，左右轉彎形成規整的弧形。莊公稱讚即便古代的造父也不

過如此，讓他駕車轉上一百圈後再回來。顏闔入朝拜見莊公，莊公問他說：「你看見東野稷了嗎？」回答說：「看見了。東野稷一定會失敗。」沒過多久，東野稷果然垂頭喪氣地回來了。莊公問顏闔說：「你怎麼知道東野稷會失敗呢？」顏闔回答說：「東野稷的馬力氣已經用盡，還要它繼續轉圈奔走，當然要失敗了。」不講道義的國家役使百姓，不瞭解人的本性，不體察人之常情。頻繁地變換政令，而對人們不能及時掌握和聽從嚴加責備；釀成巨大的危難，而對人們不敢迎難而上嚴加治罪；制定極為繁重的任務，而對人們不能完成加以懲罰。百姓知道難以達成目標，因為害怕受罰，只得採取虛假的做法。弄虛作假一旦被君主發現，跟著又會加重懲罰。因為畏罪而獲罪，君主和百姓之間的相互仇恨便產生了。所以，禮節繁瑣就不莊重，事情繁瑣就難以成功，政令苛刻就很難聽從，禁令繁多就難以行通。桀、紂的禁令不可勝數，所以百姓背叛他們，他們自己也被殺死，這是因為他們過分到了極點。鄭子陽喜好嚴酷，有個人犯錯把弓折斷了，害怕被殺，於是趁著追趕瘋狗的機會殺死了子陽。子陽的被殺，就是因為他太過嚴酷啊！[7]

【出處】

東野稷以御見莊公，進退中繩，左右旋中規。莊公曰：「善。」以為造父不過也。使之鉤百而少及焉。顏闔入見，莊公曰：「子遇東野稷乎？」對曰：「然，臣遇之。其馬必敗。」莊公曰：「將何敗？」少頃，東野之馬敗而至。莊公召顏闔而問之曰：「子何以知其敗也？」

---

7. 《新序》〈雜事〉《孔子家語》〈顏回〉記載為魯定公時期之事。《莊子》〈列禦寇〉則稱顏闔與魯哀公同時代。

顏闔對曰：「夫進退中繩，左右旋中規，造父之御，無以過焉。鄉臣遇之，猶求其馬，臣是以知其敗也。」故亂國之使其民，不論人之性，不反人之情，煩為教而過不識，數為令而非不從，巨為危而罪不敢，重為任而罰不勝。民進則欲其賞，退則畏其罪。知其能力之不足也，則以為繼矣。以為繼知，則上又從而罪之，是以罪召罪。上下之相仇也，由是起矣。故禮煩則不莊，業煩則無功，令苛則不聽，禁多則不行。桀、紂之禁，不可勝數，故民因而身為戮，極也，不能用威適。子陽極也好嚴，有過而折弓者，恐必死，遂應猘狗而弒子陽，極也。周鼎有竊曲，狀甚長，上下皆曲，以見極之敗也。（《呂氏春秋》〈離俗覽・適威〉）

斑未得殺

當初，莊公建造高臺，可以看到黨家。望見黨氏的女兒孟，非常喜歡，答應立她為夫人，並與她割破手臂盟誓。孟女後來就生下子斑。斑長大後，喜愛梁氏的女兒，去她家看望時，一個名叫犖的養馬人從牆外戲弄梁氏女。斑大怒，鞭打了犖。莊公聽說此事後說：「犖很有蠻力，應該殺死他，不能打完後就放了他。」斑沒有及時除掉犖。正逢莊公有病。莊公有三個弟弟，長弟慶父，次弟叔牙，幼弟季友。莊公娶齊女哀姜為夫人。哀姜無子，哀姜的妹妹叔姜生子名啟。莊公喜愛孟女，想立子斑為太子。莊公病重，徵詢叔牙誰繼承君位合適。叔牙說：「慶父有才能。」詢問季友，季友回答說：「臣以死侍奉子斑。」莊公說：「剛才叔牙想立慶父，怎麼辦？」季友於是派人

以國君的名義讓叔牙等在鍼巫家裡，讓鍼巫用毒酒毒死叔牙說：「喝了這個，你的後代在魯國繼續享有祿位，否則，你死了後代就沒有祿位。」叔牙喝下毒酒，到達逵泉就死了，魯國立他的後人為叔孫氏。八月初五日，魯莊公病死。子斑即位，住在黨氏家裡。冬季，慶父派圉人犖在黨家刺死子斑，季友逃到陳國。慶父於是立啟為國君，是為閔公。

【出處】

三十二年，初，莊公築臺臨黨氏，見孟女，說而愛之，許立為夫人，割臂以盟。孟女生子斑。斑長，說梁氏女，往觀。圉人犖自牆外與梁氏女戲。斑怒，鞭犖。莊公聞之，曰：「犖有力焉，遂殺之，是未可鞭而置也。」斑未得殺。會莊公有疾。莊公有三弟，長曰慶父，次曰叔牙，次曰季友。莊公取齊女為夫人曰哀姜。哀姜無子。哀姜娣曰叔姜，生子開。莊公無適嗣，愛孟女，欲立其子斑。莊公病，而問嗣於弟叔牙。叔牙曰：「一繼一及，魯之常也。慶父在，可為嗣，君何憂？」莊公患叔牙欲立慶父，退而問季友。季友曰：「請以死立斑也。」莊公曰：「曩者叔牙欲立慶父，奈何？」季友以莊公命命牙待於鍼巫氏，使鍼季劫飲叔牙以鴆，曰：「飲此則有後奉祀，不然，死且無後。」牙遂飲鴆而死，魯立其子為叔孫氏。八月癸亥，莊公卒，季友竟立子斑為君，如莊公命。侍喪，舍於黨氏。（《史記》〈魯周公世家〉）

不去慶父，魯難未已

閔公（湣公）元年（西元前661年）冬季，齊國的仲孫湫前往魯國慰問。仲孫回國後說：「不除掉慶父，魯國的禍難將不會完結。」齊桓公問：「怎麼樣才能除掉他呢？」仲孫回答說：「禍難不止，終將自取滅亡，您就等著瞧吧！」齊桓公說：「可以乘機滅掉魯國嗎？」仲孫回答說：「不行。他們還遵行周禮。周禮是立國的根本。下臣聽說：『國家將要滅亡，如同大樹，軀幹先行撲倒，然後枝葉隨著落下。』魯國不拋棄周禮，是不能動它的。您應當著力安定魯國，主動親近它。親近有禮儀的國家，依靠堅定的盟國，離間內部渙散的國家，滅亡昏暗動亂的國家，這是稱霸稱王的辦法。」

【出處】

冬，齊仲孫湫來省難。書曰「仲孫」，亦嘉之也。仲孫歸曰：「不去慶父，魯難未已。」公曰：「若之何而去之？」對曰：「難不已，將自斃，君其待之。」公曰：「魯可取乎？」對曰：「不可，猶秉周禮。周禮，所以本也。臣聞之，國將亡，本必先顛，而後枝葉從之。魯不棄周禮，未可動也。君其務寧魯難而親之。親有禮，因重固，間攜貳，覆昏亂，霸王之器也。」（《左傳》〈閔西元年〉）

有文在手

成季將要出生的時候，魯桓公讓掌卜官楚丘的父親占卜。他說：

「是男孩子。他名叫友，是您的右手；處於周社和亳社之間，作為公室的輔助。季氏滅亡，魯國不能盛昌。」又占筮，得到《大有》變成《乾》，說：「尊貴如同父親，敬重如同國君。」等到生下來，發現手掌心有個「友」字，於是以友命名。

【出處】

成季之將生也，桓公使卜楚丘之父卜之。曰：「男也。其名曰友，在公之右。間於兩社，為公室輔。季氏亡，則魯不昌。」又筮之，遇《大有》之《乾》，曰：「同復於父，敬如君所。」及生，有文在其手曰「友」，遂以命之。（《左傳》〈閔公二年〉）

魯莊哀姜

哀姜是齊侯的女兒，魯莊公的夫人。哀姜還沒有嫁到魯國的時候，莊公就經常到齊國與她私通。後來她和妹妹叔姜一起嫁到魯國，始終驕奢淫逸，肆無忌憚，又和兩個叔叔通姦，一個是公子慶父，一個是公子牙，哀姜甚至想立慶父為國君。等到莊公去世，子般（也作子斑）繼位，慶父和哀姜商量，把子般殺死在黨氏家裡，立叔姜的兒子啟為國君，就是閔公。閔公即位後，慶父與哀姜更加肆無忌憚，又計劃殺死閔公自立，於是派卜齮去武闈暗殺閔公。慶父、哀姜的惡行觸犯眾怒，慶父逃往莒城，哀姜逃到邾城。齊桓公幫助魯國平息了內亂，立僖公為魯國國君。聽說這場內亂是由哀姜和慶父相互勾結引起的，非常生氣，下令把哀姜抓起來，逼她飲毒酒自盡。魯國也殺死了

慶父。《詩經》中說:「一陣抽泣雙淚掉,追悔莫及向誰告!」[8]這是多麼悲慘的下場啊!

【出處】

　　哀姜者,齊侯之女,莊公之夫人也。初,哀姜未入時,公數如齊,與哀姜淫。既入,與其弟叔姜俱。公使大夫宗婦用幣見,大夫夏甫不忌曰:「婦贄不過棗栗,以致禮也。男贄不過玉帛禽鳥,以章物也。今婦贄用幣,是男女無別也。男女之別,國之大節也。無乃不可乎?」公不聽,又丹其父桓公廟宮之楹,刻其桷,以誇哀姜。哀姜驕淫,通於二叔公子慶父、公子牙。哀姜欲立慶父,公薨,子般立,慶父與哀姜謀,遂殺子般於黨氏,立叔姜之子,是為閔公。閔公既立,慶父與哀姜淫益甚,又與慶父謀殺閔公而立慶父,遂使卜齮襲弒閔公於武闈。將自立,魯人謀之,慶父恐,奔莒,哀姜奔邾。齊桓公立僖公,聞哀姜與慶父通以危魯,乃召哀姜,鴆而殺之,魯遂殺慶父。《詩》云:「啜其泣矣,何嗟及矣!」此之謂也。(《列女傳》〈孽嬖傳〉)

不棄其親

　　諸侯在溫地盟會時,晉國逮捕了衛成公,把他押送到周室,指使醫生用毒酒暗害他,沒能成功,醫生也沒有被追究。臧文仲對魯僖公說:「衛君大概可以免罪了。刑不過五種,以下毒的方式暗害他,是

---

8. 「啜其泣矣,何嗟及矣」,出自《詩經》〈王風・中谷有蓷〉。

為了避嫌疑。大刑是用甲兵討伐，其次是用斧鉞殺戮，中刑是用刀鋸斷肢，其次是用鑽笮毀容，最輕的是鞭打，用來嚇唬百姓的。所以用甲兵、斧鉞殺死的在野外執行，用刀鋸處死的在市、朝執行，五種刑法三個場所，都不會隱蔽地進行。現在晉人下毒不成功，也不追究醫生的責任，是想避免暗害的嫌疑。此時如果有諸侯出面求情，衛君一定會得到赦免。我聽說：地位相同的人互相體恤，能夠拉近關係。諸侯有了患難，其他諸侯去體恤，是教育百姓互相幫助。您何不替衛君求情以在諸侯間顯示愛心，並且以此感動晉侯呢？晉侯剛剛成為盟主，魯國的主動親近一定會讓他開心。」僖公於是以二十對白玉送給周王和晉侯，使衛侯得到赦免。自此之後，晉國遣使到魯國聘問，規格要比其他諸侯高出一等，送的禮物也比和魯國同等爵位的要好。衛侯得知臧文仲的幫助，派人送禮給他。臧文仲推辭說：「外臣之言不越境，怨不敢與您交往。」

【出處】

溫之會，晉人執衛成公歸之於周，使醫鴆之，不死，醫亦不誅。臧文仲言於僖公曰：「夫衛君殆無罪矣。刑五而已，無有隱者，隱乃諱也。大刑用甲兵，其次用斧鉞，中刑用刀鋸，其次用鑽笮，薄刑用鞭扑，以威民也。故大者陳之原野，小者致之市朝，五刑三次，是無隱也。今晉人鴆衛侯不死，亦不討其使者，諱而惡殺之也。有諸侯之請，必免之。臣聞之：班相恤也，故能有親。夫諸侯之患，諸侯恤之，所以訓民也。君盍請衛君以示親於諸侯，且以動晉？夫晉新得諸侯，使亦曰：『魯不棄其親，其亦不可以惡。』」公說，行玉二十轂，乃免衛侯。自是晉聘於魯，加於諸侯一等，爵同，厚其好貨。衛侯聞

其臧文仲之為也，使納賂焉。辭曰：「外臣之言不越境，不敢及君。」（《國語》〈魯語〉）

皆將爭先

　　晉文公削減曹國的封地，分給諸侯列國。魯僖公派臧文仲前往受領，途中住宿在重邑的館舍。館舍的看守人對他說：「晉國剛剛稱霸，想加固諸侯對它的信服，所以削減曹國的土地分給諸侯，希望分到土地的國家一定會爭先恐後地親近晉國。晉國未必按照諸侯之間原來的等級次序來分配，先去的人肯定佔便宜，您不妨火速趕去。魯國按等級次序本來就排在前面，又能搶先到達，諸侯誰還敢企望與魯國相比？倘若您稍有放鬆，恐怕就失去機會了。」文仲聽從看守人的建議，加速前往，果然在諸侯中分得的土地最多。回到魯國覆命後，文仲為看守人請功說：「土地分得多，是重邑館舍看守人的功勞啊。我聽說：『一個人的善行得以彰顯，即使身分低下，也應該給予獎賞；一個人的惡行得以證實，即使地位高貴，也應該給予懲罰。』看守人的一句話帶來了國家疆土的擴張，他的功勞再明顯不過了，請國君獎賞他。」僖公於是把看守人從僕隸提拔為大夫。

【出處】

　　晉文公解曹地以分諸侯。僖公使臧文仲往，宿於重館，重館人告曰：「晉始伯而欲固諸侯，故解有罪之地以分諸侯。諸侯莫不望分而欲親晉，皆將爭先；晉不以固班，亦必親先者，吾子不可以不速行。

魯之班長而又先，諸侯其誰望之？若少安，恐無及也。」從之，獲地於諸侯為多。反，既覆命，為之請曰：「地之多也，重館人之力也。臣聞之曰：『善有章，雖賤賞也；惡有釁，雖貴罰也。』今一言而辟境，其章大矣，請賞之。」乃出而爵之。（《國語》〈魯語〉）

無功而祀

　　一隻叫「爰居」的海鳥，一連三天停留在魯國都城的東門外。臧文仲讓都城裡的人去祭祀它。展禽[9]說：「真是太迂腐了，文仲竟這樣管理國政！祭祀是國家的重要制度，而制度又是行政的保證。所以對待祭祀必須慎重。聖王制定祭祀禮節的原則是：凡是以完善的法規治理人民的就祭祀他；凡是為國事操勞，至死不懈的就祭祀他；凡是有安定國家功勞的就祭祀他；凡是抵禦重大災禍的就祭祀他。不屬於這幾類的，不能列入祭祀的範圍。祭祀土地、五穀和山川的神，也是因對人民有功德；祭祀前代的聖哲、有美德的人，因為得到人民的崇信；祭祀天上的日、月、星辰，因為是人民所瞻仰的；祭祀大地的金、木、水、火、土，因為是人民賴以生存繁衍的；祭祀九州的名山大川，因為是人民財用的來源。不屬於這些範圍的就不能納入祭祀的範疇。現在海鳥停留在都城郊外，祭祀它毫無依據；不知海鳥飛來的原因又不向別人詢問，也不明智。是否海上要發生什麼災變嗎？因為海鳥常常會預先知道並躲避災變的。」這一年，海上常有大風，冬天則反常暖和。臧文仲聽到展禽的議論後說：「的確是我錯了。展禽的

---

9. 展禽：即柳下惠。本名展獲，字子禽（一字季），諡號惠，後人尊稱其為「柳下惠」或「和聖柳下惠」。

話不能不認真聽取啊。」便讓人把展禽的話寫在三卿的簡冊上。

【出處】

海鳥曰「爰居」，止於魯東門之外三日，臧文仲使國人祭之。展禽曰：「越哉，臧孫之為政也！夫祀，國之大節也；而節，政之所成也。故慎制祀以為國典。今無故而加典，非政之宜也。夫聖王之制祀也，法施於民則祀之，以死勤事則祀之，以勞定國則祀之，能御大災則祀之，能扞大患則祀之。非是族也，不在祀典。昔烈山氏之有天下也，其子曰柱，能殖百穀百蔬；夏之興也，周棄繼之，故祀以為稷。共工氏之伯九有也，其子曰后土，能平九土，故祀以為社。黃帝能成命百物，以明民共財，顓頊能修之。帝嚳能序三辰以固民，堯能單均刑法以儀民，舜勤民事而野死，鯀鄣洪水而殛死，禹能以德修鯀之功，契為司徒而民輯，冥勤其官而水死，湯以寬治民而除其邪，稷勤百穀而山死，文王以文昭，武王去民之穢。故有虞氏禘黃帝而祖顓頊，郊堯而宗舜；夏后氏禘黃帝而祖顓頊，郊鯀而宗禹；商人禘舜而祖契，郊冥而宗湯；周人禘嚳而郊稷，祖文王而宗武王，幕，能帥顓頊者也，有虞氏報焉；杼，能帥禹者也，夏后氏報焉，上甲微，能帥契者也，商人報焉；高圉、大王，能帥稷者也，周人報焉。凡禘、郊、祖、宗、報，此五者國之典祀也。加之以社稷山川之神，皆有功烈於民者也；及前哲令德之人，所以為明質也；及天之三辰，民所以瞻仰也；及地之五行，所以生殖也；及九州名山川澤，所以出財用也。非是不在祀典。今海鳥至，己不知而祀之，以為國典，難以為仁且智矣。夫仁者講功，而智者處物。無功而祀之，非仁也；不知而不能問，非智也。今茲海其有災乎？夫廣川之鳥獸，恆知避其災也。」

是歲也，海多大風，冬煖。文仲聞柳下季之言，曰：「信吾過也，季子之言不可不法也。」使書以為三筴。（《國語》〈魯語〉）

公欲焚巫尫

夏季，很久沒有下雨，乾旱很厲害。僖公要燒死巫人和仰面朝天的怪人。臧文仲說：「這不是解決旱災的辦法。修理城牆、節用飲食、節省開支、致力農事、勸人施捨，這是應該做的。巫人、仰面朝天的怪人能做什麼？上天要殺他們，就不應該生他們；如果他們能造成旱災，燒死他們會旱得更厲害。」僖公聽從了臧文仲的建議。這一年，雖有饑荒，卻沒有傷害百姓。

【出處】

夏，大旱。公欲焚巫尫。臧文仲曰：「非旱備也。修城郭，貶食省用，務穡勸分，此其務也。巫尫何為？天欲殺之，則如勿生；若能為旱，焚之滋甚。」公從之。是歲也，饑而不害。（《左傳》〈僖公二十一年〉）

蜂蠆有毒

邾人由於魯國幫助須句的緣故出兵攻打魯國。僖公輕視邾國，沒把邾人的進攻當回事。臧文仲勸諫說：「不能因為國家弱小就輕視它。不做準備，即便人多，也不一定可靠。《詩經》裡說：『小心謹

慎，如面臨深池，如腳踩薄冰。』又說：『謹慎再謹慎，得到上天的保佑，非常不容易啊！』以先王的明德，也要多想困難、心有畏懼，何況我們也是小國呢？君王不要以為邾國弱小，黃蜂、蠍子都有毒，何況一個國家呢？」僖公不聽。八月丁未日，僖公率軍與邾軍在升陘作戰，魯軍大敗。邾軍獲得僖公的頭盔，懸掛在魚門上。

【出處】

邾人以須句故出師。公卑邾，不設備而禦之。臧文仲曰：「國無小，不可易也。無備，雖眾不可恃也。《詩》曰：『戰戰兢兢，如臨深淵，如履薄冰。』又曰：『敬之敬之，天惟顯思，命不易哉！』[10]先王之明德，猶無不難也，無不懼也，況我小國乎！君其無謂邾小。蜂蠆有毒，而況國乎？」弗聽。八月丁未，公及邾師戰於升陘，我師敗績。邾人獲公冑，縣諸魚門。（《左傳》〈僖公二十二年〉）

恃而不恐

齊孝公出兵討伐魯國，臧文仲想寫一封謝罪信請求齊國退兵，卻找不到適當的措辭，便去向展禽求教。展禽回答說：「我聽說，大國要做好小國的表率，小國要侍奉好大國，這樣才能避免生亂，沒聽說用言辭就能解決問題的。如果小國自高自大，激怒大國，惹禍上身，再好的言辭又有什麼用呢？」文仲說：「國家已經很危急了，什麼貴

10.「戰戰兢兢，如臨深淵，如履薄冰」，出自《詩經》〈小雅‧小旻〉。「敬之敬之，天惟顯思，命不易哉」，出自《詩經》〈周頌‧敬之〉。

重物品都可以拿給您，憑著您的說辭，能否一試呢？」展禽讓乙喜帶著不值錢的潤髮膏去慰勞齊國軍隊，對齊孝公說：「我們國君不才，沒有侍奉好貴國邊境上的官員，讓您非常生氣，以至帶兵來到我國的郊野風餐雨宿，因此派我來慰勞貴國大軍。」齊孝公問展禽說：「魯國害怕了嗎？」回答說：「小人害怕，君子不害怕。」齊孝公說：「房屋裡像懸磬一樣空，田野裡連青草也沒有，憑什麼不害怕？」展喜回答說：「靠著先王的命令。從前周公、太公輔助周王朝，是成王的左右手。成王慰勞他們，賜給他們盟約說：『願子孫後代不得互相侵犯。』這個盟約藏在盟府之中，由太史掌管。桓公因此聯合諸侯，商討解決兩國之間的糾紛，救援我國的災難，這都是在踐行過去的盟約啊。等到君王即位，各國諸侯盼望說：『一定會繼續桓公的功業！』魯國因此不敢保護城郭、糾聚民眾，說：『難道他即位九年，就背棄王命？他怎麼對得住先君？他一定不會這樣做的。』靠著這個，所以不害怕。」齊孝公聽罷，於是收兵回國。

【出處】

　　齊孝公來伐魯，臧文仲欲以辭告。病焉，問於展禽。對曰：「獲聞之，處大教小，處小事大，所以御亂也，不聞以辭。若為小而崇以怒大國，使加己亂，亂在前矣，辭其何益？」文仲曰：「國急矣！百物唯其可者，將無不趨也。願以子之辭行賂焉，其可賂乎？」展禽使乙喜以膏沐犒師，曰：「寡君不佞，不能事疆場之司，使君盛怒，以暴露於弊邑之野，敢犒輿師。」齊侯見使者曰：「魯國恐乎？」對曰：「小人恐矣，君子則否。」公曰：「室如懸磬，野無青草，何恃而不恐？」對曰：「恃二先君之所職業。昔者成王命我先君周公及齊

先君太公曰：『女股肱周室，以夾輔先王。賜女土地，質之以犧牲，世世子孫無相害也。』君今來討弊邑之罪，其亦使聽從而釋之，必不泯其社稷；豈其貪壤地，而棄先王之命？其何以鎮撫諸侯？恃此以不恐。」齊侯乃許為平而還。（《國語》〈魯語〉）

魯侯獻鼎

　　齊國攻打魯國，向魯國索要鎮國之寶岑鼎。魯國國君悄悄換了另外一個鼎獻給齊君，向齊君請求訂立盟約。齊君不相信魯君會把真的岑鼎送來，便提出說：「如果柳季說是真品，那我就接受它。」魯君只得去請求柳季。柳季說：「您把岑鼎當成國家的重器，我把信用看作立身之本。您想犧牲臣的立身之本來保全您的國家，這是臣下難以辦到的事。」魯君無奈，只得將岑鼎獻給齊君。

【出處】

　　昔齊攻魯，求其岑鼎，魯侯偽獻他鼎而請盟焉。齊侯不信，曰：「若柳季云是，則請受之。」魯欲使柳季。柳季曰：「君以鼎為國，信者亦臣之國，今欲破臣之國，全君之國，臣所難。」魯侯乃獻岑鼎。（《國語》〈魯語〉）

直而事人

　　柳下惠當典獄官，三次被罷免。有人說：「你不可以離開魯國

嗎？」柳下惠說：「按正道侍奉君主，到哪裡不會被多次罷官呢？如果不按正道侍奉君主，為什麼一定要離開本國呢？」

【出處】

柳下惠為士師，三黜。人曰：「子未可以去乎？」曰：「直道而事人，焉往而不三黜？枉道而事人，何必去父母之邦？」（《論語》〈微子〉）

柳下惠妻

柳下惠妻，就是魯國大夫柳下惠的妻子。柳下惠在魯國做官，三次被貶還不離開，仍然關心百姓疾苦，扶危解困，救急濟難。他妻子說：「你也未免太自輕自賤了吧？君子有兩種恥辱：國家無道而自己身處富貴，國家有道而自己身處貧賤。現今正逢亂世，你三次被貶還不肯離開，差不多也是恥辱了。」柳下惠說：「眼看許多百姓身陷苦難，我能不顧嗎？那些壞人們，他們是他們，我是我，即使赤裸身子來羞辱我，又怎能玷污我呢？」於是心甘情願地和大家在一起，認真做好低下的本職工作。柳下惠死後，他的弟子們想寫篇祭文來悼念他。柳下惠的妻子說：「是要追述夫子的生平嗎？你們哪比得上我清楚。」於是作誄說：「夫子從不自誇，一生自強不息。夫子以誠信為本，一生與世無爭。委屈柔順、遵從民俗，即便蒙受恥辱，也心繫下層平民。雖然三次被貶，始終沒有怨言。他為人和善可親，嚴謹而不懈怠。多麼希望他長壽永年，可惜匆匆離世。嗚呼哀哉，

魂神已去，夫子之謚，應以為『惠』呀。」弟子們把這篇文章作為祭文，一個字也沒有改動。君子感嘆說：柳下惠的妻子不僅賢惠，而且有才，能光大丈夫的美德。《詩經》裡說：「人們只知其一，不知其他。」[11]說的正是柳下惠的妻子啊！

【出處】

魯大夫柳下惠之妻也。柳下惠處魯，三黜而不去，憂民救亂。妻曰：「無乃瀆乎！君子有二恥。國無道而貴，恥也；國有道而賤，恥也。今當亂世，三黜而不去，亦近恥也。」柳下惠曰：「油油之民，將陷於害，吾能已乎！且彼為彼，我為我，彼雖裸裎，安能污我！」油油然與之處，仕於下位。柳下既死，門人將誄之。妻曰：「將誄夫子之德耶，則二三子不如妾知之也。」乃誄曰：「夫子之不伐兮，夫子之不竭兮，夫子之信誠而與人無害兮，屈柔從俗，不強察兮，蒙恥救民，德彌大兮，雖遇三黜，終不蔽兮，愷悌君子，永能厲兮，嗟乎惜哉，乃下世兮，庶幾遐年，今遂逝兮，嗚呼哀哉，魂神洩兮，夫子之謚，宜為惠兮。」門人從之以為誄，莫能竄一字。君子謂柳下惠妻能光其夫矣。《詩》曰：「人知其一，莫知其他。」此之謂也。（《列女傳》〈賢明傳〉）

不襲其為

魯國有個單身男人，鄰居是個寡婦。一天夜裡，暴風驟雨來襲，

11.「人知其一，莫知其他」，出自《詩經》〈小雅・小旻〉。

寡婦住的房子被摧毀，便來敲門借宿，男子不讓寡婦進屋。寡婦透過窗戶問他說：「為什麼你如此不講仁德，不讓我進去呢？」男子說：「我聽說男女不到六十歲不能同處一室，眼下你我都很年輕，因此不敢讓你進來。」寡婦說：「為什麼你不能像柳下惠那樣，愛撫一個無依無靠的女子，國人卻不說他淫亂？」男子說：「柳下惠能做到坐懷不亂，我卻做不到。我只好以我的做不到，來實踐柳下惠的可以做到。」孔子聽到這件事評論說：「很好！想學柳下惠的人，未必像他這樣做。學習柳下惠而不仿照他的做法，稱得上是智者了！」

【出處】

魯人有獨處室者，鄰之釐婦，亦獨處一室。夜，暴風雨至，釐婦室壞，趨而托焉，魯人閉戶而不納。釐婦自牖與之言：「何不仁而不納我乎？」魯人曰：「吾聞男女不六十不同居，今子幼吾亦幼，是以不敢納爾也。」婦人曰：「子何不如柳下惠？然嫗不建門之女，國人不稱其亂。」魯人曰：「柳下惠則可，吾固不可。吾將以吾之不可，學柳下惠之可。」孔子聞之曰：「善哉！欲學柳下惠者，未有似於此者，期於至善而不襲其為，可謂智乎！」（《孔子家語》〈好生〉）

猶恐其逾

夏父弗忌擔任宗伯，冬祭時要把魯僖公的位次升到魯閔公之前。手下具體辦事的人說：「這不符合昭穆的次序啊。」[12]夏父弗忌說：

---

12. 二世、四世、六世，位於始祖之左方，稱「昭」；三世、五世、七世，位於始祖之右方，稱「穆」。墳地葬位的左右次序也按此規定排列。

「我是宗伯，僖公有明德當為昭，不如他的就為穆，有什麼固定的次序？」主事人說：「宗廟的昭穆次序，是用來排列世系先後，理順後人親疏關係的。祭祀是表明孝道的，各自向皇天宗祖獻上敬意，是表明孝道的最高禮儀。所以樂師和史官要記載世序的先後，宗伯和太祝要記載昭穆的次序，生怕會出現越禮的現象。現在你要把有明德的僖公排在前面，把世序在前的閔公排在後面，那麼從玄王到主癸都不及湯的明德，從后稷到王季都不及周文王、武王明德，可是商人、周人在冬祭時，並沒有因此把湯和文王、武王排列在前，為的是不越禮啊。魯國不遵循商人、周人的規矩，反而改變常規，這怎麼可以呢？」夏父弗忌不聽勸告，堅持把僖公的位次升至閔公之前。展禽說：「夏父弗忌一定會有麻煩。宗廟主事人的話要合乎禮，況且僖公並沒有明德。違犯了禮不吉祥，用違禮的話教育民眾不吉祥，變換神的位次不吉祥，沒有明德而升到前位不吉祥。前兩條違犯了人道，後兩條違犯了鬼道，能沒有麻煩嗎？」

【出處】

夏父弗忌為宗，蒸將躋僖公。宗有司曰：「非昭穆也。」曰：「我為宗伯，明者為昭，其次為穆，何常之有！」有司曰：「夫宗廟之有昭穆也，以次世之長幼，而等胄之親疏也。夫祀，昭孝也。各致齊敬於其皇祖，昭孝之至也。故工史書世，宗祝書昭穆，猶恐其逾也。今將先明而後祖，自玄王以及主癸莫若湯，自稷以及王季莫若文、武，商、周之蒸也，未嘗躋湯與文、武，為不逾也。魯未若商、周而改其常，無乃不可乎？」弗聽，遂躋之。展禽曰：「夏父弗忌必有殃。夫宗有司之言順矣，僖又未有明焉。犯順不祥，以逆訓民亦不祥，

易神之班亦不祥，不明而躋之亦不祥，犯鬼道二，犯人道二，能無殃乎？」侍者曰：「若有殃焉在？抑刑戮也，其夭札也？」曰：「未可知也。若血氣強固，將壽寵得沒，雖壽而沒，不為無殃。」既其葬也，焚，煙徹於上。（《國語》〈魯語〉）

孟孫善守

　　魯文公打算拆毀孟文子的住宅擴建自己的宮廷，便派人對孟文子說：「我想在外面寬敞的地方給你安排個好住宅。」孟文子說：「爵位是因政事而設立的；官署是爵位的標誌；車和服飾是顯示貴賤的；住宅是有車服官位者居住的府第；祿是有府第者享受的食米。國君討論決定這五項內容以建立政事，不可隨意變動。現在卻要更換我的官署和車服，並且說：『改變你的住宅，是為了你的寬敞便利。』官署是辦公場所。我住先臣的官署，用先臣的車服，如果為了私利而更換地點，是有辱君命的，所以不敢服從。倘若這樣做有罪，就請收回我的俸祿、車服和官署，讓裡宰來安排我的住處吧。」文公只得放棄佔用孟文子住宅的打算。臧文仲聽到這件事後評論說：「孟文子真善於守職啊。他能超過他的父親穆伯並在魯國保住後嗣！」

【出處】

　　文公欲弛孟文子之宅，使謂之曰：「吾欲利子於外之寬者。」對曰：「夫位，政之建也；署，位之表也；車服，表之章也；宅，章之次也；祿，次之食也。君議五者以建政，為不易之故也。今有司來命

易臣之署與其車服，而曰：『將易而次，為寬利也。』夫署，所以朝夕虔君命也。臣立先臣之署，服其車服，為利故而易其次，是辱君命也，不敢聞命。若罪也，則請納祿與車服而違署，唯裡人所命次。」公弗取。臧文仲聞之曰：「孟孫善守矣，其可以蓋穆伯而守其後於魯乎！」（《國語》〈魯語〉）

夫不忍麑

魯國的孟孫打獵，抓到一隻小鹿，派秦西巴裝上車押運回去。小鹿的母親跟在後面啼叫不停。秦西巴不忍心，於是把小鹿還給母鹿。孟孫回家後向秦西巴索要小鹿。秦西巴回答說：「我不忍心，就還給了它的母親。」孟孫非常氣憤，趕走了秦西巴。過了三個月，又把秦西巴召回來，讓他做自己兒子的老師。孟孫的車伕問：「從前加罪於他，現在卻召他來當您兒子的老師，為什麼呢？」孟孫說：「他對小鹿都不忍心殘害，何況對我的兒子呢？」所以說：「機巧、欺詐比不上笨拙、誠實。」

【出處】

孟孫獵得麑，使秦西巴持之歸，其母隨之而啼。秦西巴弗忍而與之。孟孫適至而求麑。答曰：「余弗忍而與其母。」孟孫大怒，逐之。居三月，復召以為其子傅。其御曰：「曩將罪之，今召以為子傅，何也？」孟孫曰：「夫不忍麑，又且忍吾子乎？」故曰：「巧詐不如拙誠。」（《韓非子》〈說林上〉）

備豫不虞

魯文公六年（西元前621年）秋季，季文子準備到晉國聘問，出發前向他人請教遇到喪事的禮儀。隨行的人說：「準備這些有什麼用呢？」文子說：「對可能遇到的意外做好準備，這是古人的好經驗。臨時請教，不一定找得到老師。所學的雖然一時用不著，但有什麼害處呢？」

【出處】

秋，季文子將聘於晉，使求遭喪之禮以行。其人曰：「將焉用之？」文子曰：「備豫不虞，古之善教也。求而無之，實難，過求何害？」（《左傳》〈文公六年〉）

穆伯娶於莒

孟穆伯[13]一生偏愛莒國女人。他先娶莒女戴己、聲己姐妹倆。戴己生文伯，聲己生惠叔。戴己死後，穆伯又到莒國行聘，莒國人認為聲己尚在，於是婉言謝絕。但是答應了襄仲的行聘。冬季，徐國攻打莒國，莒國人請求與魯國結盟。穆伯到莒國參加盟會，同時為堂兄弟襄仲迎接莒女。到達鄢陵，登城見到漂亮的莒女，非常喜歡，就自己娶為妻子。襄仲生氣，請求攻打穆伯，文公準備答應。叔仲惠伯勸諫

---

13. 孟穆伯：又稱公孫敖，是慶父的兒子。

說：「下臣聽說：『戰爭起於內部叫亂，來自外部叫寇。外寇來犯肯定傷人，內亂就是自己打自己。』現在臣下作亂而國君不加禁止，如果因此而引起外寇來犯，怎麼辦？」文公於是阻止襄仲的進攻，由惠伯出面調解：襄仲答應不娶莒女，穆伯則將莒女送還莒國，兄弟倆和好如初，襄仲和穆伯聽從了。文公八年，文公派穆伯到成周參加周襄王的葬禮，穆伯帶著禮物逃亡莒國，尋找久別的莒女。魯國人於是立穆伯的兒子文伯做繼承人。穆伯在莒國生了兩個兒子，要求回國。文伯代他申請。襄仲說回國可以，但不能參與朝政。穆伯回國後深居簡出，過了三年，又將全家再次搬到莒國。穆伯想念故國，文公十四年，穆伯讓兒子惠叔攜帶重禮代他向朝廷請求回國，得到允許。九月，穆伯走到齊國時病重而死。終於沒能活著回到祖國。

【出處】

穆伯娶於莒，曰戴己，生文伯，其娣聲己生惠叔。戴己卒，又聘於莒，莒人以聲己辭，則為襄仲聘焉。冬，徐伐莒。莒人來請盟。穆伯如莒蒞盟，且為仲逆。及鄢陵。登城見之，美，自為娶之。仲請攻之，公將許之。叔仲惠伯諫曰：「臣聞之，兵作於內為亂，於外為寇，寇猶及人，亂自及也。今臣作亂而君不禁，以啟寇仇，若之何？」公止之，惠伯成之。使仲舍之，公孫敖反之，復為兄弟如初。從之。……（八年）穆伯如周弔喪，不至，以幣奔莒，從己氏焉。……（十四年）穆伯之從己氏也，魯人立文伯。穆伯生二子於莒而求復，文伯以為請。襄仲使無朝聽命，復而不出，三年而盡室以復適莒。文伯疾而請曰：「谷之子弱，請立難也。」許之。文伯卒，立惠叔。穆伯請重賂以求復，惠叔以為請，許之。將來，九月卒於齊，

告喪，請葬，弗許。（《左傳》〈文公七年〉〈文公八年〉〈文公十四年〉）

令龜有咎

魯文公十八年（西元前609年）春季，齊懿公公佈了出兵伐魯的日期，不久生病。醫生說：「病情熬不過秋天。」魯文公得知消息，為此占卜說：「希望他活不到出兵之日！」惠伯在占卜前把文公的意思致告龜甲，楚丘占卜後說：「齊懿公果然活不到發兵之日，但不是由於生病；我們的國君也聽不到這件事了。致告龜甲的人有災禍。」二月二十三日，文公去世。

【出處】

十八年春，齊侯戒師期，而有疾，醫曰：「不及秋，將死。」公聞之，卜曰：「尚無及期。」惠伯令龜，卜楚丘占之曰：「齊侯不及期，非疾也。君亦不聞。令龜有咎。」二月丁丑，公薨。（《左傳》〈文公十八年〉）

哀姜歸齊

魯文公有兩個妃子：長妃齊女哀姜，生子惡、視；次妃敬嬴生子俀。文公寵愛次妃。俀暗中籠絡襄仲（東門遂）立他為君，叔仲不肯。襄仲轉而請求齊惠公，齊惠公剛剛即位，想拉攏魯國，就答應

了。冬十月，襄仲殺死哀姜的兩個兒子，立俀為魯君，就是宣公。逝夫喪子、無家可歸的哀姜返回齊國，哭號著經過鬧市，呼喊說：「天哪！襄仲大逆不道，殺嫡立庶！」市上人都跟著哭泣，魯國人因此稱她為「哀姜」。文公去世後，公室衰微，孟孫氏、叔孫氏、季孫氏等「三桓」的勢力日益強盛。

【出處】

十八年二月，文公卒。文公有二妃：長妃齊女為哀姜，生子惡及視；次妃敬嬴，嬖愛，生子俀。俀私事襄仲，襄仲欲立之，叔仲曰不可。襄仲請齊惠公，惠公新立，欲親魯，許之。冬十月，襄仲殺子惡及視而立俀，是為宣公。哀姜歸齊，哭而過市，曰：「天乎！襄仲為不道，殺適立庶！」市人皆哭，魯人謂之「哀姜」。魯由此公室卑，三桓強。(《史記》〈魯周公世家〉)

織履而食

魯文公去世之後，文公的太子子赤繼立為國君。宣公殺死子赤，取代他當了國君。公子肸是宣公的同母弟弟，不讚同宣公殺死子赤。宣公繼位後，要賞給公子肸祿位，公子肸推辭說：「我的收入夠用了，還要哥哥的俸祿幹什麼呢？」他一直靠織麻鞋維持生活，終身不肯食宣公的俸祿。對於他的仁德和操守，《春秋》給予了高度讚美。

【出處】

　　魯宣公者，魯文公之子也，文公薨，文公之子赤立，為魯侯。宣公殺子赤而奪之國，立為魯侯。公子肹者，宣公之同母弟也，宣公殺子赤而肹非之，宣公與之祿，則曰：「我足矣！何以兄之食為哉？」織履而食，終身不食宣公之食，其仁恩厚矣，其守節固矣，故春秋美而貴之。（《新序》〈節士〉）

以死奮筆

　　莒國的太子僕殺死紀公，帶著寶物投奔魯國。魯宣公派僕人拿著公文去命令季文子說：「莒太子為了我，無所顧忌地殺死他的國君，並帶著寶物來投，他對我太好了。替我封賞采邑給他，今天就必須執行，不得違抗。」里革遇見僕人，把公文的內容改為：「莒太子殺死國君，偷竊寶物來投。他不檢討自己的罪惡，還想來巴結我們，替我把他放逐到東夷去。今天就必須執行，不得違抗。」僕人便把里革修改公文的事匯報給宣公。宣公把里革抓來問罪說：「違抗國君的命令該當何罪，你聽說過嗎？」里革回答說：「我拼著一死改寫公文，當然知道後果，我還知道：『破壞法紀的人是亂賊，掩匿亂賊的人是窩主，竊取財寶的人是內盜，收受內盜財寶的人是奸邪。』想讓國君成為窩主、奸邪的人，是不能不懲處的。我違抗了國君的命令，情願受死。」宣公說：「我確實太貪心了，你沒有過錯。」於是赦免了里革。

莒太子僕弒紀公，以其寶來奔。宣公使僕人以書命季文子曰：「夫莒太子不憚以吾故殺其君，而以其寶來，其愛我甚矣。為我予之邑。今日必授，無逆命矣。」里革遇之而更其書曰：「夫莒太子殺其君而竊其寶來，不識窮固又求自邇，為我流之於夷。今日必通，無逆命矣。」明日，有司覆命，公詰之，僕人以里革對。公執之，曰：「違君命者，女亦聞之乎？」對曰：「臣以死奮筆，奚啻其聞之也！臣聞之曰：『毀則者為賊，掩賊者為藏，竊寶者為宄，用宄之財者為奸。』使君為藏奸者，不可不去也。臣違君命者，亦不可不殺也。」公曰：「寡人實貪，非子之罪也。」乃舍之。（《國語》〈魯語〉）

里革斷罟

　　夏天，魯宣公把魚網投入泗水深處捕魚，里革割斷魚網扔在一邊，對宣公解釋說：「古時候，大寒到來，深藏在泥土中的動物開始活動時，掌管湖澤的官員才考慮使用魚網和竹籠，去捕捉大魚和鱉蜃等水產，用以祭祀祖先。這時讓國人捕魚，是為了幫助地下的陽氣宣洩出來。當鳥產卵、獸懷孕的時候，魚類長成，掌管山林禽獸的官員會禁止使用網羅捕捉鳥獸，只准用矛刺取魚鱉，曬成肉乾供夏天食用，這是為了幫助鳥獸的生長。鳥獸長大了，魚鱉則開始繁殖，掌管湖澤的官員便會禁止下網捕魚，只准設陷阱和網羅去獵獲鳥獸，以供應宗廟和廚房的需要，以便小魚在江河裡長大。此外，到山上砍柴時不能砍伐樹苗，到水邊割草不能割取嫩草，捕魚時禁止捕獲幼魚；捕

獸時要留下小鹿和小麑，捕鳥時要保護雛鳥和鳥卵，捕蟲時要避免傷害幼蟲：這些都是為了使萬物生長繁殖，是古人的教導。夏天正是雌魚繁殖的時候，你卻不讓魚兒長大，還要下網捕撈，真是太貪心了！」宣公聽了這番話，自嘲說：「我錯了，有里革糾正我，不也很好嗎？這是一副好魚網啊，它讓我認識到治理國家的方法。請管事的人把魚網保存起來，讓我牢記。」師存正在旁邊侍候宣公，建議說：「與其保存這副魚網，還不如把里革安排在您身邊，這樣就可以時常聽到他的規勸了。」

【出處】

宣公夏濫於泗淵，里革斷其罟而棄之，曰：「古者大寒降，土蟄發，水虞於是乎講罛罶，取名魚，登川禽，而嘗之廟，行諸國，助宣氣也。鳥獸孕，水蟲成，獸虞於是乎禁罝羅，獵魚鱉，以為夏犒，助生阜也。鳥獸成，水蟲孕，水虞於是禁罝麗，設穽鄂，以實廟庖，畜功用也。且夫山不槎蘗，澤不伐夭，魚禁鯤鮞，獸長麑䴠，鳥翼鷇卵，蟲舍蚳蟓，蕃庶物也，古之訓也。今魚方別孕，不教魚長，又行網罟，貪無藝也。」公聞之曰：「吾過而里革匡我，不亦善乎！是良罟也，為我得法。使有司藏之，使吾無忘諗。」師存侍，曰：「藏罟不如置里革於側之不忘也。」（《國語》〈魯語〉）

君之過也

晉國人殺死晉厲公，魯國邊境的官員把消息傳回朝廷。魯成公正

好在朝，問諸大夫說：「臣子殺死國君，是誰的過錯呢？」大夫們無人應對，里革回答說：「是國君的過錯。身為國君，是極其威嚴的。現在喪失威嚴以至被殺，自身肯定有很多過錯。做國君的應該教育民眾樹立正氣。如果國君一味放縱私欲而輕視國家治理，民間的邪惡勢力就會日益滋長。如果不能以正確的辦法治理國家，政治就會日益腐敗無可救藥。老百姓瀕臨絕境無法生存，仍然不去體恤拯救，還要國君做什麼呢？夏桀出逃到南巢，商紂王死在朝歌，周厲王被流放到彘地，周幽王在驪山身亡，都是因為犯錯太多失掉威嚴的緣故啊。國君就好比養育民眾的川澤，君行而民從，好壞都是由國君決定的，民眾怎麼會無故殺死國君呢？」

【出處】

晉人殺厲公，邊人以告，成公在朝。公曰：「臣殺其君，誰之過也？」大夫莫對，里革曰：「君之過也。夫君人者，其威大矣。失威而至於殺，其過多矣。且夫君也者，將牧民而正其邪者也，若君縱私回而棄民事，民旁有慝無由省之，益邪多矣。若以邪臨民，陷而不振，用善不肯專，則不能使，至於殄滅而莫之恤也，將安用之？桀奔南巢，紂踣於京，厲流於彘，幽滅於戲，皆是術也。夫君也者，民之川澤也。行而從之，美惡皆君之由，民何能為焉。」（《國語》〈魯語〉）

魯宣繆姜

繆姜是齊侯的女兒，魯宣公的夫人，成公的母親。繆姜聰明智

慧，但行為放縱，所以諡稱為「繆」。成公年幼的時候，繆姜和喬如私通。喬如與繆姜合謀，想除掉季孟而擅權朝政。此時晉楚兩國在鄢陵作戰，宣公率兵幫助晉國。要出發的時候，繆姜對宣公說：「一定要把季孟逐出朝廷，因為他背叛君王。」宣公推辭說：「眼下晉國有難，等回來再考慮你的建議吧。」繆姜又賄賂晉國大夫，讓他們留住季孫行父，不讓他返回魯國，並答應殺死仲孫蔑，以內臣之禮侍奉晉國。魯人反感喬如和繆姜的行為，公開驅逐他們，喬如逃奔齊國，繆姜被貶至東宮。剛入東宮時，繆姜請人占卜，被告知很快可以出去。但她經過推斷，認為不可能再出東宮，最終果然死在裡面。君子評論說：「可惜呀，繆姜！雖然聰明穎慧，卻無法掩飾淫亂的罪惡。」《詩經》裡說：「男人墜入情網，還可以逃脫出來；女人墜入情網，就無法逃脫了！」[14]說的就是這件事啊。

【出處】

　　繆姜者，齊侯之女，魯宣公之夫人，成公母也。聰慧而行亂，故諡曰繆。初，成公幼，繆姜通於叔孫宣伯，名喬如。喬如與繆姜謀去季孟而擅魯國。晉楚戰於鄢陵，公出佐晉。將行，姜告公必逐季孟，是背君也，公辭以晉難，請反聽命。又貨晉大夫，使執季孫行父而止之，許殺仲孫蔑，以魯士晉為內臣。魯人不順喬如，明而逐之，喬如奔齊，魯遂擯繆姜於東宮。始往，繆姜使筮之，遇艮之六。史曰：「是謂艮之隨。隨其出也，君必速出。」姜曰：「亡。是於《周易》曰：『隨，元亨利貞，無咎。』元，善之長也；亨，嘉之會也；

14.「士之耽兮，猶可說也，女之耽兮，不可說也」，出自《詩經》〈衛風‧氓〉。

利，義之和也；貞，事之干也。終故不可誣也，是以雖隨無咎。今我婦人而與於亂，固在下位，而有不仁，不可謂元；不靖國家，不可謂亨；作而害身，不可謂利；棄位而姣，不可謂貞。有四德者，隨而無咎，我皆無之，豈隨也哉！我則取惡，能無咎乎！必死於此，不得出矣。」卒薨於東宮。君子曰：「惜哉繆姜！雖有聰慧之質，終不得掩其淫亂之罪。」《詩》曰：「士之耽兮，猶可說也，女之耽兮，不可說也。」此之謂也。（《列女傳》〈孽嬖傳〉）

何以守國

季文子為魯國國相，妾不穿絲綢，馬不食菽麥。仲孫它勸諫說：「您是魯國上卿，如此節儉，別人會認為您吝嗇，而且使國家形象受損。」季文子說：「是我自己情願的。魯國有那麼多民眾衣不遮體、食不果腹，我哪裡有奢侈的資本呢？我只聽說君子靠德行使國家添彩，沒聽說靠妻妾、車馬的。如果放縱私欲，恣意侈靡而不知自省，還有什麼資格掌管國家呢？」仲孫它慚愧地退出。[15]

【出處】

季文子相魯，妾不衣帛，馬不食粟。仲孫它諫曰：「子為魯上卿，妾不衣帛，馬不食粟，人其以子為愛，且不華國也。」文子曰：「然乎？吾觀國人之父母衣粗食蔬，吾是以不敢。且吾聞君子以德華

---

15. 魯宣公十五年（西元前594年），季文子提出無論公田、私田，一律按田畝收稅，即「初稅畝」。初稅畝認可土地私有，被認為是古代農業稅徵收的起點。

國，不聞以妾與馬。夫德者得於我，又得於彼，故可行；若淫於奢侈，沈於文章，不能自反，何以守國？」仲孫它慚而退。（《說苑》〈反質〉）

知其不可

子叔聲伯去晉國謝罪並請求放回季文子，郤犨想請示晉君封給他城邑以示籠絡，子叔聲伯謝絕了。回國後，鮑國問聲伯說：「您是真的辭讓，還是認為郤犨難以辦到？」回答說：「我聽說，不是結實的棟梁，不能承擔重壓。最重的壓力莫過於國家，最好的棟梁莫過於德行。郤犨想插手晉、魯兩國的事務，卻缺乏應有的德行，他的地位不會長久，敗亡就在眼前。郤犨有三條敗亡的原因：缺少德行卻受晉君寵愛，地位不高卻想干預國政，沒有大功卻享有豐厚的俸祿：這三條足以招來怨恨。晉厲公為人驕矜，身邊多有奸佞之臣。現在他剛剛戰勝楚國，一定會論功行賞立新大夫。立了新大夫，就要順應民意淘汰舊人，首先就會拿招怨最多的官員開刀。郤犨招怨最多，自身尚且不能保全，哪還有能力為人請賞呢！」鮑國說：「我確實不如你。假如我家族中有什麼禍兆，我是很難看到的。如今您考慮深遠辭掉封邑，一定會保住自己的地位。」

【出處】

子叔聲伯如晉謝季文子，郤犨欲予之邑，弗受也。歸，鮑國謂之曰：「子何辭苦成叔之邑，欲信讓耶？抑知其不可乎？」對曰：「吾

聞之，不厚其棟，不能任重。重莫如國，棟莫如德。夫苦成叔家欲任兩國而無大德，其不存也，亡無日矣。譬之如疾，余恐易焉。苦成氏有三亡：少德而多寵，位下而欲上政，無大功而欲大祿，皆怨府也。其君驕而多私，勝敵而歸，必立新家。立新家，不因民不能去舊；因民，非多怨民無所始。為怨三府，可謂多矣。其身之不能定，焉能予人之邑！」鮑國曰：「我信不若子，若鮑氏有釁，吾不圖矣。今子圖遠以讓邑，必常立矣。」（《國語》〈魯語〉）

非我族類

魯成公四年（西元前587年）秋季，成公從晉國到達魯國，想要向楚國示好而背叛晉國。季文子說：「不行。晉國雖然無道，卻還不能背叛。晉國領土廣大、群臣和睦，而且靠近我國，諸侯以它為盟主，也還沒有二心。史佚的《志》裡有這樣的語句：『非我族類，其心必異。』楚國雖然強大，卻不是我們的同族，又怎麼會真心保護我們呢！」成公於是放棄投靠楚國。

【出處】

秋，公至自晉，欲求成於楚而叛晉，季文子曰：「不可。晉雖無道，未可叛也。國大臣睦，而邇於我，諸侯聽焉，未可以貳。史佚之《志》有之，曰：『非我族類，其心必異。』楚雖大，非吾族也，其肯字我乎？」公乃止。（《左傳》〈成公四年〉）

施孝叔者

　　聲伯的母親沒有舉行媒聘之禮就和叔肸同居，魯宣公的夫人穆姜說：「我不能與沒經過明媒正娶的妾做妯娌。」聲伯的母親生下聲伯後遭到遺棄，嫁給了齊國的管於奚，生下一雙兒女後成為寡婦。[16]她把兩個孩子拜託給聲伯。聲伯讓他的異父兄弟做了大夫，又把異父妹妹嫁給施孝叔。郤犨前來聘問，向聲伯求取妻子。聲伯把異父妹妹奪過來再嫁郤犨。異父妹妹對施氏說：「鳥獸還不肯失掉配偶，您打算怎麼辦？」施孝叔說：「我沒辦法。總不能因此而死或逃亡吧。」女人於是隨郤犨去了晉國，為郤氏生了兩個孩子。郤氏被滅，晉國人又把她還給施氏。施氏在黃河邊迎接她，把她的兩個孩子沉入黃河。女人發怒說：「自己不能保護自己的配偶讓她離開，又不憐惜別人的孤兒殺死他們，這樣的男人有什麼跟頭？」堅決不肯跟施氏復婚。

【出處】

　　聲伯之母不聘，穆姜曰：「吾不以妾為姒。」生聲伯而出之，嫁於齊管於奚。生二子而寡，以歸聲伯。聲伯以其外弟為大夫，而嫁其外妹於施孝叔。郤犨來聘，求婦於聲伯。聲伯奪施氏婦以與之。婦人曰：「鳥獸猶不失儷，子將若何？」曰：「吾不能死亡。」婦人遂行，生二子於郤氏。郤氏亡，晉人歸之施氏，施氏逆諸河，沉其二子。婦人怒曰：「己不能庇其伉儷而亡之，又不能字人之孤而殺之，將何以終？」遂誓施氏。（《左傳》〈成公十一年〉）

---

16. 叔肸「織屨而食」，其妻又因宣公夫人的譴責被逐出家門，不久即憂鬱而死。

瓊瑰盈吾懷

聲伯曾經夢見自己橫渡洹水，有人將瓊瑰[17]給他吃，哭出來的眼淚也成為瓊瑰，盈盈滿懷。夢中還唱歌說：「濟洹之水，贈我以瓊瑰。歸乎，歸乎，瓊瑰盈我懷乎！」醒來因為害怕不敢占卜。從鄭國回來，到達貍脤，而後占卜說：「我害怕死，所以不敢占卜。現在大家跟隨我已經三年，沒有妨礙了。」說完這些話，到晚上就死了。

【出處】

初，聲伯夢涉洹，或與己瓊瑰，食之，泣而為瓊瑰，盈其懷。從而歌之曰：「濟洹之水，贈我以瓊瑰。歸乎！歸乎！瓊瑰盈吾懷乎！」懼不敢占也。還自鄭，壬申，至於貍脤而占之，曰：「余恐死，故不敢占也。今眾繁而從余三年矣，無傷也。」言之，之莫而卒。（《左傳》〈成公十七年〉）

君子不家於喪

子柳的母親死了，他的弟弟子碩請求備辦葬具。子柳說：「錢從哪裡來呢？」子碩說：「讓我們把庶弟的母親賣了吧。」子柳說：「我們怎麼可以賣別人的母親來安葬自己的母親呢？這絕對不行。」埋罷母親，子碩想用親朋贈送助辦喪事剩下的錢財置辦祭器，子柳說：

---

17. 瓊瑰：次於玉的美石。

養賢為富

「這也使不得。我聽說過，君子是不靠辦喪事發家的。這些剩餘的錢財，讓我們分給兄弟中的貧困者吧。」

【出處】

子柳之母死，子碩請具。子柳曰：「何以哉？」子碩曰：「請粥庶弟之母。」子柳曰：「如之何其粥人之母以葬其母也？不可。」既葬，子碩欲以賻布之餘具祭器。子柳曰：「不可，吾聞之也：君子不家於喪。請班諸兄弟之貧者。」（《禮記》〈檀弓上〉）

養賢為富

魯國的孟獻子到晉國訪問，韓宣子請他喝酒。三次設宴，廳堂不同，每處廳堂都擺放著鐘磬等全套樂器，不用搬動。獻子感嘆說：「尊府真是太富有啦！」宣子說：「與您府上相比，誰家更富一些呢？」獻子說：「我家裡很清貧，只有兩位士人，一個顏回，一個茲無靈，他二人使我們魯國和我的封邑太平無事，老百姓和睦齊心。我的財富，僅此二人而已。」客人離開後，宣子慚愧地說：「獻子真是一位正人君子，他以招納賢才為富有；我是個村俗鄙夫，以鐘鳴鼎食、金銀珠寶為富有。」孔子據此評價說：「孟獻子的富，可以記載於史書啊！」

【出處】

魯孟獻子聘於晉，宣子觴之三徙，鐘石之縣，不移而具。獻子

曰：「富哉冢！」宣子曰：「子之家庸與我家富？」獻子曰：「吾家甚貧，惟有二士，曰顏回、茲無靈者，使吾邦家安平，百姓和協，惟此二者耳！吾盡於此矣。」客出，宣子曰：「彼君子也，以養賢為富。我鄙人也，以鐘石金玉為富。」孔子曰：「孟獻子之富，可著於春秋。」（《新序》〈刺奢〉）

拜命之辱

齊國人攻打魯國，俘虜了臧堅，齊靈公派夙沙衛去慰問他，特別叮囑他「不要死」。臧堅叩頭說：「謹拜謝君王的命令。君王賜我不死，卻故意派一個宦官來表示敬意。」於是用小木椿刺進傷口而死。

【出處】

齊人獲臧堅。齊侯使夙沙衛唁之，且曰：「無死！」堅稽首曰：「拜命之辱！抑君賜不終，姑又使其刑臣禮於士。」以杙抉其傷而死。（《左傳》〈襄公十七年〉）

節士不辱生

卞莊子崇尚勇敢，因為要奉養老母，所以三次作戰都臨陣而退。朋友們責備他，國君也羞辱他。母親去世三年之後，齊國與魯國之間發生戰爭，卞莊子請求參戰，拜見魯國的將軍說：「以前要奉養老母，所以三戰三退，現在母親已經去世，是該我對國家承擔責任的時

候了，也好讓我的靈魂有個歸宿。」於是衝入敵陣，斬獲一名甲士的首級回來獻功說：「先雪我一敗之恥。」又衝入敵陣，再斬獲一名甲士的首級回來獻功說：「再雪我二敗之恥。」第三次衝入敵陣，獲取一名甲士首級回來說：「洗雪我三敗之恥。」將軍說：「不用再出擊了，恐怕斷了你家的香火，我們結為兄弟吧。」卞莊子說：「三次敗退以奉養老母，是盡孝子的責任。現在該以士人的身分為國家盡責了。我聽說有操守的士人不忍辱偷生。」於是重返敵陣，一連殺死十數名敵兵，力戰而死。

【出處】

卞莊子好勇，養母，戰而三北，交游非之，國君辱之。及母死三年，齊與魯戰，卞莊子請從，見於魯將軍曰：「初與母處，是以三北，今母死，請塞責而神有所歸。」遂赴敵，役一甲首而獻之。曰：「此塞一北。」又入，獲一甲首而獻之。曰：「此塞再北。」又入，獲一甲首而獻之。曰：「此塞三北。」將軍曰：「毋沒爾家，宜止之，請為兄弟。」莊子曰：「三北以養母也，是子道也，今士節小具而塞責矣。吾聞之節士不以辱生。」遂反敵殺十人而死。君子曰：「三北已塞責，滅世斷宗，於孝未終也。」（《新序》〈義勇〉）

亦不足惜

齊國人殺死他們的國君，魯襄公聽到消息後執戈而起說：「哪有臣子殺死自己君主的道理！」師懼說：「齊國國君治國無能，擔任國

君無才無德，以虐待全國百姓來滿足一己之私，絕不是合適的君主。他的死亡完全是自身造成的。君主不同情齊國百姓的苦難，卻去傷悼齊君一人的死亡，這就大錯特錯了。齊國的臣子固然不守臣道，那齊君也不值得惋惜。」

【出處】

齊人弒其君，魯襄公援戈而起曰：「孰臣而敢殺其君乎？」師懼曰：「夫齊君治之不能，任之不肖，縱一人之欲以虐萬夫之性，非所以立君也。其身死自取之也；今君不愛萬夫之命而傷一人之死，奚其過也。其臣已無道矣，其君亦不足惜也。」（《說苑》〈君道〉）

信由己壹

魯國盜賊蜂起。季武子對臧武仲說：「您為什麼不採取應對措施呢？」臧武仲說：「恕我無能，盜賊很難禁止。」季武子說：「我國有明確的邊界線，完全可以清剿盜賊。您身為司寇，緝拿盜賊是您的職責，怎麼能說不行呢？」武仲說：「您身為正卿，卻開門揖盜，把境外的盜賊召進來，給予尊貴的禮遇，卻要我去查禁內盜，這怎麼可能呢？庶其偷盜邾國的城邑來投，您以姬女嫁他為妻，又獎給他城邑，他的隨從也得到賞賜，這不是賞賜盜賊是什麼？處在上位的人行為合法，國家才能得到有效的治理，老百姓也不敢有越軌行為；處於上位的人行為不端，老百姓也難免會效仿，又怎麼能禁止得住呢？《夏書》裡說：『想要幹的是這個，想捨去不幹的也是這個；所要號

令的是這個，誠信所在的也是這個，只有天帝才能記下這功勞。』說的就是要由自身來體現言行一致。誠信是由於自己的言行一致，然後才可以談建立功勞。」

【出處】

於是魯多盜。季孫謂臧武仲曰：「子盍詰盜？」武仲曰：「不可詰也，紇又不能。」季孫曰：「我有四封，而詰其盜，何故不可？子為司寇，將盜是務去，若之何不能？」武仲曰：「子召外盜而大禮焉，何以止吾盜？子為正卿，而來外盜；使紇去之，將何以能？庶其竊邑於邾以來，子以姬氏妻之，而與之邑，其從者皆有賜焉。若大盜禮焉以君之姑姊與其大邑，其次皋牧輿馬，其小者衣裳劍帶，是賞盜也。賞而去之，其或難焉。紇也聞之，在上位者，灑濯其心，壹以待人，軌度其信，可明徵也，而後可以治人。夫上之所為，民之歸也。上所不為而民或為之，是以加刑罰焉，而莫敢不懲。若上之所為而民亦為之，乃其所也，又可禁乎？《夏書》曰：『念茲在茲，釋茲在茲，名言茲在茲，允出茲在茲，惟帝念功。』將謂由己壹也。信由己壹，而後功可念也。」（《左傳》〈襄公二十一年〉）

聞畏而往

魯襄公前往楚國朝見，到達淮水的時候，傳來楚康王去世的消息，魯襄公想轉頭回去。叔仲昭伯說：「國君去楚國，是因為楚王的聲威。現在楚王雖死，但他的聲威還在，為什麼要回去呢？」大夫們

都想回去。子服景伯說:「我們這次去楚國,是為了國家利益,所以不怕辛勤勞苦,不辭路途遙遠。聽命於楚王,是畏懼他的威勢。守信重義的人,本來就該慶賀他人的喜事,弔唁別人的喪事,何況是因為畏懼才前往聘問的呢?心懷畏懼而前往,得知死訊而折返,對楚國就是一種輕侮。楚國又不是沒有繼承人。太子繼位,臣子們侍奉國君處理政事,希望消除輕慢,安定新君,並昭告後人。如果因此成為楚國攻擊的目標,誰能制止得了?與其順從國君返回釀成禍端,不如違抗國君躲避災難。再說君子必須想好對策才付諸行動,你們認真考慮過嗎?如果有抵禦楚國、守衛國土的準備,當然可以;如果沒有,我覺得不如繼續前行。」於是大家勸諫魯襄公,繼續前往楚國弔喪。

【出處】

魯襄公朝荊,至淮,聞荊康王卒,公欲還。叔仲昭伯曰:「君之來也,為其威也;今其王死,其威未去,何為還?」大夫皆欲還,子服景伯曰:「子之來也,為國家之利也,故不憚勤勞,不遠道塗,而聽於荊也,畏其威也!夫義人者,固將慶其喜而弔其憂,況畏而聘焉者乎?聞畏而往,聞喪而還,其誰曰非侮也。芈姓是嗣,王太子又長矣,執政未易,事君任政,求說其侮,以定嗣君而示後人,其仇滋大,以戰小國,其誰能止之?若從君而致患,不若違君以避難,且君子計而後行,二三子其計乎?有御楚之術,有守國之備,則可;若未有也,不如行!」乃遂行。(《說苑》〈正諫〉)

荊人悔之

魯襄公到楚國訪問，正碰上楚康王去世。楚人說：「請魯君務必為康王的屍體穿衣。」魯國方面回答：「這樣做是違禮的。」楚國方面堅持非這樣做不可，於是襄公就讓巫先用桃枝在靈柩上來回拂拭，以袪除凶邪，而後才為屍體穿衣。楚國人一看這是君臨臣喪之禮，後悔也來不及了。

【出處】

襄公朝於荊，康王卒。荊人曰：「必請襲。」魯人曰：「非禮也。」荊人強之。巫先拂柩。荊人悔之。（《禮記》〈檀弓下〉）

不如予之

魯襄公從楚國返回魯國途中，到達方城山時，聽到季武子襲佔卞城的消息，於是想重返楚國，請求楚國派兵討伐季武子。大夫榮成伯說：「這樣不妥。國君的命令在本國執行受阻，卻要藉助別國的力量校正，今後哪個國家還會親近您？如果楚國派軍隊來攻打季武子，而卞城的百姓與季武子一起頑強抵抗，防守就會很牢固。即便楚國戰勝了季武子，國君您能得到什麼好處呢？楚國將在魯國安插親信鞏固統治，進而征服東夷，全力驅逐中原各國的勢力，以稱王於天下。他們會對國君仁德嗎？倘若楚國打不過季武子，那麼您想返回魯國的話，就很難了，與其這樣，還不如把卞城賜給季武子。季武子出於感恩侍

奉國君，也不敢不改過。一個人喝醉了酒常常會失態發怒，酒醒後也就轉怒為喜了，這有什麼關係？國君還是回國吧！」於是襄公歸國。

【出處】

反，及方城，聞季武子襲卞，公欲還，出楚師以伐魯。榮成伯曰：「不可。君之於臣，其威大矣。不能令於國，而恃諸侯，諸侯其誰暱之？若得楚師以伐魯，魯既不違夘之取卞也，必用命焉，守必固矣。若楚之克魯，諸姬不獲窺焉，而況君乎？彼無亦置其同類以服東夷，而大攘諸夏，將天下是王，而何德於君，其予君也？若不克魯，君以蠻、夷伐之，而又求入焉，必不獲矣。不如予之。夘之事君也，不敢不悛。醉而怒，醒而喜，庸何傷？君其入也！」乃歸。（《國語》〈魯語〉）

致祿而不出

季武子乘魯襄公出訪楚國之機，佔有了卞城。他派季冶去迎候襄公，後來又追上季冶，讓他把一封蓋了官印的信轉呈襄公。信上說：「卞城的人將要叛變，我討伐他們，已經佔領了卞城。」襄公閱信後還未發話，榮成子就讓季冶轉告季武子說：「你是魯國的重臣，國家的事務實際上由你裁奪。既然一切都聽你的，何況區區一個卞城呢？卞城的人有罪，你去討伐，這是你職分之內的事，又何須來奉告呢？」季冶回去後，交還俸祿辭官不做，解釋說：「認為我有才能，就派我去欺騙國君。以才能去欺騙自己的國君，哪裡還有臉享受國君

的俸祿呢？」

【出處】

　　襄公在楚，季武子取卞，使季冶逆，追而予之璽書，以告曰：
「卞人將畔，臣討之，既得之矣。」公未言，榮成子曰：「子股肱魯
國，社稷之事，子實制之。唯子所利，何必卞？卞有罪而子征之，子
之隸也，又何謁焉？」子冶歸，致祿而不出，曰：「使予欺君，謂予
能也，能而欺其君，敢享其祿而立其朝乎？」（《國語》〈魯語〉）

敬可棄乎

　　因為宋國倡導盟會的緣故，魯襄公和宋平公、陳哀公、鄭簡公、
許悼公等到達楚國。魯襄公經過鄭國，鄭簡公不在國內，鄭大夫良霄
（伯有）到黃崖慰勞，表現得頗不恭敬。穆叔評論說：「伯有如果不
被鄭國問罪，鄭國就將有大災臨頭。恭敬，才能贏得百姓的愛戴。現
在為人不敬，怎麼能保守祖宗的家業？鄭國人不追究他，必然要受他
的拖累。水邊的薄土，路邊積水中的浮萍水草，用來作祭品，季蘭作
為祭品接受，這是出於恭敬。怎麼能丟棄恭敬呢？」

【出處】

　　為宋之盟故，公及宋公、陳侯、鄭伯、許男如楚。公過鄭，鄭伯
不在。伯有迂勞於黃崖，不敬。穆叔曰：「伯有無戾於鄭，鄭必有大
咎。敬，民之主也，而棄之，何以承守？鄭人不討，必受其辜。濟澤

之阿，行潦之蘋藻，置諸宗室，季蘭尸之，敬也。敬可棄乎？」（《左傳》〈襄公二十八年〉）

獻雉認子

當初，穆子（叔孫豹）離開宗族叔孫氏，在庚宗遇見一位美女，得到她的幫助並和她私通。後來他告別女子到達齊國，娶國氏為妻，生下孟丙和仲壬。有一次，穆子夢見天塌下來壓著自己，快要頂不住的時候，回頭看見一人，黑皮膚，駝背，眼睛深凹，豬嘴巴，就喊他說：「牛，快來幫我！」這才頂住了。穆子早晨起來召集手下，沒有找到夢中所見之人，就說：「記住這人！」後來穆子回到魯國，被立為卿，在庚宗和他私通的女人來找他，獻上野雞。穆子問他兒子的情況，回答說：「兒子已經長大，能夠捧著野雞跟著我了。」把孩子招來一看，竟然是穆子曾經夢見的人。穆子沒有問他的名字，就喊他「牛」，孩子立即回答說：「哎。」穆子把手下人都叫過來，讓大家看這個孩子，就讓他做了小臣。牛受到寵信，長大以後就讓他主管家政。穆子的天後來果然塌了，把天戳了個大洞的恰恰是牛，牛當然更不會幫他頂住。可見，很多時候，夢是靠不住的。

【出處】

初，穆子去叔孫氏，及庚宗，遇婦人，使私為食而宿焉。問其行，告之故，哭而送之。適齊，娶於國氏，生孟丙、仲壬。夢天壓己，弗勝。顧而見人，黑而上傴，深目而豭喙。號之曰：「牛！助

余！」乃勝之。旦而皆召其徒，無之。且曰：「志之。」及宣伯奔齊，饋之。宣伯曰：「魯以先子之故，將存吾宗，必召女。召女，何如？」對曰：「願之久矣。」魯人召之，不告而歸。既立，所宿庚宗之婦人，獻以雉。問其姓，對曰：「余子長矣，能奉雉而從我矣。」召而見之，則所夢也。未問其名，號之曰：「牛！」曰：「唯。」皆召其徒，使視之，遂使為豎。有寵，長使為政。（《左傳》〈昭公四年〉）

不參之患

叔孫豹做魯相，地位尊貴而專權獨斷。他寵愛豎牛，豎牛經常擅用他的特權。叔孫豹有個兒子叫仲壬，豎牛嫉妒他，想藉機除掉他。一次和仲壬一起到魯君的住處遊玩。魯君賜給仲壬玉環，仲壬接受了，但不敢佩帶，就讓豎牛向叔孫豹請示。豎牛騙他說：「我已替你請示父親，同意你佩帶。」仲壬於是佩上玉環。豎牛趁機對叔孫豹說：「為什麼不帶仲壬去拜見君主呢？」叔孫豹說：「小孩子哪能見君主。」豎牛說：「仲壬已多次見過君主了。君主賜給他玉環，他已佩帶上了。」叔孫豹召見仲壬，見他果然佩著玉環，便惱怒地殺了他。豎牛又想害死仲壬的哥哥孟丙。叔孫豹給孟丙鑄了口鐘，鐘鑄成後，孟丙不敢擅自敲鐘，讓豎牛向叔孫豹請示。豎牛騙他說：「我已幫你請示過了，同意你敲鐘。」孟丙於是開心地敲鐘。叔孫豹聽見鐘聲後說：「孟丙怎能擅自敲鐘？」就把他趕出了家門。孟丙逃到齊國。一年後，豎牛假裝替孟丙向叔孫豹謝罪，叔孫豹就讓豎牛召孟丙

回國，豎牛沒去召人，卻報告說：「孟丙很惱怒，不肯回來。」叔孫豹十分憤怒，派人殺死了孟丙。叔孫豹患病，豎牛獨自侍養他，不讓人靠近，說：「叔孫豹不想聽見人聲。」豎牛不給叔孫豹東西吃，活活把他餓死。叔孫豹死後，豎牛不發訃告，把叔孫豹財庫裡的貴重珍寶搬遷一空，然後逃往齊國。聽了自己所偏信的人的話，結果父子都被人殺了，這就是不加驗證的禍患。

【出處】

叔孫相魯，貴而主斷。其所愛者曰豎牛，亦擅用叔孫之令。叔孫有子曰壬，豎牛妒而欲殺之，因與壬游於魯君所。魯君賜之玉環，壬拜受之而不敢佩，使豎牛請之叔孫。豎牛欺之曰：「吾已為爾請之矣，使爾佩之。」壬因佩之。豎牛因謂叔孫：「何不見壬於君乎？」叔孫曰：「孺子何足見也。」豎牛曰：「壬固已數見於君矣。君賜之玉環，壬已佩之矣。」叔孫召壬見之，而果佩之，叔孫怒而殺壬。壬兄曰丙，豎牛又妒而欲殺之。叔孫為丙鑄鐘，鐘成，丙不敢擊，使豎牛請之叔孫。豎牛不為請，又欺之曰：「吾已為爾請之矣，使爾擊之。」丙因擊之。叔孫聞之曰：「丙不請而擅擊鐘。」怒而逐之。丙出走齊，居一年，豎牛為謝叔孫，叔孫使豎牛召之，又不召而報之曰：「吾已召之矣，丙怒甚，不肯來。」叔孫大怒，使人殺之。二子已死，叔孫有病，豎牛因獨養之而去左右，不內人，曰：「叔孫不欲聞人聲。」因不食而餓殺。叔孫已死，豎牛因不發喪也，徙其府庫重寶空之而奔齊。夫聽所信之言而子父為人僇，此不參之患也。（《韓非子》〈內儲說上七術〉）

不賞私勞

叔孫豹病危時，豎牛立叔孫婼為嗣，這就是叔孫昭子。叔孫昭子繼位後，召集家族上下的人說：「豎牛給叔孫氏造成禍亂，攪亂了重大的正常秩序，殺死嫡子立庶子，又分裂封邑，將要以此逃避罪責，罪過沒有比這再大的了，一定要趕緊殺死他！」豎牛害怕，劫掠財寶出奔齊國。孟丙、仲壬的兒子把他殺死在塞關之外，把他的首級扔在寧風的荊棘上。孔子評論說：「叔孫昭子並不因為豎牛立他為嗣而感激他，這在一般人是很難做到的。」

【出處】

昭子即位，朝其家眾，曰：「豎牛禍叔孫氏，使亂大從，殺適立庶，又披其邑，將以赦罪，罪莫大焉。必速殺之。」豎牛懼，奔齊。孟、仲之子殺諸塞關之外，投其首於寧風之棘上。仲尼曰：「叔孫昭子之不勞，不可能也。周任有言曰：『為政者不賞私勞，不罰私怨。』」（《左傳》〈昭公五年〉）

敢聞加貺

魯昭公六年（西元前536年）夏季，季孫宿（季武子）出使晉國，拜謝魯國獲得莒國的城邑而晉國未予討伐。[18]晉平公設享禮招待他，

18.魯昭公五年（西元前537年）夏天，莒國的牟夷帶著牟婁及防地、茲地投奔魯國。莒人向晉國告狀，晉平公要扣留魯昭公，范獻子從中勸解，於是放昭公回國。

有另外增加的菜餚。季孫宿退出，派使者報告說：「小國侍奉大國，免於討伐問罪就很滿足，不敢再求賞賜。賞賜不超過三獻，現在菜餚有所增加，下臣不敢當，恐怕因此擔罪。」韓宣子說：「寡君是為了讓您開心。」季孫宿回答說：「寡君尚且不敢當，何況下臣是君王的奴隸，豈敢有額外增加的賞賜？」堅決請求撤去加菜，然後結束享宴。晉國人認為他懂得禮儀，賞給他很多財物。

【出處】

夏，季孫宿如晉，拜莒田也。晉侯享之，有加籩。武子退，使行人告曰：「小國之事大國也，苟免於討，不敢求貺。得貺不過三獻。今豆有加，下臣弗堪，無乃戾也。」韓宣子曰：「寡君以為歡也。」對曰：「寡君猶未敢，況下臣，君之隸也，敢聞加貺？」固請徹加而後卒事。晉人以為知禮，重其好貨。（《左傳》〈昭公六年〉）

敢不再拜

叔孫豹到晉國訪問，晉悼公設宴款待他。當樂師演奏到《鹿鳴》等三首曲子時，穆子才三次起身拜謝。悼公讓禮賓官問他說：「您奉君命來敝國訪問，敝國以先君微薄的儀式接待您，並以音樂為您助興。您置重大的樂曲於不顧，卻為次要的樂曲拜謝，請問是什麼禮節？」叔孫豹回答說：「我的國君派我來，為的是繼承先君的友好關係。貴國國君出於對諸侯國的尊重，賜我以大禮。先用金鐘演奏《肆夏樊》《遏》《渠》三首樂曲，這是天子用來招待諸侯的。再演唱《文

王》《大明》《綿》三首曲子，這是兩國國君相見時助興的。這些都是表彰先王美德、加強友好的音樂，不是我這種身分的人所敢聽的。我以為是樂師練習時奏到這些曲子，所以不敢拜謝。現在樂師吹簫演唱到《鹿鳴》等三首曲子，這是國君賜給使臣的樂曲，我怎敢不拜謝恩賜呢？其中第一首曲子《鹿鳴》，是國君用來讚美先君友好關係的；第二首曲子《四牡》，是國君用來表彰使臣勤於國事的；第三首曲子《皇皇者華》，是國君教導使臣知識的。貴國國君賜我以大禮，又諄諄教誨，我豈能不再三拜謝？」

【出處】

叔孫穆子聘於晉，晉悼公饗之，樂及《鹿鳴》之三，而後拜樂三。晉侯使行人問焉，曰：「子以君命鎮撫弊邑，不腆先君之禮，以辱從者，不腆之樂以節之。吾子舍其大而加禮於其細，敢問何禮也？」對曰：「寡君使豹來繼先君之好，君以諸侯之故，貺使臣以大禮。夫先樂金奏《肆夏樊》《遏》《渠》，天子所以饗元侯也；夫歌《文王》《大明》《綿》，則兩君相見之樂也。皆昭令德以合好也，皆非使臣之所敢聞也。臣以為肄業及之，故不敢拜。今伶簫詠歌及《鹿鳴》之三，君之所以貺使臣，臣敢不拜貺。夫《鹿鳴》，君之所以嘉先君之好也，敢不拜嘉。《四牡》，君之所以章使臣之勤也，敢不拜章。《皇皇者華》，君教使臣曰，『每懷靡及，諏、謀、度、詢，必咨於周。』敢不拜教。臣聞之曰：『懷和為每懷，咨才為諏，咨事為謀，咨義為度，咨親為詢，忠信為周。』君貺使臣以大禮，重之以六德，敢不重拜。」（《國語》〈魯語〉）

以怒大國

　　季武子打算建立三軍，叔孫豹勸諫說：「不可以。天子擁有六軍，由在王室為卿的公統率，用來征討不義之國。大諸侯國的國君擁有三軍，由卿統帥，用來隨從天子征討。一般諸侯國的國君有卿而沒有三軍，由卿統率經過訓練的武士來協助大諸侯國的國君。自伯、子、男以下的小國，有大夫而沒有周天子任命的卿，只是徵集兵車甲士跟隨諸侯作戰。這樣上下有序。我們魯國只是個小國，處在齊、楚等大國之間，即使整治好兵車甲士來供大國驅使，還恐怕被討伐。如果要建立大諸侯國才擁有的三軍，勢必會激怒大國，恐怕會自惹麻煩吧？」季武子沒有聽從叔孫豹的勸告，在原來上軍、下軍的基礎上又組建了中軍。從此之後，齊、楚兩國輪番攻打魯國，魯襄公、魯昭公被迫先後去楚國表示臣服。

【出處】

　　季武子為三軍，叔孫穆子曰：「不可。天子作師，公帥之，以征不德。元侯作師，卿帥之，以承天子。諸侯有卿無軍，帥教衛以贊元侯。自伯、子、男有大夫無卿，帥賦以從諸侯。是以上能徵下，下無奸慝。今我小侯也，處大國之間，繕貢賦以共從者，猶懼有討。若為元侯之所，以怒大國，無乃不可乎？」弗從，遂作中軍。自是齊、楚代討於魯，襄、昭皆如楚。（《國語》〈魯語〉）

匏有苦葉

　　晉國率領諸侯討伐秦國，軍隊到達涇水時，誰也不肯先行渡河。晉國大夫叔向拜見魯國的叔孫豹說：「諸侯認為秦國對盟主不恭而討伐它，到達涇水後卻停止不前，這哪是伐秦呢？」叔孫豹說：「我的工作就是誦讀〈匏有苦葉〉[19]，不懂得還要做別的什麼。」叔向告辭後，召來管理船隻和軍政的官員說：「苦匏不能食用，只有渡河時派上用場。魯國的叔孫豹誦讀〈匏有苦葉〉，一定是準備過河了。你們馬上準備船隻，清除道路，否則依法論處。」魯國果然以莒國的部隊率先過河，諸侯各國隨後跟進渡河。

【出處】

　　諸侯伐秦，及涇莫濟。晉叔向見叔孫穆子曰：「諸侯謂秦不恭而討之，及涇而止，於秦何益？」穆子曰：「豹之業，及〈匏有苦葉〉矣，不知其他。」叔向退，召舟虞與司馬，曰：「夫苦匏不材於人，共濟而已。魯叔孫賦〈匏有苦葉〉，必將涉矣。具舟除隧，不共有法。」是行也，魯人以莒人先濟，諸侯從之。（《國語》〈魯語〉）

設服以見

　　在虢地舉行的諸侯盟會上，楚國的公子圍安排兩名衛兵執戈在前

19.〈匏有苦葉〉出自《詩經》〈邶風〉，描寫一位年輕女子在濟水渡口等待情人時既喜悅又焦躁的心情。

面開道。蔡國的公孫歸生和鄭國的大夫罕虎遇見叔孫豹，叔孫豹對二人說：「公子圍的服飾太華美了，不像大夫的打扮，倒像是國君。」罕虎說：「他竟然以衛兵執戈開道，我對此也感到奇怪。」公孫歸生說：「楚國是個大國，公子圍是楚國的令尹。衛兵執戈開道，不也可以嗎？」叔孫豹說：「這話不對。天子有虎賁，負責教習武功以保衛王宮；諸侯有旅賁，用來防禦意外的災禍；大夫有貳車，可以備差遣；士人有陪乘，供奔走時出力。身為大夫卻冒用諸侯的車服規格，這不是明擺著有篡國之心嗎？車服是內心想法的表露，就像龜甲，在裡面燒它，外面一定會有裂紋顯現。如果公子圍當不上國君，也肯定會死，不會再以大夫的身分會見諸侯了。」公子圍回國後，果然殺死郟敖篡奪了王位。

【出處】

　　虢之會，楚公子圍二人執戈先焉。蔡公孫歸生與鄭罕虎見叔孫穆子，穆子曰：「楚公子甚美，不大夫矣，抑君也。」鄭子皮曰：「有執戈之前，吾惑之。」蔡子家曰：「楚，大國也；公子圍，其令尹也。有執戈之前，不亦可乎？」穆子曰：「不然。天子有虎賁，習武訓也；諸侯有旅賁，御災害也；大夫有貳車，備承事也；士有陪乘，告奔走也。今大夫而設諸侯之服，有其心矣。若無其心，而敢設服以見諸侯之大夫乎？將不入矣。夫服，心之文也。如龜焉，灼其中，必文於外。若楚公子不為君，必死，不合諸侯矣。」公子圍反，殺郟敖而代之。（《國語》〈魯語〉）

余非愛貨

　　諸侯在虢地舉行會盟，謀求弭兵休戰的盟約還未簽署，魯國的季武子就出兵攻伐莒國，佔領了鄆城。莒國向與會各國投訴魯國的行為，楚國主張殺掉魯國的盟使叔孫豹。晉國的樂王鮒向叔孫豹索賄說：「我來替你向楚國說情。」叔孫豹拒絕賄賂。他的家臣梁其脛說：「給他財貨就可以免去一死，您為什麼要吝惜呢？」叔孫豹說：「這不是你懂得的。我奉國君的命令來參加盟會，現在國家有罪，我卻以賄賂私求免死，這不是把公事變成了我個人的私事嗎？雖然我得以免死，但今後還怎麼與各國打交道呢？如果別人倣傚我的行為，說：『某國諸侯的卿就是這樣做的。』我的行為不就成了行賄免死的榜樣嗎？君子擔憂行事不正。我不是吝惜財寶，而是擔心行事不正啊。況且，罪過並不是我造成的，即便把我殺了，又有什麼好怕的？」楚國人最終赦免了叔孫豹。

【出處】

　　虢之會，諸侯之大夫尋盟未退。季武子伐莒取鄆，莒人告於會，楚人將以叔孫穆子為戮。晉樂王鮒求貨於穆子，曰：「吾為子請於楚。」穆子不予。梁其脛謂穆子曰：「有貨，以衛身也。出貨而可以免，子何愛焉？」穆子曰：「非女所知也。承君命以會大事，而國有罪，我以貨私免，是我會吾私也。苟如是，則又可以出貨而成私欲乎？雖可以免，吾其若諸侯之事何？夫必將或循之，曰：『諸侯之卿有然者故也。』則我求安身而為諸侯法矣。君子是以患作。作而不

衷，將或道之，是昭其不衷也。余非愛貨，惡不衷也。且罪非我之由，為戮何害？」楚人乃赦之。穆子歸，武子勞之，日中不出。其入曰：「可以出矣。」穆子曰：「吾不難為戮，養吾棟也。夫棟折而榱崩，吾懼壓焉。故曰雖死於外，而庇宗於內。可也。今既免大恥，而不忍小忿，可以為能乎？」乃出見之。（《國語》〈魯語〉）

合葬非古

季武子建成一座住宅，其宅地原是杜氏墓地，杜家有人就葬在西階之下。杜家新死了人，請求季武子允許合葬，季武子同意了。杜氏後人進入季武子的宅院不敢哭泣。季武子說：「合葬不是古制。自周公以來才有合葬，後來再沒改變。既然允許杜家人合葬，卻不允許杜家人哭泣，是何道理？」於是讓他們盡情哭泣。

【出處】

季武子成寢，杜氏之葬在西階之下，請合葬焉，許之。入宮而不敢哭。武子曰：「合葬非古也，自周公以來，未之有改也。吾許其大而不許其細，何居？」命之哭。（《禮記》〈檀弓上〉）

倚其門而歌

季武子臥病，蟜固不脫掉孝服就去他家探視，並向他說明：「我的這種做法，現在快絕跡了，可按照正禮，士也只有進入公門才脫去

孝服。」季武子佯表同意說：「你這樣做不是很好嗎！君子就是要發揚光大那些被多數人丟掉了的好規矩。」等到季武子去世了，孔子的學生曾點就倚在他家門上唱歌，表示自己也是按照正禮而行。

【出處】

季武子寢疾，蟜固不說齊衰而入見，曰：「斯道也，將亡矣；士唯公門說齊衰。」武子曰：「不亦善乎，君子表微。」及其喪也，曾點倚其門而歌。（《禮記》〈檀弓下〉）

不學將落

魯昭公十八年（西元前524年）秋季，去參加曹平公葬禮的人見到周朝大夫原伯魯，跟他說話，發現他不愛學習。回去後告訴閔子馬。閔子馬說：「周朝恐怕要發生動亂了吧！一定是輕視學習的說法很多，才影響到當權的人。大夫們擔心丟掉官位卻不明事理，認為可以不學習，不學習沒有壞處，因而得過且過，以下犯上，這樣下去能不出亂子嗎？學習就像種植，有栽培才有收穫，不學習就像草木枯落，原氏大概要滅亡了吧！」

【出處】

秋，葬曹平公。往者見周原伯魯焉，與之語，不說學。歸以語閔子馬。閔子馬曰：「周其亂乎？夫必多有是說，而後及其大人。大人患失而惑，又曰：『可以無學，無學不害。』不害而不學，則苟而

可。於是乎下陵上替，能無亂乎？夫學，殖也，不學將落，原氏其亡乎？」（《左傳》〈昭公十八年〉）

盟於清丘之社

泉丘有個女子，夢見以帷幕覆蓋了孟氏的祖廟，於是帶著同伴私奔到孟僖子那裡。在清丘的土地神廟裡與孟僖子盟誓說：「有了兒子，不要丟掉我！」孟僖子讓兩人住在蓮氏做妾。孟僖子從禚祥回來，住在蓮氏，泉丘女子生了懿子和南宮敬叔。她的同伴沒生兒子，就讓同伴撫養敬叔。

【出處】

泉丘人有女，夢以其帷幕孟氏之廟，遂奔僖子，其僚從之。盟於清丘之社，曰：「有子，無相棄也。」僖子使助蓮氏之簉。反自禚祥，宿於蓮氏，生懿子及南宮敬叔於泉丘人。其僚無子，使字敬叔。（《左傳》〈昭公十一年〉）

必有達人

孟僖子覺得對禮儀還不夠熟悉，就虛心求教，向精通禮儀的人學習。他臨死的時候，召集手下的大夫說：「禮儀是做人的根本。人無禮不立。我聽說有個將要得志的人名叫孔丘，是聖人之後，他的家族衰落於宋國，祖先弗父何本來可以擁有宋國而讓給了宋屬公。到了正

考父，曾經輔佐戴公、武公和宣公，三任上卿而始終恭敬如初，所以他的鼎銘說：『一命低頭，二命弓背，三命彎腰。沿著牆根走，也沒有人把我欺侮。稠粥在這裡，稀粥也在這裡，用來糊住我的口。』臧孫紇曾說：『有明德的聖人，如果不能做國君，他的後代必有達人。』現在恐怕會應在孔丘身上吧！我去世後，一定要把說和何忌託付給他老人家，讓他們侍奉他學習禮儀，修成正果。」後來孟懿子和南宮敬叔果然尊孔子為老師。孔子評論說：「能夠彌補過錯的就是君子。《詩經》裡說：『君子賢人紛紛來倣傚。』孟僖子就是學習的榜樣啊。」

【出處】

　　孟僖子病不能相禮，乃講學之，苟能禮者從之。及其將死也，召其大夫曰：「禮，人之幹也。無禮，無以立。吾聞將有達者曰孔丘，聖人之後也，而滅於宋。其祖弗父何，以有宋而授厲公。及正考父，佐戴、武、宣，三命茲益共。故其鼎銘云：『一命而僂，再命而傴，三命而俯。循牆而走，亦莫余敢侮。饘於是，鬻於是，以糊余口。』其共也如是。臧孫紇有言曰：『聖人有明德者，若不當世，其後必有達人。』今其將在孔丘乎？我若獲沒，必屬說與何忌於夫子，使事之，而學禮焉，以定其位。」故孟懿子與南宮敬叔師事仲尼。仲尼曰：「能補過者，君子也。《詩》曰：『君子是則是效。』[20]孟僖子可則效已矣。」（《左傳》〈昭公七年〉）

20.「君子是則是效」，出自《詩經》〈小雅‧鹿鳴〉。

平丘之會

　　諸侯在平丘會盟，晉昭公派叔向責備魯昭公，不讓他出席盟會。子服惠伯說：「晉國聽信蠻夷邾、莒的話而拋棄兄弟之國，他們的執政者有二心呀。有二心必然會失去諸侯的信賴，何止是失去魯國？晉國的國政出現失誤，必然會加害魯國，魯國應該派上卿去晉國謝罪解釋。」季平子說：「按道理應該由我出面，但我擔心晉國會找我的麻煩，誰願意與我同行呢？」子服惠伯說：「既然是我出的主意，就讓我隨同您前往吧。」晉國人果然逮捕了季平子。子服惠伯去見韓宣子說：「諸侯會盟，是信義把他們黏合在一起。晉國作為盟主，應該示天下以信義。如果會盟不讓魯國國君參加，這信義就有欠缺了。當年欒盈發動內亂，齊國乘機攻佔朝歌。我國的先君襄公不敢袖手旁觀，派叔孫豹統帥全國的兵甲，包括腿腳有缺陷的殘疾人都應徵入伍，沒有一個人待在家裡，全都隨軍出征。到達雍渝一帶後，與邯鄲勝大夫共同攻擊齊國的左軍，牽制並俘虜了齊國的晏萊，直到齊軍從晉國撤退，才敢率軍回國。我說這些並不是為了表白過去的功勞，而是因為魯國緊鄰齊國，又相對弱小；早晨從齊國駕車，晚上就能到達魯國的國都，但魯國並不害怕齊國的侵害，而決心與晉國共命運，還認為『只有這樣才有益於魯國』。現在晉國聽信邾、莒二國的讒言拋棄魯國，對那些忠誠晉國的諸侯，將如何解釋呢？如果晉國拋棄魯國仍然可以牢固地團結諸侯，那我們雖死無憾了。在侍奉晉國的諸侯中，魯國人最盡心儘力。如果因為邾、莒兩國的緣故而拋棄魯國，雖然可以得到邾、莒二國，晉國卻要失去諸侯的信任。您不妨考慮一下利害得

失再作決定，魯國人一定恭敬從命。」韓宣子對子服惠伯的分析心悅誠服，於是放季平子回國。

【出處】

平丘之會，晉昭公使叔向辭昭公，弗與盟。子服惠伯曰：「晉信蠻、夷而棄兄弟，其執政貳也。貳心必失諸侯，豈唯魯然？夫失其政者，必毒於人，魯懼及焉，不可以不恭。必使上卿從之。」季平子曰：「然則意如乎！若我往，晉必患我，誰為之貳？」子服惠伯曰：「椒既言之矣，敢逃難乎？椒請從。」晉人執平子。子服惠伯見韓宣子曰：「夫盟，信之要也。晉為盟主，是主信也。若盟而棄魯侯，信抑闕矣。昔欒氏之亂，齊人間晉之禍，伐取朝歌。我先君襄公不敢寧處，使叔孫豹悉帥敝賦，踦跂畢行，無有處人，以從軍吏，次於雍渝，與邯鄲勝擊齊之左，掎止晏萊焉，齊師退而後敢還。非以求遠也，以魯之密邇於齊，而又小國也；齊朝駕則夕極於魯國，不敢憚其患，而與晉共其憂，亦曰：『庶幾有益於魯國乎！』今信蠻、夷而棄之，夫諸侯之勉於君者，將安勸矣？若棄魯而苟固諸侯，群臣敢憚戮乎？諸侯之事晉者，魯為勉矣。若以蠻、夷之故棄之，其無乃得蠻、夷而失諸侯之信乎？子計其利者，小國共命。」宣子說，乃歸平子。（《國語》〈魯語〉）

魯築郎囿

魯國在郎地修建園囿，季平子想趕快修成。叔孫昭子說：「怎麼

能急於求成呢？以此虐待百姓能行嗎？即便沒有園囿也是可以的，哪裡聽說為了嬉戲遊樂的事，而把治下的百姓弄得疲憊不堪的？」

【出處】

魯築郎囿，季平子欲速成，叔孫昭子曰：「安用其速成也？以虐其民，其可乎？無囿尚可乎，惡聞嬉戲之遊，罷其所治之民乎？」（《說苑》〈反質〉）

無易由言

孔子陪著季孫閒談，季孫的管家進來說：「國君派人來借馬，要借給他嗎？」孔子說：「我聽說君主找臣子要東西叫作取，給予臣叫賜，臣找君主要東西叫作假，給予君主稱之獻。」季孫醒悟了，告訴管家說：「從今以後，國君有所尋求就說取，不要說借。」由於孔子糾正了「借馬」的用詞，君臣的名分也就明確了。《論語》說：「必也正名。」《詩經》中說：「不要隨口把話吐，莫道說話可馬虎。」[21]在朝廷做事，用詞造句能不謹慎嗎？

【出處】

孔子侍坐於季孫，季孫之宰通曰：「君使人假馬，其與之乎？」孔子曰：「吾聞取於臣謂之取，不曰假。」季孫悟，告宰通曰：「自今以來，君有取謂之取，無曰假。」故孔子正假馬之名，而君臣之義

21.「無易由言，無曰苟矣」，出自《詩經》〈大雅・抑〉。

定矣。論語曰：「必也正名。」《詩》曰：「無易由言，無曰苟矣。」可不慎乎？（《新序》〈雜事〉）

當功以受祿

　　孔子拜會齊景公，景公送給他廩丘作為食邑。孔子謝絕不受，出來以後對弟子們說：「我聽說君子有功才接受俸祿，現在我勸說景公聽從我的主張，景公還沒實行，就提出把廩丘賞賜給我，他太不瞭解我了。」說完讓學生們趕快套好馬車，告辭離開了齊國。孔子當時還是平民，他在魯國只做過不長時間的司寇，然而擁有萬輛兵車的大國君主也不能跟他相提並論，周文王、周武王、周成王的輔佐之臣也不如他名聲顯赫，這是因為他對名利的取捨從不苟且啊！

【出處】

　　孔子見齊景公，景公致廩丘以為養。孔子辭不受，入謂弟子曰：「吾聞君子當功以受祿。今說景公，景公未之行而賜之廩丘，其不知丘亦甚矣！」令弟子趣駕，辭而行。孔子，布衣也，官在魯司寇，萬乘難與比行，三王之佐不顯焉，取捨不苟也夫！（《呂氏春秋》〈離俗覽・高義〉）

聖人之智

　　孔子與齊景公一起閒坐。左右的人報告說：「周王派使者來，說

周廟被火燒了。」齊景公說:「去打聽一下,是哪個周廟?」孔子說:「應該是周釐王的廟。」景公問:「你怎麼知道?」孔子說:「《詩經》上說:『偉大的天帝,它的命令不會有差錯。』上天一定會回報有德行的人,對缺德的人也一樣。周釐王改變文王、武王的規矩,大興玄黃宮室,車馬極盡奢侈。上天當然會降災給他,因此知道他的祭廟被燒。」齊景公問:「為什麼不降災給他本人,而要降災祭廟呢?」孔子說:「上天是看在文王的分上。如果降災給他本人,文王豈不就斷了後代嗎?因此降災祭廟,以暴露他的過錯。」左右的人回報說:「燒的是周釐王的廟。」齊景公大驚,起身對孔子拱手相拜說:「聖人的智慧真是博大啊!」

【出處】

孔子與齊景公坐,左右白曰:「周使來,言周廟燔。」齊景公出問曰:「何廟也?」孔子曰:「是釐王廟也。」景公曰:「何以知之?」孔子曰:「《詩》云:『皇皇上帝,其命不忒。[22]天之與人,必報有德。』禍亦如之。夫釐王變文武之制而作玄黃宮室,輿馬奢侈,不可振也。故天殃其廟,是以知之。」景公曰:「天何不殃其身,而殃其廟乎?」子曰:「天以文王之故也。若殃其身,文王之祀,無乃絕乎?故殃其廟以章其過也。」左右入報曰:「周釐王廟也。」景公大驚,起拜曰:「善哉!聖人之智,豈不大乎!」(《說苑》〈權謀〉)

22.「皇皇上帝,其命不忒」,出自《孔子家語》引逸詩。

處僻而霸

　　齊景公向孔子請教如何治理國家。孔子回答說：「治理國家在於節約財力。」齊景公很高興，又問：「以前秦穆公的國家很小，地理位置也很偏僻，卻能稱霸諸侯，為什麼呢？」孔子說：「他的國家雖小，但志向卻很遠大；地方雖然偏僻，但政治卻很英明；他採取措施十分果斷，考慮問題也恰到好處。執法沒有偏私，政令不出偏差。破格提拔百里奚，授給他大夫的爵位，跟他交談了三天，就把政事委託給他處理。能做到這樣，即使稱王也可以，何況稱霸呢？」齊景公說：「說得好啊！」

【出處】

　　齊景公來適魯，舍於公館，使晏嬰迎孔子，孔子至，景公問政焉。孔子答曰：「政在節財。」公悅，又問曰：「秦穆公國小處僻而霸，何也？」孔子曰：「其國雖小其志大，處雖僻而政其中，其舉也果，其謀也和，法無私而令不愉，首拔五羖，爵之大夫，與語三日而授之以政，此取之雖王可，其霸少矣。」景公曰：「善哉。」（《孔子家語》〈賢君〉）

不見皮冠

　　孔子在齊國時，齊侯出去打獵，用旌旗招呼管理山澤的官吏虞人，虞人沒來晉見，齊侯派人把他抓了起來。虞人說：「從前先君打

獵時，用旌旗來招呼大夫，用弓來招呼士，用皮帽來招呼虞人。我沒看見皮帽，所以不敢晉見。」齊侯於是放了虞人。孔子聽到這件事說：「好啊！遵守道不如遵守職責。君子都認為說得對。」

【出處】

孔子在齊，齊侯出田，招虞人以旌不進，公使執之對曰：「昔先君之田也，旌以招大夫，弓以招士，皮冠以招虞人，臣不見皮冠，故不敢進，乃舍之。」孔子聞之曰：「善哉守道不如守官，君子韙之。」（《孔子家語》〈正論解〉）

三月不知肉味

孔子在齊國聽到韶樂，三個月不知肉味。可見音樂不只是愉悅自己，也能愉悅他人，不僅能矯正自己，也能矯正他人。音樂的作用真大啊！

【出處】

孔子至齊郭門之外，遇一嬰兒挈一壺，相與俱行，其視精，其心正，其行端，孔子謂御曰：「趣驅之，趣驅之。」韶樂方作，孔子至彼，聞韶三月不知肉味。故樂非獨以自樂也，又以樂人；非獨以自正也，又以正人矣哉！於此樂者，不圖為樂至於此。（《說苑》〈修文〉）

三家共伐公

　　季氏與郈氏鬥雞。季氏給雞翅膀撒上芥子粉，郈氏給雞裝上金爪。季平子看郈氏不順眼，郈氏也瞧季平子不舒服。[23]臧昭伯的弟弟臧會曾經誣陷臧氏，而後躲到季氏家裡，臧昭伯因此拘禁了季氏的家人。季平子大怒，隨即囚禁了臧氏的家臣。臧氏與郈氏向昭公求助，攻入季平子家裡。平子登臺求饒說：「您聽信讒言來問罪我，請允許我遷居到沂上吧。」昭公不答應。季平子又請求把自己囚禁於鄲邑，仍不答應。平子再請求帶五乘車流亡國外，昭公還是不答應。子家駒說：「您就答應吧。季氏長期執掌政權，徒黨極多，他們會合謀對付您的。」昭公不聽。郈氏說：「一定要殺死季平子。」叔孫氏的家臣戾對其徒眾說：「季氏被滅或存在，哪樣對我們有利？」眾人回答說：「沒有了季氏，叔孫氏也不能存在。」戾說：「對，馬上救援季氏。」於是率領眾徒擊敗了昭公軍隊。孟懿子聽到叔孫氏戰勝的消息，也殺死了昭公派來求援的使臣郈昭伯。孟孫、叔孫、季孫三家共同討伐昭公，昭公無奈只得逃亡。先入齊國，後到晉國，最後死在乾侯。

---

23. 鬥雞是當時魯國貴族的一種娛樂和賭博活動。季平子與郈昭伯為鄰，兩家常以鬥雞為樂。為了取勝，季平子在雞翅膀上偷偷撒上了芥子粉，郈昭伯家的公雞無論多雄壯凶猛，總是被弄瞎眼睛，連連失敗。後來郈昭伯發現了季平子鬥雞取勝的祕密，便在雞爪上裝上鋒利的小銅鉤，結果季平子的雞被抓瞎眼睛，以失敗告終。

三家共伐公

【出處】

　　季氏與郈氏鬥雞,季氏芥雞羽,郈氏金距。季平子怒而侵郈氏,郈昭伯亦怒平子。臧昭伯之弟會偽讒臧氏,匿季氏,臧昭伯囚季氏人。季平子怒,囚臧氏老。臧、郈氏以難告昭公。昭公九月戊戌伐季氏,遂入。平子登臺請曰:「君以讒不察臣罪,誅之,請遷沂上。」弗許。請囚於鄪,弗許。請以五乘亡,弗許。子家駒曰:「君其許之。政自季氏久矣,為徒者眾,眾將合謀。」弗聽。郈氏曰:「必殺之。」叔孫氏之臣戾謂其眾曰:「無季氏與有,孰利?」皆曰:「無季氏是無叔孫氏。」戾曰:「然,救季氏!」遂敗公師。孟懿子聞叔孫氏勝,亦殺郈昭伯。郈昭伯為公使,故孟氏得之。三家共伐公,公遂奔。(《史記》〈魯周公世家〉)

君臣無常位

　　魯定公繼位。趙簡子問史墨說:「季氏會滅亡嗎?」史墨說:「沒有人可以永遠保有國家,君臣的位置也不可能代代相傳,自古如此。所以《詩經》裡說:『高高的堤岸變成深谷,深深的谷地變成山陵。』三王的子孫今天已成為平民。從前季友是桓公的小兒子,很受文姜寵愛,還沒出生就有占卜人報告說:『生下來就有好名聲,他的名字叫友,會成為公室的輔佐。』等到生出來,和卜人所說的一樣,左手掌上果然有個『友』字,就以此命名。季友後來在魯國立下大功,受封在費地做了上卿。一直到文子、武子,代代顯貴,未見頹相。魯文公去世,東門遂殺嫡立庶,魯國國君大權旁落,政權為季氏執掌,到這

一任國君已經是第四代了。百姓不知道有國君，這樣的國君怎麼能掌握國家？因此做國君的，一定要謹慎地對待器物和名位，不可以輕易借人。」

【出處】

　　趙簡子問於史墨曰：「季氏出其君，而民服焉，諸侯與之，君死於外，而莫之或罪也。」對曰：「物生有兩，有三，有五，有陪貳。故天有三辰，地有五行，體有左右，各有妃耦。王有公，諸侯有卿，皆有貳也。天生季氏，以貳魯侯，為日久矣。民之服焉，不亦宜乎？魯君世從其失，季氏世修其勤，民忘君矣。雖死於外，其誰矜之？社稷無常奉，君臣無常位，自古以然。故《詩》曰：『高岸為谷，深谷為陵。』[24]三後之姓，於今為庶，王所知也。在《易》卦，雷乘《乾》曰《大壯》，天之道也。昔成季友，桓之季也，文姜之愛子也，始震而卜。卜人謁之，曰：『生有嘉聞，其名曰友，為公室輔。』及生，如卜人之言，有文在其手曰『友』，遂以名之。既而有大功於魯，受費以為上卿。至於文子、武子，世增其業，不廢舊績。魯文公薨，而東門遂殺適立庶，魯君於是乎失國，政在季氏，於此君也，四公矣。民不知君，何以得國？是以為君，慎器與名，不可以假人。」（《左傳》〈昭公三十二年〉）

24.「高岸為谷，深谷為陵」，出自《詩經》〈小雅・十月之交〉。

救溺者濡

　　季孫氏把持公室政權，孔子想曉之以理，恐怕自己的意見不被接納，於是就去接受他的供養。魯國人因此而責備孔子。孔子說：「龍在清澈的水裡游動吃東西；螭在清澈的水裡吃東西，在渾濁的水裡游動；魚在渾濁的水裡游動吃東西。孔丘我上不如龍，下比魚強，我大概跟螭差不多吧！」那些想建立功業的人，哪能處處合乎規矩呢？援救溺水的人就要打濕衣服，追趕逃跑的人必須奔跑。

【出處】

　　季孫氏劫公家，孔子欲論術則見外，於是受養而便說。魯國以訾。孔子曰：「龍食乎清而游乎清，螭食乎清而游乎濁，魚食乎濁而游乎濁。今丘上不及龍，下不若魚，丘其螭邪！」夫欲立功者，豈得中繩哉？救溺者濡，追逃者趨。（《呂氏春秋》〈離俗覽‧舉難〉）

逕庭歷級

　　魯國季孫氏舉辦喪事，孔子前往弔喪。進門之後，站到左邊，立於賓客的位置。主喪的季桓子用魯國的寶玉裝殮死者。孔子從西階下快步穿過中庭，登東階而上說：「用寶玉殮死者，就像是把屍體暴露在原野上一樣。」穿過中庭、登階而上，都是不符合賓客禮儀的，孔

子之所以這樣做，這是為了阻止過失啊！[25]

【出處】

　　魯季孫有喪，孔子往弔之。入門而左，從客也。主人以璵璠收，孔子逕庭而趨，歷級而上，曰：「以寶玉收，譬之猶暴骸中原也。」逕庭歷級，非禮也；雖然，以救過也。（《呂氏春秋》〈孟冬紀・安死〉）

曝屍於中原

　　季平子去世以後，將要用國君用的美玉璵璠來殉葬，同時還要用很多珠寶玉石。這時孔子剛剛當上中都宰，聽說後，登上臺階趕去制止。他說：「送葬時用寶玉殉葬，這如同把屍體暴露在野外一樣。這樣做會引發民眾獲取奸利的念頭，對死者是有害的，怎能用呢？況且孝子不因為顧及自己的感情而危害親人，忠臣不能給邪惡的人造成機會來陷害國君。」於是停止了用璵璠珠玉陪葬。

【出處】

　　季平子卒，將以君之璵璠斂，贈以珠玉。孔子初為中都宰，聞之歷級而救焉，曰：「送而以寶玉，是猶曝屍於中原也，其示民以奸利之端，而有害於死者，安用之。且孝子不順情以危親，忠臣不

---

25. 孔子不顧違禮，急忙上前諫阻，表面上是說怕導致掘墓，使屍體暴露，實際是反對季孫氏用君王的佩玉殉葬。

兆奸以陷君。」乃止。(《孔子家語》〈曲禮子夏問〉)

穿井獲羊

季桓子家中挖井，挖出一個像瓦罐一樣的東西，裡面有一隻外形似羊的動物。派人去試探孔丘說：「我家挖井時得到一隻狗，是怎麼一回事呢？」回答說：「據我所知，你得到的是羊。我聽說：山中的怪物叫夔，叫蝄蜽；水中的怪物叫龍，叫罔象，土中的怪物叫羵羊。」[26]

【出處】

季桓子穿井，獲如土缶，其中有羊焉。使問之仲尼曰：「吾穿井而獲狗，何也？」對曰：「以丘之所聞，羊也。丘聞之：木石之怪曰夔、蝄蜽，水之怪曰龍、罔象，土之怪曰羵羊。」(《國語》〈魯語〉)

夾谷會盟

魯定公十年（西元前500年）夏季，魯定公在祝其（夾谷）會見齊景公，孔丘擔任儐相。齊國的客卿犁彌對齊景公說：「孔丘懂禮但缺乏勇，如果派萊地的人用武力劫持魯侯，一定能如願以償。」齊景公點頭同意。孔丘發現了齊國人的企圖，一邊領著定公退下，一邊指

---

26. 罔象：傳說中的海神；羵羊：史籍中無明確記載，不知何物。

斥齊國的失禮。齊景公只得讓萊地的人退下。將要盟誓時，齊國人在盟書中加了一句話，說：「如果齊軍出境，魯國必須派三百輛甲車跟隨。以盟誓為證！」孔丘讓魯國的大夫茲無還作揖回答說：「如果你們不歸還我們汶水北岸的土地，我們將無力供應齊國的需要，也以盟誓為證！」齊國後來果然歸還了鄆地、歡地和龜陰的土地。

【出處】

夏，公會齊侯於祝其，實夾谷。孔丘相。犁彌言於齊侯曰：「孔丘知禮而無勇，若使萊人以兵劫魯侯，必得志焉。」齊侯從之。孔丘以公退，曰：「士，兵之！兩君合好，而裔夷之俘以兵亂之，非齊君所以命諸侯也。裔不謀夏，夷不亂華，俘不干盟，兵不逼好。於神為不祥，於德為愆義，於人為失禮，君必不然。」齊侯聞之，遽辟之。將盟，齊人加於載書曰：「齊師出竟，而不以甲車三百乘從我者，有如此盟。」孔丘使茲無還揖對曰：「而不反我汶陽之田，吾以共命者，亦如之。」齊人來歸鄆、歡、龜陰之田。（《左傳》〈定公十年〉）

嘉事不體

魯定公十五年（西元前495年）春季，邾隱公到魯國朝見。子貢觀禮。邾子仰著臉，把玉高高舉起。魯定公低著頭，謙卑地接受。子貢評論說：「從禮儀的角度來看，兩位國君只怕都活不長了。禮是生死存亡的載體，人的一舉一動，包括揖讓、進退、俯仰，都能反映對禮的取捨；通過朝會、祭禮、喪事、征戰，也能觀察對禮的態度。眼

下是正月，安排朝見不合法度，兩位國君心裡已經沒有禮了。朝會不合禮儀，哪能長久？高和仰是驕傲。低和俯是衰頹。驕傲接近動亂，衰頹接近疾病。君為一國之主，恐怕會先死去吧！」

【出處】

十五年春，邾隱公來朝。子貢觀焉。邾子執玉高，其容仰。公受玉卑，其容俯。子貢曰：「以禮觀之，二君者，皆有死亡焉。夫禮，死生存亡之體也。將左右周旋，進退俯仰，於是乎取之；朝祀喪戎，於是乎觀之。今正月相朝，而皆不度，心已亡矣。嘉事不體，何以能久？高仰，驕也，卑俯，替也。驕近亂，替近疾。君為主，其先亡乎！」（《左傳》〈定公十五年〉）

嬰童汪錡

齊國軍隊入侵魯國，公叔務人[27]流著眼淚說：「雖然徭役使人們疲憊不堪，賦稅也加重了人們的負擔，但卿大夫不能為國獻謀，士子不能為國獻身，也是不行的。我既然這麼說了，自己怎麼敢不努力去做呢？」於是就同他寵愛的鄰家小孩汪錡一起乘戰車衝向敵陣，結果都戰死了。兩人的靈柩出殯時，魯國人打算不用殤禮而用成人之禮來為小孩汪錡治喪，問孔子可不可以。孔子說：「能夠拿起武器保衛國家的人，完全可以享受成人之禮。」

---

27. 公叔務人：姬為，字務人，魯昭公之子，哀公之叔。

　　齊師侵魯，公叔務人，遇人入保，負杖而息。務人泣曰：「使之雖病，任之雖重，君子弗能謀，士弗能死，不可也，我則既言之矣，敢不勉乎。」與其鄰嬖童汪錡，乘倂奔敵死焉，皆殯，魯人欲勿殤童汪錡，問於孔子曰：「能執干戈以衛社稷，可無殤乎？」（《孔子家語》〈曲禮子貢問〉）

君子能勞，後世有繼

　　季康子請教公父文伯的母親敬姜說：「您有什麼話可以告誡我嗎？」回答說：「我不過年紀大點而已，有什麼好告誡的。」季康子說：「雖然如此，我仍然願意聆聽您的教誨。」回答說：「我從已故婆婆那裡聽說過：『君子能勤勞做事，他的子孫一定興旺發達。』」子夏聽到這番話後說：「講得真好啊！我聽說過：『古時候女子出嫁，而公婆已故世的，叫作不幸。』為人婦，是應該向公婆學習的。」

【出處】

　　季康子問於公父文伯之母曰：「主亦有以語肥也。」對曰：「吾能老而已，何以語子。」康子曰：「雖然，肥願有聞於主。」對曰：「吾聞之先姑曰：『君子能勞，後世有繼。』」子夏聞之，曰：「善哉！商聞之曰：『古之嫁者，不及舅姑，謂之不幸。』夫婦，學於舅姑者也。」（《國語》〈魯語〉）

魯季敬姜

魯季敬姜,是莒國的女子,號戴己。她是魯國大夫公父穆伯的妻子,文伯的母親,季康子的從祖叔母。她博聞通達,知曉禮節。穆伯不幸早逝,敬姜守著兒子文伯過日子。一天,文伯放學回來,敬姜看見他的學友跟在後面,捧劍正步,對待文伯像侍奉父兄一樣尊敬,文伯自以為已經長大成人了。敬姜把兒子叫到跟前責備他說:「從前周武王罷朝回宮,發現自己襪帶開了,見身邊左右沒有幫忙的人,就自己低頭繫好,後來成就王道。齊桓公有良友三人,諫臣五人,每天舉薦提意見的三十人,因此才成就霸業。周公吃飯三次放下筷子,洗頭三次握著濕髮接待來訪的賢士,他重用的賢臣中有七十多人出身微賤,所以能保存周家天下。這二聖一賢都屬於霸王之君,卻為人謙卑。他們所結交的人,都勝過自己,所以每天都在不知不覺地進步。現在你年紀還小,地位又低,而你結交的人,卻都是僕人。從這也可以看出來,你將來肯定沒出息。」文伯於是向母親告罪認錯,到處拜訪嚴師賢友請教,所結交的都是學富五車、飽讀詩書的老先生。文伯對待他們畢恭畢敬,敬姜這才說:「你終於長大成人了。」君子稱讚敬姜善於教化。《詩經》中所說的:「眾多人才濟濟一堂,文王可以放心安寧。」說的正是她啊!

【出處】

魯季敬姜者,莒女也。號戴己。魯大夫公父穆伯之妻,文伯之母季康子之從祖叔母也。博達知禮。穆伯先死,敬姜守養。文伯出學而

還歸，敬姜側目而盼之。見其友上堂，從後階降而卻行，奉劍而正履，若事父兄。文伯自以為成人矣。敬姜召而數之曰：「昔者武王罷朝，而結絲襪絕，左右顧無可使結之者，俯而自申之，故能成王道。桓公坐友三人，諫臣五人，日舉過者三十人，故能成伯業。周公一食而三吐哺，一沐而三握髮，所執贄而見於窮閭隘巷者七十餘人，故能存周室。彼二聖一賢者，皆霸王之君也，而下人如此。其所與游者，皆過己者也。是以日益而不自知也。今以子年之少而位之卑，所與游者，皆為服役。子之不益，亦以明矣。」文伯乃謝罪。於是乃擇嚴師賢友而事之，所與游處者皆黃耄倪齒也，文伯引衽攘卷而親饋之。敬姜曰：「子成人矣。」君子謂敬姜備於教化。《詩》云：「濟濟多士，文王以寧。」[28]此之謂也。（《列女傳》〈母儀傳〉）

饗養上賓

　　文伯宴請南宮敬叔，邀請露堵父作陪，但給露堵父的鱉卻非常小，露堵父深感羞愧，生氣地說：「等鱉長大了我再來吃吧。」於是離席而去。文伯的母親敬姜聽說後，生氣地對兒子說：「我聽以前的賢人說：『祭祀時要準備豐盛的供品，宴請時要讓賓客吃好。』鱉又不是什麼希罕菜餚，為什麼讓客人如此生氣呢！」於是把文伯逐出了家門。過了五天，露堵父上門幫文伯求情，敬姜這才原諒了兒子。

28.「濟濟多士，文王以寧」，出自《詩經》〈大雅・文王〉。

文伯飲南宮敬叔酒，以露堵父為客，羞鱉焉小，堵父怒，相延食鱉，堵父辭曰：「將使鱉長而食之。」遂出。敬姜聞之，怒曰「吾聞之先子曰：『祭養尸，饗養上賓。』鱉於人何有，而使夫人怒！」遂逐文伯。五日，魯大夫辭而復之。（《列女傳》〈母儀傳〉）

敬姜哭喪

穆伯死時，敬姜作為妻子只是白天哭泣。文伯死時，敬姜作為母親晝夜哭泣。孔子評論說：「她真是個懂禮的人。」文伯死時，敬姜靠著他的床暫停哭泣說：「從前我有這個兒子，看他頗有才藝，想著將來會成為賢人，從來沒有到他辦公的地方考察。現在他死了，朋友眾臣中沒有為他掉淚的，只有他的妻妾為他痛哭失聲。如此看來，這孩子在接人待物方面一定多有荒廢。」季康子的母親去世了，在陳列小斂所用衣物時，連內衣也陳列出來了。敬姜說：「婦人不打扮不敢見公婆，何況現在外面的客就要到了，怎麼把內衣也陳列在這裡呢？」於是下令撤去內衣。

【出處】

穆伯之喪，敬姜晝哭；文伯之喪，晝夜哭。孔子曰：「知禮矣。」文伯之喪，敬姜據其床而不哭，曰：「昔者吾有斯子也，吾以將為賢人也，吾未嘗以就公室；今及其死也，朋友諸臣未有出涕者，而內人皆行哭失聲。斯子也，必多曠於禮矣夫！」季康子之母死，陳褻衣。

敬姜曰：「婦人不飾，不敢見舅姑，將有四方之賓來，褻衣何為陳於斯？」命徹之。（《禮記》〈檀弓下〉）

在所與謀

南宮敬叔問顏涿聚說：「季孫氏蓄養孔子的門徒，穿著朝服與他同坐的以十為單位計數，然而他仍然被刺殺，為什麼呢？」顏涿聚說：「過去周成王親近優伶侏儒以滿足自己的興致，但卻和君子一同決斷事情，因此能按正確的思路治理天下。現在季孫氏蓄養孔子的門徒雖然很多，但他卻要與優伶侏儒一同決斷事情，因而難免被人刺殺。所以說，不在於平時和什麼人相處，而在於和什麼人商量事情。」

【出處】

南宮敬子問顏涿聚曰：「季孫養孔子之徒，所朝服與坐者以十數，而遇賊，何也？」曰：「昔周成王近優侏儒以逞其意，而與君子斷事，是能成其欲於天下。今季孫養孔子之徒，所朝服而與坐者以十數，而與優侏儒斷事，是以遇賊。故曰：不在所與居，在所與謀也。」（《韓非子》〈外儲說左下〉）

魯秋潔婦

所謂潔婦，指的是魯國秋鬍子的妻子。丈夫與她成親五天之後就

到陳國做官，過了五年才回來。看見路旁有位婦人採桑，秋鬍子很喜歡她，就下車對她說：「你在烈日下採桑，我走了很遠的路，不如我們一起在樹蔭下吃點東西，休息休息。可以嗎？」婦人沒理睬他，繼續採桑不停。秋鬍子又說：「用力耕田不如趕上好年景，費力採桑不如遇見卿大夫。我有金子，願意送給你。」婦人回答說：「我靠採桑養蠶、紡紗織布供給衣食，奉養雙親，相夫教子，我不需要金子。希望你不要有其他想法，我也不是放蕩之人，收起你的金子吧！」秋鬍子只好悻悻離去。回到家，秋鬍子把金子交給母親，派人叫妻子出來相見，沒想到妻子竟是剛才在路上遇到的採桑女子，秋鬍子滿面羞愧！妻子說：「你束髮修身，辭別家人去做官，五年才回來，本應該歸心似箭，快馬加鞭才對。沒想到你居然喜歡路邊的女子，還下馬調戲，送金子給她。忘記父母親是不孝，好色淫蕩是污濁的行為。對父母不孝的人，侍奉君王就會不忠；處理家事不合道義，處理政事也不會守規矩。不孝不義，能有什麼好下場呢？我不想見到你，你還是另娶他人吧！」說完就出門往東，投河而死。君子說：「潔婦善於勸諫丈夫。所謂不孝不義的人，就是不愛親人而愛其他的人。秋鬍子就是這樣的人啊。」君子又說：「對待善行要勉力追求，對待惡行要像伸手探試熱湯一樣小心，秋鬍子的妻子就是如此。」

【出處】

潔婦者，魯秋胡子妻也。既納之五日，去而宦於陳，五年乃歸。未至家，見路旁婦人採桑，秋胡子悅之，下車謂曰：「若曝採桑，吾行道遠，願托桑蔭下餐，下齎休焉。」婦人採桑不輟，秋胡子謂曰：「力田不如逢豐年，力桑不如見國卿。吾有金，願以與夫人。」婦人

曰：「嘻！夫採桑力作，紡績織紝，以供衣食，奉二親，養夫子。吾不願金，所願卿無有外意，妾亦無淫泆之志，收子之齎與笥金。」秋胡子遂去。至家，奉金遺母，使人喚婦至，乃向採桑者也，秋胡子慚。婦曰：「子束髮修身，辭親往仕，五年乃還，當所悅馳驟，揚塵疾至。今也乃悅路傍婦人，下子之裝，以金予之，是忘母也。忘母不孝，好色淫泆，是污行也，污行不義。夫事親不孝，則事君不忠。處家不義，則治官不理。孝義並亡，必不遂矣。妾不忍見，子改娶矣，妾亦不嫁。」遂去而東走，投河而死。君子曰：「潔婦精於善。夫不孝莫大於不愛其親而愛其人，秋胡子有之矣。」君子曰：「見善如不及，見不善如探湯。秋胡子婦之謂也。」（《列女傳》〈節義傳〉）

哀公不禮

　　子張去拜見魯哀公，等了七天才見到，哀公對他不太禮貌。子張離開魯國前，託人捎話給哀公說：「臣下聽說主公喜歡士人，因此跋涉千里，頂霜露、冒風塵，走了上百天，腳上磨起了厚繭，來不及歇口氣就來拜見主公。一連等了七天，而主公還不肯給予應有的禮遇。原來主公喜歡士人，就像葉公子高喜歡龍一樣。葉公子高好龍，用圓規來摹畫龍，用鑿子來雕刻龍，房子裡雕刻繪畫的都是龍，龍聽說後就從天而降，把頭伸進窗子，尾巴拖在廳堂。葉公看見龍的樣子，丟魂失魄，驚慌失措，六神無主，回頭就跑。這樣看來，葉公並不是真的喜歡龍，他只是號稱喜歡龍而已。主公也不是真的喜歡士人，而只是號稱喜歡士子而已。《詩經》中說：『把這個人的好處記在心裡，

沒有哪一天忘記。』我走了，冒昧地託人捎個話給您。」

【出處】

　　子張見魯哀公，七日而哀公不禮，托僕夫而去曰：「臣聞君好士，故不遠千里之外，犯霜露，冒塵垢，百舍重趼，不敢休息以見君，七日而君不禮，君之好士也，有似葉公子高之好龍也。葉公子高好龍，鉤以寫龍，鑿以寫龍，屋室雕文以寫龍，於是夫龍聞而下之，窺頭於牖，拖尾於堂。葉公見之，棄而還走，失其魂魄，五色無主，是葉公非好龍也，好夫似龍而非龍者也。今臣聞君好士，不遠千里之外以見君，七日不禮，君非好士也，好夫似士而非士者也。《詩》曰：『中心藏之，何日忘之。』[29]敢托而去。」（《新序》〈雜事〉）

雞有五德

　　田饒不受魯哀公賞識，對哀公說：「在下就要離開主公而像天鵝一樣遠走高飛了。」哀公問道：「為什麼呢？」田饒說：「君主沒見過雞嗎？頭上戴冠，是有文采；腳有利爪，是有武備；敢與敵手搏鬥，是勇敢；見到食物而互相招呼，是仁愛；守夜到五更按時打鳴，是守信用。雞儘管有這五種美德，主公仍然會把它宰殺吃掉，為什麼呢？就因為它是身邊之物啊。那天鵝一飛千里，停留在主公的園林池沼之中，生吞主公的魚鱉，啄食主公的穀物。它沒有雞的五種美德，主公卻對它青眼相加，就因為它來自遠方。所以臣下也想學天鵝遠走

29.「中心藏之，何日忘之」，出自《詩經》〈小雅·隰桑〉。

高飛。」哀公說：「等一等，讓我把您的話記下來吧。」田饒說：「臣下聽說吃人家的食物，不損毀人家的餐具；在樹下乘涼，不折斷樹上的枝條；有士人而不重用，寫下他的言論有什麼用呢？」於是離開魯國到了燕國。燕國任命田饒為相國。三年之後，燕國政治太平，國無盜賊。魯哀公得知消息，慨然嘆息，三個月不入內室，不穿華麗的衣服，自責說：「事前不慎重，事後才懊悔，失去的賢士哪能復得呢？」《詩經》中說：「發誓定要擺脫你，去那樂土有幸福。那樂土啊那樂土，才是我的好去處！」《春秋》裡說：「從小和君主一起長大的，君主就會小看他。」說的就是這種事了。

【出處】

　　田饒事魯哀公而不見察。田饒謂哀公曰：「臣將去君而鴻鵠舉矣。」哀公曰：「何謂也？」田饒曰：「君獨不見夫雞乎？頭戴冠者，文也；足傅距者，武也；敵在前敢鬥者，勇也；見食相呼，仁也；守夜不失時，信也。雞雖有此五者，君猶日瀹而食之，何則？以其所從來近也。夫鴻鵠一舉千里，止君園池，食君魚鱉，啄君菽粟，無此五者，君猶貴之，以其所從來遠也。臣請鴻鵠舉矣。」哀公曰：「止、吾書子之言也。」田饒曰：「臣聞食其食者，不毀其器；蔭其樹者，不析其枝。有士不用，何書其言為？」遂去之燕，燕立為相。三年，燕之政太平，國無盜賊。哀公聞之，慨然太息，為之避寢三月，抽損上服，曰：「不慎其前，而悔其後，何可復得？」《詩》曰：「逝將去汝，適彼樂土；適彼樂土，爰得我所。」[30]《春秋》曰：「少長於君，

30.「逝將去汝，適彼樂土；適彼樂土，爰得我所」，出自《詩經》〈魏風・碩鼠〉。

則君輕之。」此之謂也。(《新序》〈雜事〉)

不足責禮

魯哀公七年（西元前488年），吳王夫差強盛，伐齊，到達繒地，向魯國索要牛、羊、豬各一百頭。季康子派子貢說服吳王和吳太宰嚭，用禮儀折服他們。吳王說：「我們是文身的蠻夷之人，不值得用禮儀來要求。」但還是放棄了索要。

【出處】

七年，吳王夫差強，伐齊，至繒，徵百牢於魯。季康子使子貢說吳王及太宰嚭，以禮詘之。吳王曰：「我文身，不足責禮。」乃止。(《史記》〈魯周公世家〉)

請以機封

季康子的母親去世了，年幼的公輸若作為匠師主持下葬，公輸般（亦稱魯班）建議用他新設計的機械來下棺。主人正要答應時，公肩假卻說：「不行！下棺的工具魯國有先例：國君比照天子，使用四塊豐碑；仲孫、叔孫、季孫三家比照國君，使用四根木柱。般，你用別人的母親來試驗你的技巧，難道是不得已嗎？如果你不借此機會來試驗你的技巧，就會感到難受嗎？你怎麼這樣不懂禮呢！」最終沒有按照他的建議辦。

季康子之母死，公輸若方小，斂，般請以機封，將從之，公肩假曰：「不可！夫魯有初，公室視豐碑，三家視桓楹。般，爾以人之母嘗巧，則豈不得以？其毋以嘗巧者乎？則病者乎？噫！」弗果從。（《禮記》〈檀弓下〉）

周公之籍

季康子打算按田畝增收田賦，派冉有徵求孔子的意見。孔子不作正式答覆，私下對冉有說：「冉有，你沒聽說過嗎？先王按照土地的肥瘠分配土地，按照勞力的強弱徵收田賦，並且根據土地的遠近對田賦加以調整；按照商人的利潤收入徵收商稅，並且估量其財產的多少來對商稅加以調整；分派勞役則按照各家男丁的數目，而且要照顧那些年老和幼小的男子。於是就有了鰥、寡、孤、疾的名稱，有戰事時才徵召他們，無戰事時就免除。有戰事的年頭，每一井田出多少糧草，都有具體的標準，不能超過。先王認為這樣就夠用了。如果季康子想遵循成法，那周公已經有田賦法了；如果想打破陳規，就隨意徵收賦稅好了，又何必來徵求我的意見呢？」

季康子欲以田賦，使冉有訪諸仲尼。仲尼不對，私於冉有曰：「求來！女不聞乎？先王制土，籍田以力，而砥其遠邇；賦里以入，而量其有無；任力以夫，而議其老幼。於是乎有鰥、寡、孤、疾，有

軍旅之出則征之，無則已。其歲，收田一井，出稷禾、秉芻、缶米，不是過也。先王以為是。若子季孫欲其法也，則有周公之籍矣；若欲犯法，則苟而賦，又何訪焉！」（《國語》〈魯語〉）

陷而後恭

齊國大夫閭丘明來魯國結盟，子服景伯告誡他的屬下說：「在盟會時如果有失誤，就表現得恭敬一些。」閔馬父聽到後笑了，景伯問他為什麼笑，回答說：「我笑你太驕傲自滿了。從前正考父點校《商頌》十二篇獻給周太師，首篇是《那》，在結尾處說：『在那遙遠的古代，先民們在祭祀的時候，早晚都溫和而恭敬，執事者更是恭敬有加。』先聖王教人恭敬，還不敢說是出於自己，聲稱是『自古』，稱古代為『在昔』，稱古代的人為『先民』。如今你告誡下屬說『有失誤就態度恭敬』，真是太過自滿了。周恭王能遮掩祖父和父親的過失，才諡號為『恭』，楚恭王能知道自己的過失，也諡號為『恭』。現在你告誡屬下有失誤才恭敬，那沒有失誤又該是什麼樣子呢？」

【出處】

齊閭丘來盟，子服景伯戒宰人曰：「陷而入於恭。」閔馬父笑，景伯問之，對曰：「笑吾子之大也。昔正考父校商之名頌十二篇於周太師，以《那》為首，其輯之亂曰：『自古在昔，先民有作。溫恭朝夕，執事有恪。』[31]先聖王之傳恭，猶不敢專，稱曰『自古』，古

31.「自古在昔，先民有作。溫恭朝夕，執事有恪」，出自《詩經》〈商頌‧那〉。

曰『在昔』，昔曰『先民』。今吾子之戒吏人曰『陷而入於恭』，其滿之甚也。周恭王能庇昭、穆之闕而為『恭』，楚恭王能知其過而為『恭』。今吾子之教官僚曰『陷而後恭』，道將何為？」（《國語》〈魯語〉）

聽者之蔽

　　吳王夫差準備和魯哀公一起拜見晉侯，子服景伯對吳王使者說：「天子會合諸侯，那麼伯爵就應該率領侯爵進見天子；伯爵會合諸侯，那麼侯爵就應該率領子爵、男爵進見伯爵。現在是諸侯相會，而你們吳國國君打算與我們魯國國君一起進見晉君，那麼晉君就成為伯爵了。你們本來是以伯爵的身分召集諸侯的，現在卻以侯爵的身分來了結，這有什麼好處呢？」吳人於是作罷。不久又後悔了，於是把子服景伯囚禁起來。子服景伯對吳國的太宰嚭說：「魯國將在十月上旬的辛日祭祀上帝和先王，直至下旬的辛日結束。我家世代都在祭祀中擔任職務，自襄公以來從來沒有改變。如果這次我不參加，主持祭祀的人就會說：『這是吳國造成的結果。』」太宰嚭把子服景伯的話轉告吳王夫差，吳王就把子服景伯放回魯國。子貢聽到這件事後對孔子說：「子服在言辭方面表現得很拙劣，因為說實話而被囚禁，又因為說假話而獲免。」孔子說：「吳君奉行的是夷狄的道德，可以欺騙他不講實話。在這件事上，是聽者昏庸，而不是說話的人拙劣。」

【出處】

吳王夫差將與哀公見晉侯，子服景伯對使者曰：「王合諸侯，則伯率侯牧以見於王，伯合諸侯，則侯率子男以見於伯，今諸侯會而君與寡君見晉君，則晉成為伯也。且執事以伯召諸侯，而以侯終之，何利之有焉？」吳人乃止，既而悔之，遂囚景伯。伯謂大宰嚭曰：「魯將以十月上辛，有事於上帝，先王季辛而畢，何也世有職焉，自襄已來之改之，若其不會，則祝宗將曰吳實然。」嚭言於夫差，歸之。子貢聞之，見於孔子曰：「子服氏之子拙於說矣，以實獲囚，以詐得免。」孔子曰：「吳子為夷德可欺而不可以實，是聽者之蔽，非說者之拙也。」（《孔子家語》〈辯物〉）

顏闔守閭

　　魯國國君聽說顏闔是個有道行的人，想請他出來做官，就派人帶著禮物去表示誠意。顏闔住在閭巷裡，穿著粗布衣裳，自己在餵牛。魯君的使者到了，顏闔親自接待他。使者問：「這是顏闔的家嗎？」顏闔回答說：「是我的家。」使者獻上禮物，顏闔說：「怕您把名字聽錯了而給您帶來處罰，不如搞清楚再說。」使者回去查問清楚了，再來找顏闔，顏闔卻不知去向。像顏闔這樣的人，並非生來就厭惡富貴，而是由於看重生命才厭惡它。世上的君主，大多以富貴傲視有道行的人，他們根本不瞭解有道行的人，真是太可悲了。

魯君聞顏闔得道之人也，使人以幣先焉。顏闔守閭，鹿布之衣，而自飯牛。魯君之使者至，顏闔自對之。使者曰：「此顏闔之家邪？」顏闔對曰：「此闔之家也。」使者致幣，顏闔對曰：「恐聽繆而遺使者罪，不若審之。」使者還反審之，復來求之，則不得已。故若顏闔者，非惡富貴也，由重生惡之也。世之人主多以富貴驕得道之人，其不相知，豈不悲哉？（《呂氏春秋》〈仲春紀‧貴生〉）

食言而肥

魯哀公二十五年（西元前470年）六月，哀公從越國回來，季康子、孟武伯到五梧迎接。郭重為哀公駕車，見到他們兩位，回來對哀公說：「這兩位背後說了很多詆毀您的壞話，請君王一一追究。」哀公在五梧設宴，武伯祝酒，討厭郭重，譏諷他說：「你為什麼長得那麼肥胖？」季康子說：「武伯該受罰吃肉！我國與敵國比鄰，我們不能陪君王遠行，你卻說在外奔勞的郭重肥胖。」哀公說：「這個人食言多了，能不肥胖嗎？」大家雖然喝酒但心情不爽，哀公和大夫從此交惡。

【出處】

六月，公至自越。季康子、孟武伯逆於五梧。郭重僕，見二子，曰：「惡言多矣，君請盡之。」公宴於五梧，武伯為祝，惡郭重，曰：「何肥也！」季孫曰：「請飲彘也。以魯國之密邇仇讎，臣是以不獲

從君，克免於大行，又謂重也肥。」公曰：「是食言多矣，能無肥乎？」飲酒不樂，公與大夫始有惡。（《左傳》〈哀公二十五年〉）

是猶秋蓬

魯哀侯逃亡到齊國。齊侯問他說：「您這麼年輕就拋棄國家嗎？」魯哀侯說：「我當初做太子的時候，有很多人勸諫我，我雖然接受卻不採用；有很多人擁戴我，我雖然喜愛卻不親近。因此在宮內聽不到批評，在朝堂上無人輔佐。這就好比秋天的蓬蒿，根已經壞了枝葉卻很美，秋風一起，就連根拔起了。」[32]

【出處】

魯哀侯棄國而走齊，齊侯曰：「君何年之少而棄國之蚤？」魯哀侯曰：「臣始為太子之時，人多諫臣，臣受而不用也；人多愛臣，臣愛而不近也，是則內無聞而外無輔也。是猶秋蓬，惡於根本而美於枝葉，秋風一起，根且拔也。」（《說苑》〈敬慎〉）

衛其有亂

郈成子代表魯國訪問晉國，途經衛國，衛國的右宰穀臣設宴宴請他，席上演奏音樂，曲調卻不歡快，酒喝到暢快的時候，穀臣取出家

---

32. 魯昭公和魯哀侯均棄國奔齊，齊景公和齊平公竟然提出同一問題。

傳的璧玉送給了邱成子。邱成子從晉國出使回來，途經衛國，卻不向右宰穀臣告別。他的車伕說：「先前右宰穀臣盛情宴請您，如今回來，為什麼不去向他告別呢？」邱成子說：「他挽留宴請我，是要跟我共享快樂，可演奏的樂曲卻不歡快，這是在向我傾訴他的憂愁啊。喝酒喝得暢快的時候，他取出璧玉送給我，這是把家傳的寶物託付給我啊。從這些跡象看，衛國恐怕會有禍亂吧！」邱成子離開衛國三十里，傳來寧喜作亂殺死衛君、右宰穀臣為衛君殉難的消息，於是掉轉車頭進宮哭悼穀臣，痛哭了三次，然後才回到魯國。又派人前往衛國接來右宰穀臣的妻兒，把住宅隔開讓孤兒寡母與自己分開居住，分出自己的俸祿救濟他們。等到右宰穀臣的兒子長大，邱成子就把璧玉還給他。孔子聽到這件事後評價說：「論智慧可以通過隱微的方式跟他謀劃，論仁德可以託付給財物給他的，大概就是邱成子吧！」邱成子通過右宰穀臣的行事洞察他內心的想法，他對人的觀察稱得上深刻精妙。

【出處】

　　邱成子為魯聘於晉，過衛，右宰穀臣止而觴之。陳樂而不樂，酒酣而送之以璧。顧反，過而弗辭。其僕曰：「向者右宰穀臣之觴吾子也甚歡，今侯渫過而弗辭？」邱成子曰：「夫止而觴我，與我歡也。陳樂而不樂，告我憂也。酒酣而送我以璧，寄之我也。若由是觀之，衛其有亂乎！」倍衛三十里，聞寧喜之難作，右宰穀臣死之，還車而臨，三舉而歸。至，使人迎其妻子，隔宅而異之，分祿而食之。其子長而反其璧。孔子聞之，曰：「夫智可以微謀、仁可以托財者，其邱成子之謂乎！」邱成子之觀右宰穀臣也，深矣妙矣。不觀其事而觀其

志，可謂能觀人矣。(《呂氏春秋》〈恃君覽‧觀表〉)

黔婁之妻

魯黔婁妻，是魯國黔婁先生的妻子。黔婁先生去世之後，曾子和門人去弔唁，他的妻子出門迎接。曾子弔祭，進了堂屋，看見先生的屍體在窗戶下面，枕著磚塊，躺在稻草稈上，粗布的大袍沒有面子，蓋一床布被，腦袋和腳都沒有遮住，蓋到頭就露出腳，蓋到腳就露出頭。曾子說：「把被子斜著就可以蓋住了。」其妻說：「斜而有餘，不如正而不足。先生就因為處正不邪，才落到今天的樣子。生前不邪，死後卻邪，那不是先生的心意！」曾子不能回答。就哭著問：「先生去世了，以什麼作諡號呢？」其妻說：「用康字追諡他。」曾子說：「先生生前，吃不能飽腹，衣不能蔽體，死後手足都蓋不住，靈前也沒有酒肉祭祀。活著的時候沒有享受，死後也沒得到榮譽封號，怎麼要用『康』字為諡呢？」其妻說：「從前君王曾經想把國事交給他，以他為相國，他辭掉不做，這不是有足夠的尊榮嗎？君王曾經賜給他三十鍾粟米，先生辭謝不收，這不是有足夠的財富嗎？他這人甘於平淡，安於卑職，不為貧賤擔憂，不熱衷富貴；要仁德有仁德，要正義有正義，以『康』為諡，不也很合適嗎？」曾子稱讚說：「只有先生這樣的賢人，才配有這樣的賢妻啊。」君子說黔婁的妻子安貧樂道。《詩經》裡說：「溫柔美麗的姑娘，與她敘話真快活。」說的就是她啊。

【出處】

　　魯黔婁先生之妻也。先生死，曾子與門人往弔之。其妻出戶，曾子弔之。上堂，見先生之屍在牖下，枕墼席稿，縕袍不表，覆以布被，首足不盡斂。覆頭則足見，覆足則頭見。曾子曰：「邪引其被，則斂矣。」妻曰：「邪而有餘，不如正而不足也。先生以不邪之故，能至於此。生時不邪，死而邪之，非先生意也。」曾子不能應遂哭之曰：「嗟乎，先生之終也！何以為諡？」其妻曰：「以康為諡。」曾子曰：「先生在時，食不充虛，衣不蓋形。死則手足不斂，旁無酒肉。生不得其美，死不得其榮，何樂於此而諡為康乎？」其妻曰：「昔先生君嘗欲授之政，以為國相，辭而不為，是有餘貴也。君嘗賜之粟三十鍾，先生辭而不受，是有餘富也。彼先生者，甘天下之淡味，安天下之卑位。不戚戚於貧賤，不忻忻於富貴。求仁而得仁，求義而得義。其諡為康，不亦宜乎！」曾子曰：「唯斯人也而有斯婦。」君子謂黔婁妻為樂貧行道。《詩》曰：「彼美淑姬，可與寤言。」[33]此之謂也。（《列女傳》〈賢明傳〉）

不終其壽

　　張毅生性恭謹，經過門閭、帷幕垂簾及眾人聚集的地方，總是快步走過，即便對待奴僕、孩童，也是恭敬有加，為的是自身平安。然而他的壽命卻不久長，後來因內熱而死。單豹喜歡道術，超塵脫俗，不吃五穀，不穿絲絮，居住在山林的岩穴之中，以保全自己乾淨的身

33.「彼美淑姬，可與寤言」，出自《詩經》〈陳風‧東門之池〉。

子，不曾想竟然被老虎吞食。

【出處】

張毅好恭，門閭帷薄聚居眾無不趨，輿隸姻媾小童無不敬，以定其身。不終其壽，內熱而死。單豹好術，離俗棄塵，不食穀實，不衣芮溫，身處山林岩堀，以全其生。不盡其年，而虎食之。（《呂氏春秋》〈孝行覽・必己〉）

我則食食

魯悼公去世時，季昭子問孟敬子說：「為國君服喪，應該怎樣吃飯？」敬子說：「應該喝稀粥，這是天下通行的做法。但是我們仲孫、叔孫、季孫三家欺凌國君是出了名的，四方無人不曉。要我勉強喝粥，使身體變得消瘦，也不是辦不到，但是那樣做豈不更加讓人懷疑我們的消瘦並非出自內心的悲哀，那又何苦呢！所以我還是照常吃飯。」

【出處】

悼公之喪，季昭子問於孟敬子曰：「為君何食？」敬子曰：「食粥，天下之達禮也。吾三臣者之不能居公室也，四方莫不聞矣，勉而為瘠則吾能，毋乃使人疑夫不以情居瘠者乎哉？我則食食。」（《禮記》〈檀弓下〉）

畏而哭之

　　齊國大夫陳莊子死了，遣人告喪於魯。魯穆公不想為陳莊子哭喪，又怕得罪齊國。於是召見魯國大夫縣子問計。縣子說：「古代的大夫，根本談不上和鄰國有什麼交往，即令是你想為他哭弔，也沒有那種機會。現在的大夫，把持國政，與諸侯交往頻繁，即便你不想為他哭弔，又怎麼辦得到呢？不過，我聽人說過，哭有兩種哭法，有的是因為愛他而哭，有的是因為怕他而哭。」穆公說：「你講的道理不錯，問題是具體該怎麼辦才能把事情應付過去。」縣子說：「建議您在異姓的祖廟中哭弔。」於是穆公就到縣氏的祖廟哭弔。

【出處】

　　陳莊子死，赴於魯，魯人欲勿哭。繆公召縣子而問焉。縣子曰：「古之大夫，束修之問不出竟，雖欲哭之，安得而哭之？今之大夫，交政於中國，雖欲勿哭，焉得而弗哭？且臣聞之，哭有二道：有愛而哭之，有畏而哭之。」公曰：「然。然則如之何而可？」縣子曰：「請哭諸異姓之廟。」於是與哭諸縣氏。（《禮記》〈檀弓上〉）

取水於海

　　魯穆公把自己的兒子們安排到晉國和楚國做官。犁鉏說：「向越國請求搭救溺水的孩子，越國人雖然善於游泳，孩子一定救不活。舀海水來救火，海水雖多，但火一定撲不滅，因為遠水救不了近火。現

在晉國和楚國雖然強大，哪比齊國離魯國近呢？如果受到齊國攻擊，魯國的禍患誰來搭救？」

【出處】

魯穆公使眾公子或宦於晉，或宦於荊。犁鉏曰：「假人於越而救溺子，越人雖善游，子必不生矣。失火而取水於海，海水雖多，火必不滅矣，遠水不救近火也。今晉與荊雖強，而齊近，魯患其不救乎！」（《韓非子》〈說林上〉）

賢則茂昌

辛寬[34]拜見魯穆公說：「我覺得，我們的先君周公比不上太公望聰明。」穆公說：「先生憑什麼這麼說呢？」辛寬說：「從前太公望被封到營丘一帶的濱海之地，那裡海阻山高，地勢險要。所以地域日益廣大，子孫日益昌盛。我們的先君周公被封到魯國，這裡沒有山林溪谷之險，四方諸侯都可以侵入，所以疆域日益削弱，子孫日益衰敗。」辛寬出去後，南宮括進來，穆公把辛寬的話重複一遍。南宮括回答說：「辛寬年幼無知，不懂道理。您沒聽說過成王營建成周時說的話嗎？他曾對著龜甲禱告說：『擁有天下，統治百姓，怎敢不居住在中原地區呢？假使我有罪過，天下四方的人就可來討伐我，而不會有什麼困難。』季孫行父在告誡他的兒子時也說：『我想把房子建在周社和亳社中間，如果我的後代不能忠心地侍奉君主，就讓它很快地

---

34. 辛寬：一作「辛櫟」。

成為廢墟吧。」所以說，做好事的人得天下，做壞事的人失天下，這是自古以來的規律。哪裡會在乎選擇什麼地方受封，或炫耀天然屏障呢？辛寬的話是小人之言，您不要再提它了！」

【出處】

辛櫟見魯穆公曰：「周公不如太公之賢也。」穆公曰：「子何以言之？」辛櫟對曰：「周公擇地而封曲阜；太公擇地而封營丘，爵士等，其地不若營丘之美，人民不如營丘之眾。不徒若是，營丘又有天固。」穆公心慚，不能應也。辛櫟趨而出。南宮邊子入，穆公具以辛櫟之言語南宮邊子。南宮邊子曰：「昔周成王之卜居成周也。其命龜曰：『予一人兼有天下，辟就百姓，敢無中土乎？使予有罪，則四方伐之，無難得也。』周公卜居曲阜，其命龜曰：『作邑乎山之陽，賢則茂昌，不賢則速亡。』季孫行父之戒其子也，曰：『吾欲室之俠於兩社之間也。使吾後世有不能事上者，使其替之益速。』如是則曰：『賢則茂昌，不賢則速亡。』安在擇地而封哉？或示有天固也。辛櫟之言小人也，子無復道也。」（《說苑》〈至公〉）

魯漆室女

魯漆室女，是魯國漆室邑的一個女孩，過了結婚的年齡還沒出嫁。當時是穆公執政，君主已經年邁，而太子年紀還小。有一天，漆室女靠著柱子仰天長嘯，旁人聽了，都慘然變色。鄰家有位婦人和她經常往來，就問她說：「為什麼你的嘯聲如此悲哀？是你想嫁人嗎？

我來為你介紹對象吧。」漆室女說：「唉！我一直認為你很有見識，現在看來不是這樣。我哪是為沒出嫁而悲傷呢？我是擔憂國君已經年老而太子年幼啊。」鄰婦笑著說：「這是魯國大夫們擔心的事，與我們婦道人家何干？」漆室女說：「不是這樣，這你就不懂了。從前有位晉國來的客人住在我家，把馬拴在園子裡，後來馬脫韁逃走，把我種的葵菜都踩壞了，結果我一年都吃不到葵菜籽。鄰家的女子跟人私奔，她的家人請我哥哥幫忙去追，剛巧碰到下大雨，河水暴漲把我哥哥淹死了，令我終身再無兄長。我聽俗語說，黃河滋潤九里，滲水也要濕潤三百步。現在魯君年老昏聵，太子年幼無知。愚妄奸偽的事天天都在發生，魯國一旦有亂，君臣、父子人人都要遭殃，禍及百姓，婦女豈能避免？所以我很擔憂，而你卻說這無關婦道人家的事，怎麼能這麼說呢？」鄰家婦人於是道歉說：「你的憂慮，真不是我能瞭解的啊！」三年之後，魯國果然大亂，齊國和楚國乘機攻打魯國，魯國連年遭遇外患。男子都去打仗，婦女們運輸糧食補給不得休息。君子感嘆說：「漆室女考慮得多麼深遠啊！」《詩經》所說：「知我者，謂我心憂；不知我者，謂我何求？」[35]說的正是這件事啊！

【出處】

漆室女者，魯漆室邑之女也。過時未適人。當穆公時，君老，太子幼。女倚柱而嘯，旁人聞之，莫不為之慘者。其鄰人婦從之游，謂曰：「何嘯之悲也？子欲嫁耶？吾為子求偶。」漆室女曰：「嗟乎！始吾以子為有知，今無識也。吾豈為不嫁不樂而悲哉！吾憂魯君老，

35.「知我者，謂我心憂；不知我者，謂我何求」，出自《詩經》〈王風·黍離〉。

太子幼。」鄰婦笑曰：「此乃魯大夫之憂，婦人何與焉！」漆室女曰：「不然，非子所知也。昔晉客舍吾家，繫馬園中。馬佚馳走，踐吾葵，使我終歲不食葵。鄰人女奔隨人亡，其家倩吾兄行追之。逢霖水出，溺流而死。令吾終身無兄。吾聞河潤九里，漸洳三百步。今魯君老悖，太子少愚，愚偽日起。夫魯國有患者，君臣父子皆被其辱，禍及眾庶，婦人獨安所避乎！吾甚憂之。子乃曰婦人無與者，何哉！」鄰婦謝曰：「子之所慮，非妾所及。」三年，魯果亂，齊楚攻之，魯連有寇。男子戰鬥，婦人轉輸不得休息。君子曰：「遠矣漆室女之思也！」《詩》云：「知我者，謂我心憂，不知我者，謂我何求。」此之謂也。（《列女傳》〈仁智傳〉）

魯之母師

　　魯之母師，是魯國一位有九個兒子的寡母。有一年的臘日，祭祀完畢後，她把兒子們叫到一起說：「做婦人的規矩，除非有大的變故，是不能離開夫家的。然而我娘家如今多是年幼之輩，過年的祭祀不知在怎樣安排，我跟你們請求回娘家看看。」兒子們都點頭答應。母師又將兒媳們召集起來說：「婦人有三從之禮，不能有專制行為。年幼時聽命於父母，長大聽命於丈夫，老年聽命於兒子。現在兒子們答應我回娘家探望，雖然符合禮教，我還是希望跟小兒子一同回去，以保持婦人出入的規矩。各房媳婦謹慎照看門戶，我到黃昏時就回來。」於是讓小兒子駕車一同回娘家料理家事。趕上是陰天，回來的時候早了，就在巷門外停下來，等到天黑才進家門。魯國的大夫從高

臺上看見這一情景，覺得很奇怪，派人悄悄地去她家察看，覺得她家很講禮節，家務井井有條。派去的人據實匯報，大夫把母師找來詢問：「我看到你老人家從北方來，到了門外停住，過了好久才進去，我不明白是什麼緣故，覺得奇怪，所以想問一下。」母師回答說：「我不幸很早守寡，跟九個兒子住在一起。臘日祭祀完畢後，得空和兒子回去拜望娘家，曾跟媳婦及孫子們約好，黃昏時候回來。我擔心他們酒食歡樂放肆過度，這本是人之常情。因為回家的時間提早太多，所以不敢進去，等到約定的時候才進門。」大夫很讚賞這件事，就告訴穆公，穆公封賜她「母師」的尊號，讓她朝見夫人，夫人以及姬妾們都拜她為老師。《詩經》中說：「出嫁赴衛宿在濟，喝酒餞行卻在禰。姑娘長大要出嫁，遠離父母兄弟家。」母師就是這樣做的啊！

【出處】

母師者，魯九子之寡母也。臘日休作者，歲祀禮事畢，悉召諸子，謂曰：「婦人之義，非有大故，不出夫家。然吾父母家多幼稚，歲時禮不理。吾從汝謁往監之。」諸子皆頓首許諾。又召諸婦曰：「婦人有三從之義，而無專制之行。少繫於父母，長繫於夫，老繫於子。今諸子許我歸視私家，雖逾正禮，願與少子俱，以備婦人出入之制。諸婦其慎房戶之守，吾夕而反。」於是使少子僕，歸辦家事。天陰還失早，至閭外而止，夕而入。魯大夫從臺上見而怪之。使人閒視其居處，禮節甚修，家事甚理。使者還以狀對。於是大夫召母而問之曰：「一日從北方來，至閭而止，良久，夕乃入。吾不知其故，甚怪之，是以問也。」母對曰：「妾不幸，早失夫，獨與九子居。臘日，

禮畢事間，從諸子謁歸視私家。與諸婦孺子期，夕而反。妾恐其醺釀醉飽，人情所有也。妾反太早，不敢復返，故止閭外，期盡而入。」大夫美之，言於穆公，賜母尊號曰母師。使朝謁夫人，夫人諸姬皆師之。君子謂母師能以身教。夫禮，婦人未嫁，則以父母為天；既嫁，則以夫為天。其喪父母，則降服一等，無二天之義也。《詩》云：「出宿於濟，飲餞於禰，女子有行，遠父母兄弟。」[36]（《列女傳》〈母儀傳〉）

嗜魚而不受

　　公儀休擔任魯相時愛吃魚，全國的人都爭相買魚進獻給他。公儀休不收，他的弟子規勸說：「您愛吃魚，卻不收魚，為什麼？」公儀休回答說：「正因為愛吃魚，我才不收。假如收了，一定會有遷就他們的表現；有遷就他們的表現，就會違背法令；違背法令就會被罷免相位。如果我因為這點小利小賄而被罷免了國相，這樣我就不能滿足這個嗜好了。如果我廉潔奉公，不接受別人的賄賂，就不會被免掉職位，也就能常常吃到魚了。」這是懂得依靠別人不如依靠自己，懂得靠別人相助，不如自己幫助自己的道理。

【出處】

　　公儀休相魯而嗜魚，一國盡爭買魚而獻之，公議子不受。其弟諫

36.「出宿於濟，飲餞於禰，女子有行，遠父母兄弟」，出自《詩經》〈邶風‧泉水〉。

曰：「夫子嗜魚而不受者，何也？」對曰：「夫唯嗜魚，故不受也。夫即受魚，必有下人之色；有下人之色，將枉於法；枉於法，則免於相。雖嗜魚，此不必致我魚，我又不能自給魚。即無受魚而不免於相，雖嗜魚，我能長自給魚。」此明夫恃人不如自恃也，明於人之為己者不如己之自為也。（《韓非子》〈外儲說右下〉）

何閉於門

公儀休做魯國國相時，魯國國君去世，左右的大臣要求關閉宮門。公儀休說：「不必了。魚池我沒有徵稅，蒙山我沒有斂賦，我也沒有頒佈苛刻的法令。我已經閉心絕欲，又何必關閉宮門呢！」

【出處】

公儀休相魯，魯君死，左右請閉門，公儀休曰：「止！池淵吾不稅，蒙山吾不賦，苛令吾不布，吾已閉心矣！何閉於門哉？」（《說苑》〈政理〉）

始死而血

魯季孫剛剛殺死君主，吳起到那兒做官。有人對吳起說：「死人剛死時流血，血流盡了皮肉就枯萎；皮肉枯萎後就成了殘骸；殘骸再化為塵土；到化為塵土後，就不會有變故了。現在季孫氏剛殺死魯君，接下來的變化還很難說！」吳起因而離開魯國，到魏國去了。

【出處】

魯季孫新弒其君，吳起仕焉。或謂起曰：「夫死者始死而血，已血而衄，已衄而灰，已灰而土。及其土也，無可為者矣。今季孫乃始血，其毋乃未可知也。」吳起因去之晉。（《韓非子》〈說林上〉）

不合於俗

魯國有個人長得很醜，他的父親出門看見商咄，回來後告訴鄰居說：「商咄沒我兒子帥氣。」實際上他兒子長得很醜，而商咄是極帥氣的，做父親的之所以有這種看法，完全是被自己的偏愛所限。所以，知道了美可以被視為醜，醜可以被認為美，也就知道什麼是美、什麼是醜了。《莊子》說：「以紡錘作賭注的內心坦然，以衣帶鉤作賭注的心裡發慌，以黃金作賭注的感到迷茫。其實他們的賭技是一樣的。之所以感到迷惑，是因為對外物有所看重。對外物有所看重，就會對它親近，內心就再也不會平靜。」那個魯國人可以說是對外物有所看重了。這道理可以從齊國人想得到金子，秦國的墨者互相嫉妒的故事中得到證明，這些人都是因為有所偏限啊。老聃就懂得其中的道理，他像直立的樹木一樣獨立生長，能夠超脫世俗與外物的偏限，還有什麼能使他心神不安呢？

【出處】

魯有惡者，其父出而見商咄，反而告其鄰曰：「商咄不若吾子矣。」且其子至惡也，商咄至美也。彼以至美不如至惡，尤乎愛也。

故知美之惡，知惡之美，然後能知美惡矣。《莊子》曰：「以瓦投者翔，以鉤投者戰，以黃金投者殆。其祥一也，而有所殆者，必外有所重者也。外有所重者洩，蓋內掘。」魯人可謂外有重矣。解在乎齊人之欲得金也，及秦墨者之相妒也，皆有所乎尤也。老聃則得之矣，若植木而立乎獨，必不合於俗，則何可擴矣。（《呂氏春秋》〈有始覽·去尤〉）

以必死見其義

　　齊國的國士戎夷和他的弟子離開齊國到魯國去。天氣非常寒冷，到達國都時城門已經關閉，兩人只得住在野外。入夜更加寒冷，他對弟子說：「你給我衣服，我可以活；我給你衣服，你可以活。我是國家有名的學士，為了國家捨不得死；你是微不足道的小人，死不足惜。你把你的衣服給我吧。」弟子說：「既然我是小人，又怎麼可能把衣服讓給國士呢？」戎夷嘆息說：「唉！道義大概是行不通了！」於是脫下衣服給了弟子，到半夜就凍死了，弟子因此保住了性命。如果說戎夷的才能可以平定天下，那還看不出來；但他這種捨己為人的心意，卻是其他人難以達到的。他通曉生與死的差別，竟以他的仁愛之心，通過捨生取死來彰顯他心中的道義。

【出處】

　　戎夷違齊如魯，天大寒而後門，與弟子一人宿於郭外。寒愈甚，謂其弟子曰：「子與我衣，我活也；我與子衣，子活也。我，國士

也，為天下惜死；子，不肖人也，不足愛也。子與我子之衣。」弟子曰：「夫不肖人也，又惡能與國士之衣哉？」戎夷大息嘆曰：「嗟乎！道其不濟夫！」解衣與弟子，夜半而死。弟子遂活，謂戎夷其能必定一世，則未之識。若夫欲利人之心，不可以加矣。達乎分，仁愛之心識也，故能以必死見其義。（《呂氏春秋》〈恃君覽‧長利〉）

魯酒薄而邯鄲圍

　　魯國與趙國一起朝覲楚國，給楚宣王獻酒，魯國的酒濃度低而趙國的酒質量好，楚國主持儀式的酒吏私下裡向趙國國君索酒，趙國國君沒有答應，酒吏很生氣，就報復趙國，將趙國所獻的好酒換成了魯侯所獻的薄酒，楚王以趙國酒薄，遂發兵攻打趙國，包圍邯鄲。另一種說法是：楚宣王的時候，諸侯朝奉，魯恭公晚到，所貢之酒濃度較低，宣王大怒，想當眾羞辱魯恭公，魯恭公不辭而別，宣王於是聯合齊國伐魯。而梁惠王早就有心攻打趙國，擔心楚國派兵救援。得知楚、齊攻魯，無暇顧趙，於是發兵包圍趙國的國都邯鄲。

【出處】

　　唇竭則齒寒，魯酒薄而邯鄲圍，聖人生而大盜起。（《莊子》〈胠篋〉）

　　楚宣王朝諸侯，魯恭公後至而酒薄。宣王怒，欲辱之。恭公不受命，乃曰：「我，周公之胤，長於諸侯，我送酒已失禮，方責其薄，無乃太甚！」遂不辭而還。宣王怒，乃發兵與齊攻魯。梁惠王常欲擊

趙而畏楚救。楚以魯為事，故梁得圍邯鄲。（唐陸德明《經典釋文》）

楚會諸侯。魯趙俱獻酒於楚王。魯酒薄而趙酒厚。楚之主酒吏求酒於趙，趙不與。吏怒，乃以趙厚酒易魯薄酒奏之。楚王以趙酒薄故圍邯鄲也。（許慎注《淮南》）

福之萌也綿綿，禍之生也分分。福禍之始萌微，故民嫚之。唯聖人見其始而知其終。故《傳》曰：魯酒薄而邯鄲圍，羊羹不斟而宋國危。（《淮南子》〈謬稱訓〉）

人欲徙於越

魯國有個人善於編草鞋，妻子善於織生絹。他想舉家遷到越國去，有人勸他說：「你遷到越國，一定會陷入困境的。」魯人問：「為什麼呢？」那人回答說：「草鞋是穿在腳上的，但越國人愛赤腳走路；生絹用來做帽子，但越國人習慣於披著頭髮，不戴帽子。以你的特長，到了越國卻派不上用場，生活能不陷入困境嗎？」

【出處】

魯人身善織屨，妻善織縞，而欲徙於越。或謂之曰：「子必窮矣。」魯人曰：「何也？」曰：「屨為履之也，而越人跣行；縞為冠之也，而越人被髮。以子之所長，游於不用之國，欲使無窮，其可得乎？」（《韓非子》〈說林上〉）

能起死人

　　魯國有個叫公孫綽的人，對人吹噓說：「我能讓死人復活。」別人問他用什麼辦法，他回答說：「我本來就能治療偏癱，現在我把治療偏癱的藥物劑量加倍，就可以令死人復活了。」公孫綽並不懂得，有的事物只能在小處起作用，而不能在大處起作用；只能對局部起作用，並不能對全局起作用。

【出處】

　　魯人有公孫綽者，告人曰：「我能起死人。」人問其故，對曰：「我固能治偏枯，今吾倍所以為偏枯之藥，則可以起死人矣。」物固有可以為小，不可以為大，可以為半，不可以為全者也。（《呂氏春秋》〈似順論・別類〉）

不可釋恭

　　魯國有個言行恭謹的士人名叫機泛，年過七十，為人處世始終恭謹如一。冬天行不避陰，夏天行不避日，經過集市不予逗留；三人同行一定跟在後面；與人同坐一定正襟端坐；吃飯的時候，多次起身示敬也不以為羞；看見穿著獸皮短衣的人，就表示禮敬。魯國國君問他說：「先生年紀很大了，不能放棄恭謹的態度嗎？」機泛回答說：「君子喜好恭謹，能成就自己的名聲；小人學習恭謹，可免除對自己的刑罰。面對國君而坐難道不安全嗎？但還有失足跌倒的時候。一桌宴席

上難道沒有美味？但還有哽噎的時候。我已經很幸運了，也不能自以為是。天鵝大雁飛上天空，難道不高嗎？帶絲繩的箭還能射中它；虎豹最為凶猛，人還要吃它的肉墊它的皮。能讚譽別人的人很少，說人壞話的人很多。我雖然年過七十，還經常擔心刑罰會加於自身，為什麼要放棄恭謹呢？」

【出處】

魯有恭士，名曰機泛，行年七十，其恭益甚。冬日行陰，夏日行陽，市次不敢不行參。行必隨，坐必危。一食之間，三起不羞，見衣裘褐之士則為之禮。魯君問曰：「機子年甚長矣，不可釋恭乎？」機泛對曰：「君子好恭以成其名，小人學恭以除其刑。對君之坐，豈不安哉？尚有差跌；一食之上，豈不美哉？尚有哽噎。今若泛所謂幸者也，固未能自必，鴻鵠飛衝天，豈不高哉？矰繳尚得而加之；虎豹為猛，人尚食其肉，席其皮；譽人者少，惡人者多，行年七十，常恐斧質之加於泛者，何釋恭為？」（《說苑》〈敬慎〉）

擇鄰而居

鄒國孟軻的母親，稱為孟母。早先他們家住在靠近墓地的地方。孟子小時候，玩遊戲都是有關墳間墓頭的事，蹦蹦跳跳挖土，然後往裡面埋東西。孟母說：「這不是適合你住的地方。」於是就搬家離開了。這一次住家靠近市場，孟子又模仿生意人王婆賣瓜自我吹噓的樣子。孟母又說：「這地方也不適合你居住。」後來把家搬到了學校

附近，於是孟子模仿的都是祭祀朝拜以及與人交往的禮節。孟母這才說：「這地方適合我兒子居住了。」等到孟子稍稍長大，孟母就讓孟子學習古代的各種禮節，終於成為當代大儒。君子認為這都是孟母循循善誘的結果。《詩經》中說：「那位美好的賢人，該拿什麼來相贈？」說的正是她啊！

【出處】

　　鄒孟軻之母也，號孟母。其捨近墓。孟子之少也，嬉游為墓間之事，踴躍築埋。孟母曰：「此非吾所以居處子也。」乃去舍市傍。其嬉戲為賈人衒賣之事。孟母又曰：「此非吾所以居處子也。」復徙舍學宮之傍。其嬉游乃設俎豆揖讓進退。孟母曰：「真可以居吾子矣。」遂居之。及孟子長，學六藝，卒成大儒之名。君子謂孟母善以漸化。《詩》云：「彼姝者子，何以予之？」[37]此之謂也。（《列女傳》〈母儀傳〉）

孟母斷織

　　孟子小的時候，有一次放學回家，母親正在織布，便問他說：「學習怎麼樣了？」孟子說：「跟過去一樣。」孟母拿起剪刀，將織好的布剪成兩段。孟子很是害怕，就問母親為什麼把布剪斷。孟母說：「你荒廢學業，如同我剪斷這塊布一樣。君子只有好好學習才能成名，勤學多問才能使自己知識淵博，這樣才能使生活安定，遠避禍

37.「彼姝者子，何以予之」，出自《詩經》〈鄘風・干旄〉。

患。如果你不好好讀書，將來就不免要做下賤的勞役，又怎麼能遠避禍患呢？這就好比靠織布謀生的人，織了一半就停下來，怎麼能供給丈夫與孩子衣物？長期下去，家人就沒有飯吃了。婦女荒廢衣食，男子惰於修德，將來不去做盜賊，就是做苦工勞役。」孟子聽了非常懼怕，早晚勤學不懈，拜孔子的孫子子思為師，終於成為天下有名的學者。君子稱讚孟母深知為母之道。

【出處】

孟子之少也，既學而歸，孟母方績，問曰：「學何所至矣？」孟子曰：「自若也。」孟母以刀斷其織。孟子懼而問其故，孟母曰：「子之廢學，若吾斷斯織也。夫君子學以立名，問則廣知，是以居則安寧，動則遠害。今而廢之，是不免於廝役，而無以離於禍患也。何以異於織績而食，中道廢而不為，寧能衣其夫子，而長不乏糧食哉！女則廢其所食，男則墮於修德，不為竊盜，則為虜役矣。」孟子懼，旦夕勤學不息，師事子思，遂成天下之名儒。君子謂孟母知為人母之道矣。（《列女傳》〈母儀傳〉）

孟子出妻

孟子娶妻之後，有一次他剛進入內室，看見妻子裸著身體在屋裡。孟子因而不高興，於是轉身離去，不再進屋。他的妻子於是向孟母告別請求回娘家去，說：「我聽說夫婦之道，在自己的私房裡不受拘泥。今天我在自己的房間裡躺著，丈夫看見我竟然大怒，這是把我

當客人看。婦人的道義，不能生活在拿自己當外人的家裡，請允許我回娘家去吧！」於是孟母把孟子叫來說：「按照禮法，進門前先要問誰在屋裡，那是表示尊敬。要進門時，應該大聲招呼，那是告誡人家。進屋後要向下看，這是唯恐看到別人的過失。如今你不懂禮法，反而責怪別人失禮，豈不是錯得太遠了嗎？」孟子於是謝罪道歉，挽留了妻子。君子稱讚孟母知禮，而且懂得如何做婆婆。

【出處】

孟子既娶，將入私室，其婦袒而在內，孟子不悅，遂去不入。婦辭孟母而求去，曰：「妾聞夫婦之道，私室不與焉。今者妾竊墮在室，而夫子見妾，勃然不悅，是客妾也。婦人之義，蓋不客宿。請歸父母。」於是孟母召孟子而謂之曰：「夫禮，將入門，問孰存，所以致敬也。將上堂，聲必揚，所以戒人也。將入戶，視必下，恐見人過也。今子不察於禮，而責禮於人，不亦遠乎！」孟子謝，遂留其婦。君子謂孟母知禮，而明於姑母之道。（《列女傳》〈母儀傳〉）

孟子去齊

孟子在齊國，臉上充滿憂色。孟母看到後問孟子說：「你好像有煩心的事，為什麼呢？」孟子說：「沒有啊。」又有一天，孟子閒著無事，手扶屋前的柱子嘆氣。孟母見了說：「先前見你發愁的樣子，問你說是沒事。現在又抱著柱子嘆氣，究竟是為什麼呢？」孟子回答說：「我聽說，君子按自己的才智謀求職位，不求不該得的賞賜，不

貪戀榮華富貴。諸侯不聽從，就不向上表達自己的意見。自己的意見不被採用，就不在朝中為官。如今我的意見不被朝廷採納，我想離開齊國，而母親卻年老了，這就是我發愁的原因。」孟母說：「婦人之禮，在於精通烹飪，過濾酒漿，奉養公婆，縫製衣裳而已，所以只需料理家事，不必操心外邊的事。《易經》說：『婦女在家中料理家務，沒有失職。』《詩經》說：『長大端莊又無邪，料理家務你該忙。』都是說婦人不可擅越管制，而必須遵循三從之道。年少時聽命於父母，出嫁後聽從丈夫，丈夫死了就聽從兒子，這是禮法。如今你已成人，我也老了。你按做兒子的禮儀去做，我依我的禮法行事。」君子稱讚孟母深諳婦道。《詩經》中說：「面容和藹又帶笑，並非生氣是宣教。」說的就是她啊！

【出處】

孟子處齊，而有憂色。孟母見之曰：「子若有憂色，何也？」孟子曰：「不敏。」異日閒居，擁楹而嘆。孟母見之曰：「鄉見子有憂色，曰不也，今擁楹而嘆，何也？」孟子對曰：「軻聞之：君子稱身而就位，不為苟得而受賞，不貪榮祿。諸侯不聽，則不達其上。聽而不用，則不踐其朝。今道不用於齊，願行而母老，是以憂也。」孟母曰：「夫婦人之禮，精五飯，冪酒漿，養舅姑，縫衣裳而已矣。故有閨內之修，而無境外之志。《易》曰：『在中饋，無攸遂。』《詩》曰：『無非無儀，惟酒食是議。』以言婦人無擅制之義，而有三從之道也。故年少則從乎父母，出嫁則從乎夫，夫死則從乎子，禮也。今子成人也，而我老矣。子行乎子義，吾行乎吾禮。」君子謂孟母知婦

道。《詩》云：「載色載笑，匪怒伊教。」[38]此之謂也。（《列女傳》〈母儀傳〉）

魯公乘姒

魯公乘姒，指的是魯公乘子皮的姐姐。有一次，她的族人死了，她哭得很傷心。子皮勸止她說：「你別哭了，我早點給你找個婆家。」喪葬過後，子皮不再提出嫁的事。魯國君王想用子皮為相，子皮徵詢姐姐意見說：「魯君想用我為相，你說可以嗎？」姐姐說：「不可以。」子皮問：「為什麼呢？」姐姐說：「以前我家辦喪事，你卻說起我的婚嫁，顯得多麼不合禮節；後來喪期過了，你絕口不再談及此事，顯得不近人情。你內不懂禮儀，外不近人情，哪裡能做相國呢？」子皮說：「姐姐想出嫁，為什麼不早說呢？」姐姐說：「婦人家的事，需要別人提起才能唱和，我哪能為了出嫁而數說你的不是呢？你確實是不懂禮節，不近人情。你擔當國相，管理那麼多事，如何應付自如？這就好像曚住眼睛來分辨黑白一樣。曚住眼睛辨別黑白還沒有什麼害處，你不知禮、不近人情而主持國政，不遭天罰，就會有人禍，我勸你千萬不要擔此重任。」子皮不聽勸阻，終於接了相位。不到一年，果然被誅殺而死。君子稱讚乘姒能夠根據弟弟的處事方法預測他的禍福，稱得上明智；而且能謹守禮法，不放縱欲望，又稱得上貞潔。《詩經》中說：「枯葉呀枯葉，風吹動了你。兄弟們呀，

---

38. 「在中饋，無攸遂」，出自《周易》〈家人卦〉；「無非無儀，惟酒食是議」，出自《詩經》〈小雅·斯干〉；「載色載笑，匪怒伊教」，出自《詩經》〈魯頌·泮水〉。

唱起你的歌，我來應和！」又說：「你們考慮上百次，不如我親自跑一遍。」說的正是她啊！

【出處】

　　魯公乘姒者，魯公乘子皮之姒也。其族人死，姒哭之甚悲。子皮止姒曰：「安之，吾今嫁姒矣。」已過時，子皮不復言也。魯君欲以子皮為相，子皮問姒曰：「魯君欲以我為相，為之乎？」姒曰：「勿為也。」子皮曰：「何也？」姒曰：「夫臨喪而言嫁，一何不習禮也！後過時而不言，一何不達人事也！子內不習禮，而外不達人事，子不可以為相。」子皮曰：「姒欲嫁，何不早言？」姒曰：「婦人之事，唱而後和。吾豈以欲嫁之故數子乎！子誠不習於禮，不達於人事。以此相一國，據大眾，何以理之！譬猶揜目而別黑白也。揜目而別黑白，猶無患也。不達人事而相國，非有天咎，必有人禍。子其勿為也。」子皮不聽，卒受為相。居未期年，果誅而死。君子謂，公乘姒緣事而知弟之遇禍也，可謂智矣。待禮然後動，不苟觸情可謂貞矣。《詩》云：「蘀兮蘀兮，風其吹女，叔兮伯兮，唱予和女。」又曰：「百爾所思，不如我所之。」[39]此之謂也。（《列女傳》〈仁智傳〉）

魯寡陶嬰

　　陶嬰是魯國陶家的女兒，年紀輕輕就守寡，獨自撫養幼兒。娘家

39.「蘀兮蘀兮，風其吹女，叔兮伯兮，唱予和女」，出自《詩經》〈鄭風·蘀兮〉；「百爾所思，不如我所之」，出自《詩經》〈鄘風·載馳〉。

也沒有得力的兄弟支持，只能靠紡織為生。魯國有人聽說她富有節操，就來求婚。嬰知道消息後，擔心無法拒絕，就作了一首歌表示自己不會再嫁的決心。歌詞大意是：「可憐的黃鵠早寡，七年已經不成雙，低頭曲頸獨自睡，夜半悲鳴念夫郎，天命早寡有何傷，寡婦憂思淚幾行，嗚呼悲兮死者不可忘。飛鳥尚如此，況且我貞娘。雖有賢士鳳求凰，我心不二守故常。」想來求婚的人聽到這首歌，就說：「我是娶不到這位貞女了。」於是放棄求婚。陶嬰守寡，終身不嫁。君子稱讚陶嬰貞潔專一，又富有才華。《詩經》中說：「心中真憂悶呀，姑且放聲把歌唱。」說的正是她啊！

【出處】

陶嬰者，魯陶門之女也。少寡，養幼孤，無強昆弟，紡績為產。魯人或聞其義，將求焉。嬰聞之，恐不得免，作歌，明己之不更二也。其歌曰：「悲黃鵠之早寡兮，七年不雙。宛頸獨宿兮，不與眾同。夜半悲鳴兮，想其故雄。天命早寡兮，獨宿何傷？寡婦念此兮，泣下數行。嗚呼悲兮，死者不可忘。飛鳥尚然兮，況於貞良。雖有賢雄兮，終不重行。」魯人聞之曰：「斯女不可得已。」遂不敢復求。嬰寡，終身不改。君子謂陶嬰貞壹而思。《詩》云：「心之憂矣，我歌且謠。」[40]此之謂也。（《列女傳》〈貞順傳〉）

魯義姑姊

魯義姑姊，是魯國鄉下人的女人。齊國攻打魯國，在郊外發現一

40.「心之憂矣，我歌且謠」，出自《詩經》〈魏風·園有桃〉。

個婦女，懷裡抱著一個孩子，手裡牽著一個小孩在前面奔跑。軍隊快追上她的時候，婦人就把抱著的小孩扔掉，抱起牽著的小孩繼續奔跑。扔在路邊的小孩放聲啼哭，婦人只顧奔跑，頭也不回。齊國的將官問小孩說：「那是你母親嗎？」回答說：「是的。」再問：「你母親抱著的是誰呀？」回答說：「不知道。」齊將於是派兵追趕。軍士準備放箭，大喊說：「站住！再不停下，我就放箭了！」婦人於是停下來。齊將問她說：「你抱的是誰？丟下的是誰？」回答說：「我抱的是哥哥的孩子，扔下的是自己的孩子。因為跑不動，救不了兩個孩子，只得放棄自己的孩子。」齊將說：「母子連心，如今你卻捨棄自己的孩子，去救兄長的孩子，為什麼呢？」婦人說：「保護自己的孩子是私情，救助兄長的孩子是公義，如果因為私情而放棄公義，即便倖免於難，魯國的君王、大夫和百姓們都不會原諒我，如果那樣，我在魯國就沒有立足之地了。我雖然心疼兒子，但又怎麼能不講公義！我不能讓人說我們魯國是個不講公義的國家而輕視魯國。」於是齊將命令軍隊停止前進，派人向齊國君王匯報說：「不能攻打魯國。邊境地帶的山野村婦都懂得維護公義，不因私情放棄公義，更何況他們的朝廷大臣呢？請允許我們撤軍回國吧！」於是齊王准許撤兵。魯國君主得知消息，賞賜給那位鄉下婦人一百匹綢緞，稱她為「義姑姊」。一個山野村婦因為遵循公義而使國家免遭災難，更何況以禮義來治理國家呢。《詩經》中說：「君子德行正又直，諸侯順從慶昇平。」說的正是這個道理啊！

【出處】

魯義姑姊者，魯野之婦人也。齊攻魯至郊，望見一婦人，抱一

兒，攜一兒而行，軍且及之，棄其所抱，抱其所攜而走於山，兒隨而啼，婦人遂行不顧。齊將問兒曰：「走者爾母耶？」曰：「是也。」「母所抱者誰也？」曰：「不知也。」齊將乃追之，軍士引弓將射之，曰：「止，不止，吾將射爾。」婦人乃還。齊將問所抱者誰也，所棄者誰也。對曰：「所抱者妾兄之子也，所棄者妾之子也。見軍之至，力不能兩護，故棄妾之子。」齊將曰：「子之於母，其親愛也，痛甚於心，今釋之，而反抱兄之子，何也？」婦人曰：「己之子，私愛也。兄之子，公義也。夫背公義而向私愛，亡兄子而存妾子，幸而得幸，則魯君不吾畜，大夫不吾養，庶民國人不吾與也。夫如是，則脅肩無所容，而累足無所履也。子雖痛乎，獨謂義何？故忍棄子而行義，不能無義而視魯國。」於是齊將按兵而止，使人言於齊君曰：「魯未可伐也。乃至於境，山澤之婦人耳，猶知持節行義，不以私害公，而況於朝臣士大夫乎！請還。」齊君許之。魯君聞之，賜婦人束帛百端，號曰義姑姊。公正誠信，果於行義。夫義，其大哉！雖在匹婦，國猶賴之，況以禮義治國乎！《詩》云：「有覺德行，四國順之。」[41]此之謂也。（《列女傳》〈節義傳〉）

大為我棺

陳乾昔臥病在床，自知餘日不多，就向兄弟交代後事，叮囑兒子尊已說：「我死之後，一定要給我做個大棺材，讓我的兩個侍妾分躺在我的兩邊。」陳乾昔死後，他的兒子說：「用活人殉葬，本來就不

41.「有覺德行，四國順之」，出自《詩經》〈大雅‧抑〉。

合禮，何況還要躺在同一個棺材裡呢？」最終沒有殺父妾以殉葬。

【出處】

　　陳乾昔寢疾，屬其兄弟，而命其子尊己曰：「如我死，則必大為我棺，使吾二婢子夾我。」陳乾昔死，其子曰：「以殉葬，非禮也，況又同棺乎？」弗果殺。（《禮記》〈檀弓下〉）

非所謂逾

　　魯平公準備外出，寵臣臧倉請示說：「平常君王外出，都要告訴我們出發的目的地。今天車馬已經備好，卻還不知道要去哪裡，斗膽請君主明示。」魯平公說：「我要去見孟子。」臧倉說：「您為什麼要降低身分去見一個讀書人呢？您以為他賢能嗎？禮義是賢者所提倡的，而孟子為他母親操辦的喪事卻超過了先前為父親操辦的喪事。君王還是不要見他為好。」魯平公說：「好吧。」樂正子入宮拜見魯平公說：「君王為什麼不去見孟軻呢？」魯平公說：「有人告訴寡人，說孟子為母親操辦的喪事超過了為父親操辦的喪事。所以我不去見他。」樂正子說：「這是為什麼呀？君王所謂的超過，是前面用士的喪禮，後面以大夫的喪禮；還是前面用三鼎之禮，後面用五鼎之禮？」魯平公說：「應該是棺槨和壽衣的精美不同吧。」樂正子說：「這不叫超過，這只是前後家境貧富不同而已。」

　　魯平公將出。嬖人臧倉者請曰：「他日君出，則必命有司所之。今乘輿已駕矣，有司未知所之。敢請。」公曰：「將見孟子。」曰：「何哉？君所為輕身以先於匹夫者，以為賢乎？禮義由賢者出。而孟子之後喪逾前喪。君無見焉！」公曰：「諾。」樂正子入見，曰：「君奚為不見孟軻也？」曰：「或告寡人曰：『孟子之後喪逾前喪』，是以不往見也。」曰：「何哉君所謂逾者？前以士，後以大夫；前以三鼎，而後以五鼎與？」曰：「否。謂棺槨衣衾之美也。」曰：「非所謂逾也，貧富不同也。」（《孟子》〈梁惠王章句下〉）

古不修墓

　　孔子把父母合葬於防地，對弟子們說：「我聽說古時候不積土為墳。我是個四處奔波的人，不能不做個標誌。」於是就在墓上壘了四尺高的墳土。孔子先從墓地回家，弟子們還在墓地照料，一陣大雨之後，弟子們才回來。孔子問他們說：「怎麼回來得這麼遲呢？」弟子們回答說：「防地的墓因下雨坍塌了，我們在那裡修墓。」孔子沒有吭聲。弟子們以為孔子沒聽見，連說了好幾遍。孔子傷心地流淚說：「我聽說，古人不提倡修墓。」

　　孔子既得合葬於防，曰：「吾聞之：古也墓而不墳；今丘也，東西南北人也，不可以弗識也。」於是封之，崇四尺。孔子先反，門人

後，雨甚；至，孔子問焉曰：「爾來何遲也？」曰：「防墓崩。」孔子不應。三，孔子泫然流涕曰：「吾聞之：古不修墓。」（《禮記》〈檀弓上〉）

猶應其言

孔子為母親服喪，練祭[42]過後，陽虎前來弔唁，私下對孔子說：「現在季氏準備舉行盛大的宴會邀請魯國境內士人，你聽說了嗎？」孔子回答說：「沒有聽說。如果真有這事，即使是在服喪，我也想去參加。」陽虎說：「應該是真的吧。不過，季氏宴請士人，其中並不包括你啊。」陽虎出去以後，曾點問：「您為什麼跟他說話呢？」孔子說：「我自己穿著喪服服喪，還要答覆他的話，這是為了表示沒有責怪他的意思。」

【出處】

孔子有母之喪，既練，陽虎弔焉，私於孔子曰：「今季氏將大饗境內之士，子聞諸？」孔子答曰：「丘弗聞也。若聞之，雖在衰絰，亦欲與往。」陽虎曰：「子謂不然乎，季氏饗士，不及子也。」陽虎出，曾點問曰：「吾之何謂也？」孔子曰：「己則衰服，猶應其言，示所以不非也。」（《孔子家語》〈曲禮子夏問〉）

---

42. 練祭：出自《禮記》〈曾子問〉，古代親喪一週年的祭禮。

乘風雲而上天

孔子前往周都，想向老子請教禮的學問。老子說：「你所說的禮，倡導它的人骨頭都已經腐爛了，只有他的言論還在。況且君子時運來了就駕車出去做官，時運不濟時就像蓬草一樣隨風飄蕩。我聽說，善於經商的人把貨物隱藏起來，彷彿兩手空空；品德高尚的君子，看上去就像愚笨的凡人。拋棄您的驕氣和過多的欲望，拋棄您做作的情態神色和遠大志向吧，這些對您自身都沒有好處。我能告訴您的，就是這些了。」孔子告別老子後，對弟子們說：「鳥，我知道它能飛；魚，我知道它能游；獸，我知道它能跑。會跑的可以用網羅捕獲它，會游的可以用絲線去釣它，會飛的可以用箭去射它。至於龍，我不知道它乘風雲飛騰上天會是什麼樣子。我今天見到的老子，大概就是龍吧！」

【出處】

孔子適周，將問禮於老子。老子曰：「子所言者，其人與骨皆已朽矣，獨其言在耳。且君子得其時則駕，不得其時則蓬累而行。吾聞之，良賈深藏若虛，君子盛德容貌若愚。去子之驕氣與多欲，態色與淫志，是皆無益於子之身。吾所以告子，若是而已。」孔子去，謂弟子曰：「鳥，吾知其能飛；魚，吾知其能游；獸，吾知其能走。走者可以為罔，游者可以為綸，飛者可以為矰。至於龍，吾不能知其乘風雲而上天。吾今日見老子，其猶龍邪！」（《史記》〈老子韓非列傳〉）

於今難行

孔子問老子說：「如今行道真是太難了。我雙手捧著『道』呈獻給當世的君主，卻不被接受。」老子說：「那些四處遊說的人往往熱衷於辯論，接受遊說的人又往往為浮辭所迷惑。這兩種人，都不能把『道』託付給他們。」

【出處】

仲尼問老聃曰：「甚矣！道之於今難行也！吾比執道委質以當世之君，而不我受也。道之於今難行也。」老子曰：「夫說者流於聽，言者亂於辭，如此二者，則道不可委矣。」（《說苑》〈反質〉）

持滿有道

孔子到周王室宗廟裡參觀，看見有一個欹器擺放在那兒。孔子問守廟的人說：「這叫什麼器物？」守廟的人回答說：「大概是右坐之器。」孔子說：「我聽說這種器物注滿水就會傾覆，空著時就倒向一邊，裝得恰到好處就端端正正了。是這樣嗎？」守廟的人說：「是這樣的。」孔子便讓子路取水來做試驗。果然是灌滿水就翻倒，裝得不多不少就端正，空了又側向一邊。孔子感嘆著說：「是啊，哪有盈滿而不傾覆的呢！」子路說：「可以請教保持盈滿的辦法嗎？」孔子說：「保持盈滿的辦法，就在於不至盈滿。」子路問：「具體該怎麼做呢？」孔子說：「地位高的能居人之下，盈滿的能自覺不足，富有

的能懂得節儉，尊貴的能保持卑賤，機智的能自甘愚拙，勇敢的能自居怯懦，雄辯的能自甘木訥，博大的能自居淺陋，賢明的能自甘闇弱。這些都屬於自我貶損以免到達極點。懂得其中的道理，只有道德修養極高的人才能達到這一步。《易經》上說：『不損而益之，故損；自損而終，故益。』」

【出處】

孔子觀於周廟而有欹器焉，孔子問守廟者曰：「此為何器？」對曰：「蓋為右坐之器。」孔子曰：「吾聞右坐之器，滿則覆，虛則欹，中則正，有之乎？」對曰：「然。」孔子使子路取水而試之，滿則覆，中則正，虛則欹，孔子喟然嘆曰：「嗚呼！惡有滿而不覆者哉！」子路曰：「敢問持滿有道乎？」孔子曰：「持滿之道，挹而損之。」子路曰：「損之有道乎？」孔子曰：「高而能下，滿而能虛，富而能儉，貴而能卑，智而能愚，勇而能怯，辯而能訥，博而能淺，明而能暗；是謂損而不極，能行此道，唯至德者及之。《易》曰：『不損而益之，故損；自損而終，故益。』」（《說苑》〈敬慎〉）

三緘其口

孔子到東周去，在周天子的祖廟裡參觀。看見廟門右邊臺階上有個銅人，嘴巴被封了三層，背上刻有銘文說：「這是古代說話謹慎的人。要引以為戒啊！千萬不要多說話，話說多了壞事，話說多了多事，多事生非。處身安樂的時候一定要保持警戒，不要去做使自己後

悔的事情。不要以為多嘴沒什麼妨害，禍患的影響會很久；不要以為多嘴沒什麼傷害，釀成的禍患會很大；不要以為多嘴不殘忍，造成的禍害會持續蔓延；不要以為多嘴沒人聽到，天降的妖孽就在一邊等著。小火不去撲滅，就會釀成熊熊大火；涓涓細流不加堵塞，就會匯成大江大河；綿綿的絲線不斷，就會織成羅網；青青的小苗不予砍伐，將來就需要大斧對付。如果不能謹慎行事，多嘴多舌就會成為禍患的根源。口有什麼傷害？它是招禍之門。它使強橫的人不得好死，好勝的人遭遇強敵；盜賊怨恨主人，百姓妒忌顯貴。君子懂得風頭不能蓋過天下的人，所以甘居人下，因而令人敬慕。處於柔弱低下的守勢，誰也不能與你相爭。人人都嚮往的地方，我就應該遠避；眾人爭相跟隨盲從的人事，我就應該節操自守。只要心中有數，又何必與人一較高低？能做到這些，即便身分尊貴，地位顯赫，也不會有人加害。大江大河之所以長過溪流，就是因為它地處低下。上天行事不分親疏，卻時常庇護好人。千萬要引以為戒啊！」孔子回頭對弟子們說：「記住這些話！雖然粗鄙，卻切合事實。《詩經》上說：『小心謹慎，如面臨深池，如腳踩薄冰。』如果遵循這些警戒，就不會因多嘴惹禍了。」

【出處】

孔子之周，觀於太廟右陛之前，有金人焉，三緘其口而銘其背曰：「古之慎言人也，戒之哉！戒之哉！無多言，多口多敗；無多事，多事多患。安樂必戒，無行所悔。勿謂何傷，其禍將長；勿謂何害，其禍將大；勿謂何殘，其禍將然；勿謂莫聞，天妖伺人；熒熒不滅，炎炎奈何；涓涓不壅，將成江河；綿綿不絕，將成網羅；青青不

伐，將尋斧柯；誠不能慎之，禍之根也；曰是何傷？禍之門也。強梁者不得其死，好勝者必遇其敵；盜怨主人，民害其貴。君子知天下之不可蓋也，故後之下之，使人慕之；執雌持下，莫能與之爭者。人皆趨彼，我獨守此；眾人惑惑，我獨不從；內藏我知，不與人論技；我雖尊高，人莫害我。夫江河長百谷者，以其卑下也；天道無親，常與善人；戒之哉！戒之哉！」孔子顧謂弟子曰：「記之，此言雖鄙，而中事情。《詩》曰：『戰戰兢兢，如臨深淵，如履薄冰。』[43]行身如此，豈以口遇禍哉！」（《說苑》〈敬慎〉）

興廢之誡

　　孔子參觀明堂，看見牆上掛著堯舜桀紂的畫像，刻畫出每個人的善惡之狀，銘記著有關國家興亡的告誡。還有周公輔佐成王，抱著成王南向接受諸侯朝見的畫像。孔子來回觀看，對身邊的弟子說：「這是周朝興盛的原因啊。照鏡子可以觀察相貌，瞭解過去可以指導現在。君主不努力維護國家穩定，而忽略國家安危，這就和倒著跑卻想追趕前面的人一樣，豈非糊塗之極！」

【出處】

　　孔子觀乎明堂，睹四門墉有堯舜之容，桀紂之象，而各有善惡之狀，興廢之誡焉。又有周公相成王，抱之負斧扆，南面以朝諸侯之圖焉，孔子徘徊而望之，謂從者曰：「此周之所以盛也。夫明鏡所以察

43.「戰戰兢兢，如臨深淵，如履薄冰」，出自《詩經》〈小雅・小旻〉。

形，往古者所以知今，人主不務襲跡於其所以安存，而忽怠所以危亡，是猶未有以異於卻走而欲求及前人也，豈不惑哉。」（《孔子家語》〈觀周〉）

送子以言

孔子和南宮敬叔一起來到周國。孔子向老子詢問禮，向萇弘詢問樂，遍訪祭祀天地的場所，考察明堂的規則，察看宗廟朝堂的制度。最後感嘆說：「我現在才知道周公的聖明，以及周國稱王天下的原因。」離開周國時，老子對他說：「我聽說富貴者拿財物送人，仁者用言語送人。我固然稱不上富貴，但私下以仁者的身分，送你幾句話吧！當今的士人，因聰明善斷而危及生命的，都是好譏諷挖苦的人；因博學好辯而危及生命的，都是愛揭人短處的人。為人之子不要只想著自己，為人臣子不要只委屈自己。」孔子說：「我一定遵循您的教誨。」從周國返回魯國，孔子的學問更加受人尊崇。從四面八方來拜他為師的，大約有三千人。

【出處】

敬叔與俱至周，問禮於老聃，訪樂於萇弘，歷郊社之所，考明堂之則，察廟朝之度。於是喟然曰：「吾乃今知周公之聖，與周之所以王也。」及去周，老子送之曰：「吾聞富貴者送人以財，仁者送人以言，吾雖不能富貴，而竊仁者之號，請送子以言乎。凡當今之士，聰明深察而近於死者，好譏議人者也；博辯閎達而危其身，好發人之

惡者也；無以有己為人子者，無以惡己為人臣者。」孔子曰：「敬奉教。」自周反魯，道彌尊矣。遠方弟子之進，蓋三千焉。（《孔子家語》〈觀周〉）

存亡禍福

孔子說：「人的存亡禍福關鍵還在自己，即便遭遇天災地禍，也是一樣。」從前殷紂王帝辛的時候，有隻鳥雀在城牆邊上生下一隻烏鴉。占卜的人說：「大凡小的生出大的，國家必有福運，帝王的名聲會加倍顯赫。」帝辛為鳥雀帶來的福兆沾沾自喜，不理國政，殘暴至極，結果輕易被周武王的部隊打敗，終於亡國。因為逆天而行，所謂的奇異福兆反而成了禍殃。殷王高宗武丁的時候，王道缺失，刑法鬆弛，桑樹和秧苗共生於朝廷，七天就長到碗口一樣粗。卜人占卜說：「桑秧秧苗屬於野外植物，如今生長在朝廷中，是商朝要滅亡了吧？」武丁聽了，十分害怕，於是兢兢業業地修養品德，追憶先王的善政，復興被滅亡的侯國，恢復絕祀卿大夫的繼嗣，舉用隱逸的賢士，宣示養老的辦法。三年之後，遠方的國君通過輾轉翻譯遣使朝拜的就有六個國家。因為順應天時，所謂的禍兆反而變成了福瑞。上天以奇異的怪相來警誡天子諸侯，以惡夢來警誡士大夫。妖孽敵不過善政，惡夢勝不過善行。專注於國家治理，禍患就會轉變為福佑。因此太甲說：「天降災還可避開，自己造成災禍無法逃脫。」

孔子曰：「存亡禍福，皆在己而已，天災地妖，亦不能殺也。」昔者殷王帝辛之時，爵生烏於城之隅，二人占之曰：「凡小以生巨，國家必祉，王名必倍。」帝辛喜爵之德，不治國家，亢暴無極，外寇乃至，遂亡殷國，此逆天之時，詭福反為禍。至殷王武丁之時，先王道缺，刑法弛，桑穀俱生於朝，七日而大拱，二人占之曰：「桑穀者，野物也；野物生於朝，意朝亡乎！」武丁恐駭，側身修行，思先王之政，興滅國，繼絕世，舉逸民，明養老之道；三年之後，遠方之君，重譯而朝者六國，此迎天時，得禍反為福也。故妖孽者，天所以警天子諸侯也；惡夢者，所以警士大夫也。故妖孽不勝善政，惡夢不勝善行也；至治之極，禍反為福。故太甲曰：「天作孽，猶可違；自作孽，不可逭。」（《說苑》〈敬慎〉）

禍亂原基

北方有種野獸名叫蟨，前腳如鼠，後腳如兔。這種野獸特別喜愛蛩蛩（即蝗蟲）、巨虛。它吃到甜美的草料，一定會用口銜來給蛩蛩、巨虛吃，蛩蛩、巨虛發現有人前來，一定會背上蟨逃走。蟨並不是本性喜歡蛩蛩、巨虛，而是為了借用它們的足力。蛩蛩和巨虛也並不是本性喜歡蟨，而是因為蟨能幫它們找到甜美的草料。那禽獸昆蟲還知道互相利用、彼此報答，何況士大夫、君子中想要揚名天下的人呢？臣下不回報君王的恩惠，卻只顧為自己牟私利，就是災禍的根源；君王不回報臣子的功勞，吝嗇封賞，禍亂也會滋生。所以禍亂的

發生，都是由不報恩引起的。

【出處】

孔子曰：北方有獸，其名曰蟨，前足鼠，後足兔，是獸也，甚矣其愛蛩蛩巨虛也，食得甘草，必齧以遺蛩蛩巨虛，蛩蛩巨虛見人將來，必負蟨以走，蟨非性之愛蛩蛩巨虛也，為其假足之故也，二獸者亦非性之愛蟨也，為其得甘草而遺之故也。夫禽獸昆蟲猶知比假而相有報也，況於士君子之欲與名利於天下者乎！夫臣不復君之恩而苟營其私門，禍之源也；君不能報臣之功而憚刑賞者，亦亂之基也。夫禍亂之原基，由不報恩生矣。（《說苑》〈復恩〉）

失之毫釐，差以千里

孔子說：「君子必須致力於根本，根本建立了，道就隨之產生了。」如果根本不正，它的細枝末葉就會被歪曲；開始不興盛，結局必定衰亡。《詩經》中說：「平原上的窪地已經平整，泉水流過就會清澈。」講的也是「本立而道生」的道理。《春秋》一書的內容，講的就是如果一年中有了好的春季，就不會有糟糕的秋天；一個國家有了好的國君，就不會遭遇亡國的危險。《易經》上說：「正確認識其本源，萬事萬物就有條理；開始時錯了很小的一點，結果就會造成很大的失誤。」因此，君子特別重視建立根本，做好開端。

孔子曰：「君子務本，本立而道生。」夫本不正者末必倚，始不盛者終必衰。《詩》云：「原隰既平，泉流既清。」[44]本立而道生，春秋之義；有正春者無亂秋，有正君者無危國，《易》曰：「建其本而萬物理，失之毫釐，差以千里。」[45]是故君子貴建本而重立始。（《說苑》〈建本〉）

里仁為美

孔子說：「居住的地方要有仁人才好，選擇的住處沒有仁人，怎麼稱得上是聰明人呢？」所謂仁人，一定是心懷寬恕之心行事的人。做一件不義的事，殺一個無罪的人，即便能因此得到高官顯位，仁人也絕不會去做。大仁大義的人愛身邊的人並推及到遠方的人，感到力不從心的時候，就會犧牲小仁來成全大仁。大仁大義的人，他的恩德遍及天下；小仁小義的人，他的恩惠偏限於妻子兒女。恩惠偏限於妻子兒女的人，以自己的智慧謀取私利，用婦人的恩惠來安撫人，掩飾內心的真情，粉飾自己的虛偽，讓人難以識別真面目。這種人雖然當時能得到榮耀，但君子卻視為莫大的恥辱。所以共工、驩兜、符里、鄧析這些人，他們的智慧並不是不明事理，最終被聖王所殺，就在於他們缺乏德行而貪圖私利。豎刁、易牙，自殘身體、殺死兒子來謀求私利，最終成為齊國的禍害。所以臣子無仁愛之心，篡位弒君的變亂

44.「原隰既平，泉流既清」，出自《詩經》〈小雅‧黍苗〉。

45.《漢書》〈杜周傳〉：「《易》曰：正其本，萬物理。」

就會發生；臣子有仁愛之心，國家就會安定，君主也能得到尊榮；英明的君主洞察這個道理，國家就安寧。做臣子的尚且要有仁愛之心，何況君主呢？所以桀、紂因為不仁而失去天下，商湯、周武王因為積德而享有天下，因此聖明的帝王注重德政並極力推行它。《孟子》說：「君子應該廣佈恩德，否則不足以保全妻子兒女。古代聖賢的過人之處，就在於把恩德推廣於天下。」

【出處】

孔子曰：「里仁為美，擇不處仁，焉得智！」夫仁者，必恕然後行，行一不義，殺一無罪，雖以得高官大位，仁者不為也。夫大仁者，愛近以及遠，及其有所不諧，則虧小仁以就大仁。大仁者，恩及四海；小仁者，止於妻子。妻子者，以其知營利，以婦人之恩撫之，飾其內情，雕畫其偽，孰知其非真，雖當時蒙榮，然士君子以為大辱，故共工、驩兜、符里、鄧析，其智非無所識也，然而為聖王所誅者，以無德而苟利也。豎刁、易牙，毀體殺子以干利，卒為賊於齊。故人臣不仁，篡弒之亂生；人臣而仁，國治主榮；明主察焉，宗廟大寧，夫人臣猶貴仁，況於人主乎！故桀紂以不仁失天下，湯武以積德有海土，是以聖王貴德而務行之。孟子曰：「推恩足以及四海；不推恩不足以保妻子。古人所以大過人者無他焉，善推其所有而已。」[46]（《說苑》〈貴德〉）

46.「推恩足以及四海……」句，出自《孟子》〈梁惠王章句上〉。

良藥苦口利於病

孔子說：「良藥苦口，但利於治病，忠言難聽，但利於行動。所以周武王令人暢所欲言就昌盛，商紂王封殺言論自由就滅亡。如果君主沒有敢於直言的下臣，父親沒有敢於直言的兒子，兄長沒有敢於直言的弟弟，丈夫沒有敢於直言的妻子，士人沒有敢於直言的朋友，敗亡馬上就會到來。所以說：君王的過失，臣子能夠彌補；父親的過失，兒子能夠彌補；兄長的過失，弟弟能夠彌補；丈夫的過失，妻子能夠彌補；士人的過失，朋友能夠彌補。這樣才不會有破敗的家國、悖亂的父親和忤逆的兒子、放縱的兄長和遭遺棄的弟弟、狂亂的丈夫和淫蕩的妻子，以及絕情斷交的惡友。」

【出處】

孔子曰：「良藥苦於口，利於病；忠言逆於耳，利於行。故武王諤諤而昌，紂嘿嘿而亡，君無諤諤之臣，父無諤諤之子，兄無諤諤之弟，夫無諤諤之婦，士無諤諤之友，其亡可立而待。故曰君失之，臣得之；父失之，子得之；兄失之，弟得之；夫失之，婦得之；士失之，友得之。故無亡國破家，悖父亂子，放兄棄弟，狂夫淫婦，絕交敗友。」（《說苑》〈正諫〉）

春致其時

孔子說：「周文王好比元年，周武王好比春季，周公好比正

月[47]。文王有王季為父，有太任為母，有大姒為妃，有武王、周公為子，有泰顛、閎夭為臣，他的根基太好了。周武王先端正自身然後整治全國，由治理全國然後治理天下。討伐無道之人，懲處有罪之人，天下因此太平，這是多麼光明正大的事業！春季來到，萬物及時生長；君王實行王道，萬民得到治理。周公身體力行，天下人都歸順他，因為他最講誠信。」

【出處】

孔子曰：「文王似元年，武王似春王，周公似正月，文王以王季為友，以太任為母，以太姒為妃，以武王周公為子，以泰顛閎夭為臣，其本美矣。武王正其身以正其國，正其國以正天下，伐無道，刑有罪，一動天下正，其事正矣。春致其時，萬物皆及生，君致其道，萬人皆及治，周公戴己而天下順之，其誠至矣。」（《說苑》〈君道〉）

權不兩錯，政不二門

孔子說：「夏朝的氣運不衰，商朝就不會興起；商朝的氣運不衰，周朝就不會興起：周朝的氣運不衰，諸侯爭霸的春秋時代就不會來臨；春秋時代開啟，意味著周朝已開始衰落。」所以說，上與下相互侵害，就如同水與火互不相容，作為君王不能不明察。臣子的強大，意味著私門崛起，公室衰落，君王不加明察，就會有亡國的危險。管仲說：「權力不能由兩人執掌，政令不能出自兩家。」所以

47.《春秋》開卷有「元年春王正月」之句，此為化用。

說，小腿粗過大腿的人難以邁步，手指大過手臂的人無法把握。枝節大於主體，就不會聽從主體的擺佈。

【出處】

孔子曰：「夏道不亡，商德不作；商德不亡，周德不作；周德不亡，春秋不作；春秋作而後君子知周道亡也。」故上下相虧也，猶水火之相滅也，人君不可不察而大盛其臣下，此私門盛而公家毀也，人君不察焉，則國家危殆矣。筭子曰：「權不兩錯，政不二門。」故曰：脛大於股者難以步，指大於臂者難以把，本小末大，不能相使也。（《說苑》〈君道〉）

天下大亂，無有安國

孔子說：「燕雀爭相在屋簷下築巢，母鳥餵養小鳥，怡然自得地一起嬉戲，自以為很安全了。即使煙囪破裂，頭上的房梁燃燒起來，燕雀仍然面不改色，這是為什麼呢？因為不知道災禍會延及自身。這不是很愚蠢嗎？做臣子的，見識如燕雀一般的人太多了。他們極力爭取爵祿富貴，父子兄弟一起結黨營私，怡然自得於生活的享樂，以此危害國家。他們離冒火的煙囪很近，但始終察覺不到，這與迷茫無知的燕雀有什麼區別呢？」所以說，天下大亂，就沒有安寧的國家；國家大亂，就沒有安定的家室；家室大亂，就沒有安身之處。道理就這麼簡單：局部的安定，一定仰賴全局的安定；全局的安定，一定仰賴局部的安定。全局和局部、尊貴和卑賤互相依存，才能實現良好的願望。

孔子曰：「燕爵爭善處於一屋之下，母子相哺也，區區焉相樂也，自以為安矣。灶突決，上棟焚，燕爵顏色不變，是何也？不知禍之將及之也。不亦愚乎！為人臣而免於燕爵之智者寡矣。夫為人臣者，進其爵祿富貴，父子兄弟相與比周於一國，區區焉相樂也，而以危其社稷，其為灶突近矣，而終不知也，其與燕爵之智不異。」故曰：天下大亂，無有安國；一國盡亂，無有安家；一家盡亂，無有安身。此之謂也。故細之安必待大，大之安必待小。細大賤貴交相為贊，然後皆得其所樂。（《呂氏春秋》〈士容論‧務大〉）

管仲之器小

孔子說：「管仲這個人的器量真是狹小呀！」有人說：「管仲節儉嗎？」孔子說：「他有三處豪華的藏金府庫，他家裡的管事也是一人一職而不兼任，怎麼談得上節儉呢？」那人又問：「那麼管仲知禮嗎？」孔子回答：「國君大門口設立照壁，管仲在大門口也設立照壁。國君同別國國君舉行會見時在堂上有放空酒杯的土臺，管仲也有這樣的土臺。如果說管仲知禮，那麼還有誰不知禮呢？」

子曰：「管仲之器小哉！」或曰：「管仲儉乎？」曰：「管氏有三歸，官事不攝，焉得儉？」「然則管仲知禮乎？」曰：「邦君樹塞門，管氏亦樹塞門；邦君為兩君之好，有反坫。管氏亦有反坫，管氏而知

禮，孰不知禮？」（《論語》〈八佾〉）

六言六蔽

孔子說：「由呀，你聽說過六種品德和六種弊病嗎？」子路回答說：「沒有。」孔子說：「坐下，我告訴你。愛好仁德而不好好學習，它的弊病是受人愚弄；愛好智慧而不好好學習，它的弊病是行為放蕩；愛好誠信而不好好學習，它的弊病是危害親人；愛好直率卻不好好學習，它的弊病是說話尖刻；愛好勇敢卻不好好學習，它的弊病是犯上作亂；愛好剛強卻不好好學習，它的弊病是狂妄自大。」

【出處】

子曰：「由也，女聞六言六蔽矣乎？」對曰：「未也。」「居！吾語女。好仁不好學，其蔽也愚；好知不好學，其蔽也蕩；好信不好學，其蔽也賊；好直不好學，其蔽也絞；好勇不好學，其蔽也亂；好剛不好學，其蔽也狂。」（《論語》〈陽貨〉）

天何言哉

孔子說：「我不想說話了。」子貢說：「你如果不說話，那麼我們這些學生還傳述什麼呢？」孔子說：「天何嘗說話呢？四季照常運行，百物照樣生長。天說了什麼話呢？」

　　子曰：「予欲無言。」子貢曰：「子如不言，則小子何述焉？」子曰：「天何言哉？四時行焉，百物生焉，天何言哉？」（《論語》〈陽貨〉）

三思而後行

　　季文子每做一件事都要考慮多次。孔子聽到了，說：「考慮兩次也就行了。」

　　季文子三思而後行，子聞之曰：「再，斯可矣。」（《論語》〈公冶長〉）

先聖之嗣

　　齊國的太史子與來到魯國，拜見孔子。孔子和他談論道，子與高興地說：「我是淺陋無知的人，久聞您的大名，一直無緣和您見面。求知的機會非常寶貴。從今之後，我知道了泰山的高大和大海的廣闊。只可惜先生沒有遇到聖明的君主。道德不能在百姓中施行，只有把這些珍貴的財富留給後世了。」子與辭別孔子後對南宮敬叔說：「孔子是先聖的後代，從弗父何以來，孔氏世代有德謙讓，這是上天

所賜的福分啊。成湯以武德稱王天下，用禮樂相配合。殷商以下，就沒有這種情況了。孔子生在周朝衰敗的時代，先王的典籍錯亂無序，孔子整理闡述百家遺留的記錄，考證其正確的含義，師法和陳述堯舜的盛德，傚法周文王、武王的文治武功，刪定《詩》，整理《書》，制定《禮》，梳理《樂》，編纂《春秋》，闡明《易》道，給後世留下訓誡，作為法則，孔子的文德是何等顯著啊！他所教誨的弟子，行了拜師之禮的就有三千多人，或許是上天要他成為無冕之王吧，因此才會如此興盛。」南宮敬叔說：「如果像你說的那樣，事物就不會兩全其美。我聽說聖人的後代，在沒有繼承王位的嫡系中，必然會有興盛的人出現。現在孔子之道已非常完美，並將長久地施行於後世，即使想推卻上天賜予的福分，也不可能。」子貢聽了這些話，把他們二人的議論都告訴了孔子。孔子說：「哪是這樣的呢？亂了就要治理，停滯就要興起，這是我的志向，和天有什麼關係呢？」

【出處】

齊太史子與適魯，見孔子，孔子與之言道。子與悅曰：「吾鄙人也，聞子之名，不睹子之形久矣，而求知之寶貴也，乃今而後知泰山之為高，淵海之為大，惜乎夫子之不逢明王，道德不加於民，而將垂寶以貽後世。」遂退而謂南宮敬叔曰：「今孔子先聖之嗣，自弗父何以來，世有德讓，天所祚也。成湯以武德王天下，其配在文，殷宗以下，未始有也，孔子生於衰周，先王典籍，錯亂無紀，而乃論百家之遺記，考正其義，祖述堯舜，憲章文武，刪詩述書，定禮理樂，制作春秋，贊明易道，垂訓後嗣，以為法式，其文德著矣。然凡所教誨，束修已上，三千餘人，或者天將欲與素王之乎，夫何其盛也。」

敬叔曰：「殆如吾子之言，夫物莫能兩大，吾聞聖人之後，而非繼世之統，其必有興者焉。今夫子之道至矣，乃將施之無窮，雖欲辭天之祚，故未得耳。」子貢聞之，以二子之言告孔子。子曰：「豈若是哉？亂而治之，滯而起之，自吾志，天何與焉。」（《孔子家語》〈本姓解〉）

歲不我與

　　陽貨想見孔子，孔子不見，他便贈送給孔子一頭烤乳豬，想要孔子去拜見他。孔子打聽到陽貨不在家時，往陽貨家拜謝，沒想到在半路上遇見了。陽貨對孔子說：「來，我有話要跟你說。」孔子走過去。陽貨說：「把自己的本領藏起來而聽任國家迷亂，這叫作仁嗎？」孔子回答說：「不叫仁。」陽貨說：「喜歡參與政事而又屢次錯過機會，這是智嗎？」孔子回答說：「不是智。」陽貨說：「時間一天天過去了，年歲是不等人的。」孔子說：「好吧，我將要去做官了。」

【出處】

　　陽貨欲見孔子，孔子不見，歸孔子豚。孔子時其亡也，而往拜之，遇諸塗。謂孔子曰：「來，予與爾言。」曰：「懷其寶而迷其邦，可謂仁乎？」曰：「不可。」「好從事而亟失時，可謂知乎？」曰：「不可！日月逝矣，歲不我與。」孔子曰：「諾，吾將仕矣。」（《論語》〈陽貨〉）

不易之教

　　衛國國君派大夫到魯國季氏家裡求婚，季桓子便向孔子請教有關的禮儀。孔子說：「同姓的人都是同宗，有會合同族的意思，所以屬於同一姓氏而沒有區別、在同一個宗廟聚餐而沒有不同，即使是過了一百代，也不能互通婚姻。周朝的禮制就是這樣規定的。」桓子問：「魯國、衛國的祖先，雖然是嫡出兄弟，但如今親緣關係已經極為疏遠了。可以通婚嗎？」孔子說：「這肯定是不合於禮制的。對上明確祖先的名分地位，是為了尊崇正統至尊；對下確定子孫的繼承關係，是為了親愛骨肉至親；從旁理順兄弟的長幼關係，是為了教誨他們和睦相處。這是先王不可改變的制度。」

【出處】

　　衛公使其大夫求婚於季氏，桓子問禮於孔子。子曰：「同姓為宗，有合族之義，故繫之以姓而弗別，綴之以食而弗殊，雖百世婚姻不得通，周道然也。」桓子曰：「魯衛之先雖寡兄弟，今已絕遠矣，可乎？」孔子曰：「固非禮也，夫上治祖禰以尊尊之，下治子孫以親親之，旁治昆弟所以教睦也，此先王不易之教也。」（《孔子家語》〈曲禮子貢問〉）

一言興邦

　　魯定公問：「一句話就可以使國家興盛，有這種事嗎？」孔子答

道：「話不是這麼說。有人說：『做君難，做臣不易。』如果知道了做君的艱難，這不相當於一句話使國家興盛嗎？」魯定公又問：「一句話可以亡國，有這種事嗎？」孔子回答說：「話也不能這麼說。有人說：『我做君主並沒有什麼可高興的，我所高興的只在於我所說的話沒人敢於違抗。』如果說得對而沒人違抗，當然可以；如果說得不對而沒人敢於違抗，那不就等於一句話可以亡國嗎？」

【出處】

定公問：「一言而可以興邦，有諸？」孔子對曰：「言不可以若是其幾也。人之言曰：『為君難，為臣不易。』如知為君之難也，不幾乎一言而興邦乎？」曰：「一言而喪邦，有諸？」孔子對曰：「言不可以若是其幾也。人之言曰：『予無樂乎為君，唯其言而莫予違也。』如其善而莫之違也，不亦善乎？如不善而莫之違也，不幾乎一言而喪邦乎？」（《論語》〈子路〉）

設法而不用

孔子剛做官的時候，擔任中都邑的邑宰。他制定了養生送死的禮節，提倡按照年紀的長幼吃不同的食物，根據能力的大小承擔不同的任務，男女走路各走一邊，不在路上拾取別人丟失的東西，器物不求浮華雕飾。死人裝殮，棺木厚四寸，槨木厚五寸，依傍山丘修墓，不建高大的墳，不在墓地植樹。這樣的制度施行一年之後，西方各諸侯國都紛紛傚法。魯定公對孔子說：「按照您的施政方法來治理魯國，

您覺得好嗎？」孔子回答說：「就是天下也足以治理好，豈止是魯國。」兩年後，魯定公任命孔子為司空。孔子根據土地的性質，把它們分為山林、川澤、丘陵、高地、沼澤五類，各種作物都種植在適宜的環境裡，得到很好的生長。早先，季平子把魯昭公葬在魯國先王陵寢的墓道南面，孔子派人挖溝把昭王的陵墓與先王的陵墓連到一起。孔子對季平子的兒子季桓子說：「令尊以此羞辱國君卻彰顯了自己的罪行，這是破壞禮制的行為。現在把陵墓合到一起，就可以掩蓋令尊不守臣道的罪名了。」後來孔子由司空升為魯國的大司寇，他雖然制定了法律，卻派不上用場，因為沒有犯法的奸民。

【出處】

孔子初仕，為中都宰，制為養生送死之節，長幼異食、強弱異任、男女別塗、路無拾遺、器不雕偽，為四寸之棺，五寸之槨，因丘陵為墳，不封、不樹，行之一年，而西方之諸侯則焉。定公謂孔子曰：「學子此法以治魯國，何如？」孔子對曰：「雖天下可乎，何但魯國而已哉。」於是二年，定公以為司空。乃別五土之性，而物各得其所生之宜，咸得厥所。先時季氏葬昭公於墓道之南，孔子溝而合諸墓焉。謂季桓子曰：「貶君以彰己罪，非禮也，今合之，所以掩夫子之不臣。」由司空為魯大司寇。設法而不用，無奸民。（《孔子家語》〈相魯〉）

不令而行

孔子居住在闕黨，他倡行孝道，教化鄉鄰。闕黨的小夥子們分配獵物和魚蝦，家有父母的就多分一些，這都是孔子孝心感化的結果啊。因此有七十二子從不同的地方來追隨他。這是他的品德令人仰慕啊。魯國有個叫沈猶氏的，天天給羊肚子灌水欺騙買羊的人；有個叫公慎氏的，老婆非常淫亂；有個叫慎潰氏的，仗著有錢生活奢侈無度；魯國市場上賣牛賣馬的販子喜歡耍小心眼欺騙買主。魯國準備任命孔子為司寇，沈猶氏不再敢往羊肚子裡灌水，公慎氏把淫亂的老婆休了，慎潰氏離開魯國搬到別的國家，魯國的牛馬販子從此規規矩矩做生意。這都是孔子以自己端正的行為對待他們的結果。孔子做了魯國的大司寇，協同季桓子、孟懿子拆毀了郈、費兩地的城牆，齊國歸還了侵佔的魯國領土，這都是孔子長期積蓄自身正氣的緣故啊！所以說：「只要自己一身正氣，即便不發命令，事情也行得通。」

【出處】

孔子在州里，篤行孝道，居於闕黨，闕黨之子弟畋漁，分有親者多，孝以化之也。是以七十二子，自遠方至，服從其德。魯有沈猶氏者，旦飲羊飽之，以欺市人。公慎氏有妻而淫，慎潰氏奢侈驕佚，魯市之鬻牛馬者善豫賈。孔子將為魯司寇，沈猶氏不敢朝飲其羊，公慎氏出其妻，慎潰氏逾境而徙，魯之鬻馬牛不豫賈，布正以待之也。既為司寇，季孟墮郈費之城，齊人歸所侵魯之地，由積正之所致也。故曰：「其身正，不令而行。」（《新序》〈雜事〉）

王者之誅

　　孔子擔任魯國的司寇，上任第七天就殺了少正卯。孔子的門徒聽說這件事，急忙趕到孔子那裡。大家雖然不發一言，看法都是一致的。子貢後到，急行上前說：「少正卯是魯國有名望的人，先生剛開始執政，為什麼要殺他呢？」孔子說：「端木賜啊！這不是你所能瞭解的。帝王要處罰五種人，偷盜不在其中。一是內心狡詐而陰險的人，二是言論虛假善於巧辯的人，三是行為邪僻而又屢犯不改的人，四是志向卑下卻見識廣博的人；五是順從錯誤卻愛施恩惠的人。這五種人，都有才辯、智謀、聰敏、通達的名聲，但並沒有真才實學。如果他們把行為加以偽裝，其智謀就足以改變民心，力量就強到能獨立自主，這種人就是奸雄，不能不殺。只要有五種罪名之一的就難免一死，何況少正卯五條全佔，因此要先殺他。從前，商湯殺了蠋沐，太公望殺了潘阯，管仲殺了史附里，子產殺了鄧析，這五個人都是該殺的。所謂該殺的人，並不是那種白天打劫、晚上偷盜的人，而是陰謀傾覆國家的人。這當然是君子感到疑慮、常人感到困惑的。《詩經》中說：『我內心多麼憂愁啊，卻被那眾多的小人怨恨。』說的就是這種情況！」

【出處】

　　孔子為魯司寇，七日而誅少正卯於東觀之下，門人聞之，趨而進，至者不言，其意皆一也。子貢後至，趨而進，曰：「夫少正卯者，魯國之聞人矣！夫子始為政，何以先誅之？」孔子曰：「賜也，

非爾所及也。夫王者之誅有五，而盜竊不與焉。一曰心辨而險；二曰言偽而辯；三曰行辟而堅；四曰志愚而博；五曰順非而澤。此五者皆有辨知聰達之名，而非其真也。苟行以偽，則其知足以移眾，強足以獨立，此奸人之雄也，不可不誅。夫有五者之一，則不免於誅。今少正卯兼之，是以先誅之也。昔者湯誅蠋沐，太公誅潘阯，管仲誅史附里，子產誅鄧析，此五子未有不誅也。所謂誅之者，非為其晝則功盜，暮則穿窬也，皆傾覆之徒也！此固君子之所疑，愚者之所惑也。《詩》云：『憂心悄悄，慍於群小。』[48]此之謂矣。」（《說苑》〈指武〉）

大智之用

孔子在魯國執政之初，魯國人怨恨地唱道：「穿著鹿皮衣又穿蔽膝，拋棄他沒有關係；穿著蔽膝又穿鹿皮衣，拋棄他沒有罪尤。」執政三年之後，魯國男子在道路右邊行走，女子在道路左邊行走，路上丟失的財物無人拾取。有大智慧的人，開始總是讓人難以理解。

【出處】

孔子始用於魯，魯人鷺誦之曰：「麛裘而韠，投之無戾。韠而麛裘。投之無郵。」用三年，男子行乎塗右，女子行乎塗左，財物之遺者，民莫之舉。大智之用，固難逾也。（《呂氏春秋》〈先識覽・樂成〉）

48.「憂心悄悄，慍於群小」，出自《詩經》〈邶風・柏舟〉。

與人共之

　　孔子擔任魯國司寇時，審理案件時一定要讓部門的專家參與裁斷，大家聚集在一起，孔子先要徵求大家的意見：「某人以為如何，某人什麼意見？」經過充分醞釀辯論，然後孔子會說：「或者應該依從某某的建議吧？」憑著孔子的智慧，難道一定要採取這種方式斷案嗎？孔子體現的是君子的敬讓。司法文書只要能與大家共同擬定的，孔子從不獨斷專行，從不獨自一人去佔有這種權力。

【出處】

　　孔子為魯司寇，聽獄必師斷，敦敦然皆立，然後君子進曰：「某子以為何若，某子以為云云。」又曰：「某子以為何若，某子曰云云。」辯矣。然後君子幾當從某子云云乎，以君子之知，豈必待某子之云云，然後知所以斷獄哉？君子之敬讓也，文辭有可與人共之者，君子不獨有也。（《說苑》〈至公〉）

相弔之道

　　孔子做大司寇時，國家的馬廄失火。孔子退朝後到了火災現場，見鄉里人有不少為了火災自動前來慰問，便拱手拜謝。對士人拜一拜，對大夫拜兩拜。子貢說：「請問這是為什麼？」孔子說：「來這裡的人，都是遵行相互慰問的禮制的。我是國家的官吏，因而要加以拜謝。」

孔子為大司寇，國廐焚，子退朝而之火所，鄉人有自為火來者，則拜之，士一，大夫再。子貢曰：「敢問何也？」孔子曰：「其來者亦相弔之道也。吾為有司，故拜之。」（《孔子家語》〈曲禮子貢問〉）

父子訟者

魯國有一對父子相互告狀，季孫康子想處死二人以儆傚尤。孔子不同意說：「百姓不懂得父子相訟不妥已經很久了，這是執政者的過錯。執政者倡行正道，就不會發生這種事了。」康子說：「治理百姓以孝道為本，處罰告狀的兒子以羞辱不孝的人，不也可以嗎？」孔子說：「不教導就殺人，是濫殺無辜。三軍大敗，不能行殺伐；刑獄沒整治好，不能用刑罰；執政者宣示教化，自己先要實行它，百姓才會跟從；自己親身踐行還有人不跟從，就可以施行刑罰，這樣人們就知道什麼是罪過了。七尺高的牆誰也不能跨越，七百尺高的山坡小孩子也能爬上去玩耍，因為坡道斜緩。如今仁義衰落就彷彿斜緩的山坡，能阻止人們攀爬嗎？《詩經》上說：『要使人民不迷失方向。』[49]從前君主引導百姓，指給他們正確的方向，因此雖有威嚴卻不輕易發威，雖有刑罰卻放置不用。」告狀的父子聽到這番話，於是雙雙撤訟，不再上告。[50]

---

49. 「俾民不迷」，出自《詩經》〈小雅・節南山〉。

50. 在《孔子家語》〈始誅〉中，季康子變成了他父親季桓子。

魯有父子訟者，康子曰：「殺之！」孔子曰：「未可殺也。夫民不知子父訟之不善者久矣，是則上過也；上有道，是人亡矣。」康子曰：「夫治民以孝為本，今殺一人以戮不孝，不亦可乎？」孔子曰：「不孝而誅之，是虐殺不辜也。三軍大敗，不可誅也；獄訟不治，不可刑也；上陳之教而先服之，則百姓從風矣，躬行不從而後俟之以刑，則民知罪矣；夫一仞之牆，民不能逾，百仞之山，童子升而游焉，陵遲故也！今是仁義之陵遲久矣，能謂民弗逾乎？《詩》曰：『俾民不迷！』昔者君子導其百姓不使迷，是以威厲而不至，刑錯而不用。」於是訟者聞之，乃請無訟。（《說苑》〈政理〉）

必教而後刑

孔子擔任魯國的大司寇，有父子二人來打官司，孔子把他們關在同一間牢房裡，過了三個月也不判決。父親請求撤回訴訟，孔子就把二人放了。季孫氏得知消息，很不高興說：「司寇欺騙我，從前他對我說：『治理國家一定要以提倡孝道為先。』現在我要殺掉一個不孝的人來教育百姓遵守孝道，司寇卻赦免了他們。」冉有把季孫氏的話告訴孔子，孔子嘆息說：「唉！身居上位而濫殺百姓，這是違背常理；不用孝道來教化民眾而隨意判決官司，這是濫殺無辜。三軍打了敗仗，殺死士卒能解決問題嗎？刑事案件不斷發生，嚴刑峻法又豈能制止？罪責不在百姓，是統治者的教化沒發揮作用。法律鬆弛而刑殺嚴酷，是害民；不按時令橫徵暴斂，是擾民；不施教化而苛求百姓遵

守禮法，是虐民。施政中去除了這三種弊害，才可以使用刑罰。《尚書》說：『刑罰要以適宜為本，不可隨心所欲，總是有不合自己心意的事情的。應該先施行教化，而後再用刑罰。』先陳說道理使百姓明白敬服，如果不行，再以賢人為表率引導鼓勵他們，還不行，再放棄種種說教，以威勢震懾他們。堅持這樣去做，三年後百姓就會走上正道。其中有些不從教化的頑劣之徒，對他們就可以施以刑罰。這樣百姓就會知道什麼是犯罪。《詩經》說：『輔佐天子，使百姓不迷惑。』能做到這些，就不必動用嚴刑峻法，刑法就可以擱置不用了。當今之世卻不是這樣，教化紊亂，刑法繁多，民眾無所適從，隨時可能落入陷阱。官吏習慣於用嚴刑峻法來控制局面，其結果，刑罰越繁，盜賊越多。三尺高的門檻，即使空車也不能越過，為什麼呢？因為門檻陡高；百仞高的山丘，負載極重的車子也能攀越，為什麼呢？因為坡度低緩。如今的社會，風氣敗壞已經很久了，即使有嚴刑苛法，能約束百姓遵守規矩嗎？」

【出處】

孔子為魯大司寇，有父子訟者，夫子同狴執之，三月不別。其父請止，夫子赦之焉。季孫聞之不悅，曰：「司寇欺余，曩告余曰，『國家必先以孝』，余今戮一不孝以教民孝，不亦可乎？而又赦，何哉？」冉有以告孔子，子喟然嘆曰：「嗚呼！上失其道而殺其下，非理也。不教以孝而聽其獄，是殺不辜。三軍大敗，不可斬也。獄犴不治，不可刑也。何者？上教之不行，罪不在民故也。夫慢令謹誅，賊也。徵斂無時，暴也。不試責成，虐也。政無此三者，然後刑可即也。《書》云：『義刑義殺勿庸，以即汝心，惟曰未有慎事，言必教

而後刑也。」既陳道德以先服之，而猶不可，尚賢以勸之，又不可，即廢之，又不可，而後以威憚之。若是三年，而百姓正矣。其有邪民不從化者，然後待之以刑，則民咸知罪矣。《詩》云：『天子是毗，俾民不迷。』是以威厲而不試，刑錯而不用。今世則不然，亂其教，繁其刑，使民迷惑而陷焉，又從而制之，故刑彌繁而盜不勝也。夫三尺之限，空車不能登者，何哉？峻故也。百仞之山，重載陟焉，何哉？陵遲故也。今世俗之陵遲久矣，雖有刑法，民能勿逾乎？」（《孔子家語》〈始誅〉）

吾有老父

　　魯國有個人跟隨君主去打仗，屢戰屢逃；孔子詢問他當逃兵的原因，回答說：「我家中有年老的父親，我死後就沒人贍養他了。」孔子認為他是孝子，便推舉他做官。由此看來，父親的孝子恰恰是君主的叛臣。所以令尹殺了直躬，楚國再沒人向上級舉報壞人壞事；孔子獎賞逃兵，魯國人作戰就輕易地選擇投降逃跑。君臣之間的利害得失是如此不同，君主既贊成謀求私利的行為，又想讓國家繁榮富強，肯定是不可能的。

【出處】

　　魯人從君戰，三戰三北。仲尼問其故，對曰：「吾有老父，身死莫之養也。」仲尼以為孝，舉而上之。以是觀之，夫父之孝子，君之背臣也。故令尹誅而楚奸不上聞，仲尼賞而魯民易降北。上下之利，

若是其異也，而人主兼舉匹夫之行，而求致社稷之福，必不幾矣。
（《韓非子》〈五蠹〉）

孔子相魯

　　孔子輔助魯君治理國家，齊國人害怕魯國稱霸，策劃破壞魯國的
政治。於是挑選了八十名美女，讓她們穿上紋飾華麗的服裝，教她們
跳容璣[51]之舞，又挑選了一百二十匹花紋美麗的駿馬，準備送給魯國
國君。齊國人把這些舞女、駿馬安排在魯國都城南面的高門外。季桓
子換上便裝前去觀賞，一連觀賞了好幾次，準備接受這些禮物，就報
告魯君並帶他到周邊巡遊觀看。而後整天觀賞齊國的舞女和駿馬，連
政事都懶得處理。子路知道後對孔子說：「先生可以離開魯國了。」
孔子說：「現在魯國準備舉行郊祭，如果能在祭祀後把祭祀用的熟肉
分給大夫們，那說明還沒有廢棄世代相承的禮制，我們還可以留一
留。」後來季桓子接受了美女歌舞，君臣上下荒淫無度，一連三天不
處理國家政務，舉行郊祭時也沒有分送祭祀用的熟肉。孔子於是決定
離開魯國，晚上在城外的屯地住宿下來。師已前來送行說：「先生並
沒有過錯啊。」孔子說：「我想唱歌可以嗎？」接著唱道：「婦人搬
弄是非，可以害你四處奔走；婦人煽風點火，可以讓你國破身亡。悠
閒啊悠閒啊，我只有這樣了此一生了！」

---

51. 容璣：舞曲。

　　孔子相魯，齊人患其將霸，欲敗其政，乃選好女子八十人，衣以文飾而舞容璣，及文馬四十駟，以遺魯君，陳女樂，列文馬於魯城南高門外，季桓子微服往觀之再三，將受焉，告魯君為周道游觀，觀之終日，怠於政事。子路言於孔子曰：「夫子可以行矣。」孔子曰：「魯今且郊，若致膰於大夫，是則未廢其常，吾猶可以止也。」桓子既受女樂，君臣淫荒，三日不聽國政，郊又不致膰俎，孔子遂行。宿於郭屯，師已送曰：「夫子非罪也。」孔子曰：「吾歌可乎？歌曰：『彼婦人之口，可以出走，彼婦人之請，可以死敗。優哉游哉，聊以卒歲。』」（《孔子家語》〈子路初見〉）

遇一哀而出涕

　　孔子到衛國去，遇到曾經住過的館舍的主人死了。孔子進去弔喪，哭得很傷心。出來以後，讓子貢解下駕車的驂馬送給喪家。子貢說：「對於僅僅相識的人的喪事，不用贈送什麼禮物吧，把馬贈給館舍的主人，這禮物是不是太重了？」孔子說：「我剛才進去哭他，一悲傷就落下淚來，我不願只是哭泣而沒有表示，你就按我說的做吧。」

【出處】

　　孔子適衛，遇舊館人之喪，入而哭之哀。出使子貢脫驂以贈之。子貢曰：「所於識之喪，不能有所贈，贈於舊館，不已多乎？」孔子

曰：「吾向入哭之，遇一哀而出涕，吾惡夫涕而無以將之，小子行焉。」（《孔子家語》〈曲禮子夏問〉）

計之於廟堂

衛靈公問孔子：「有人告訴我：『擁有國家的君主，在朝廷上策劃好國家大事，國家就能得到治理。』您認為怎樣？」孔子說：「大概可以吧。喜歡別人的人，別人也會喜歡他；厭惡別人的人，別人也會厭惡他。知道自身的好惡也就能知道別人的好惡。所謂的不走出自己的屋子，卻能夠瞭解天下大事，說的就是能自我反省。」

【出處】

衛靈公問於孔子曰：「有語寡人有國家者，計之於廟堂之上，則政治矣，何如？」孔子曰：「其可也，愛人者則人愛之，惡人者則人惡之，知得之己者則知得之，人所謂不出環堵之室而知天下者，知反己之謂也。」（《孔子家語》〈賢君〉）

則從其質

孔子在衛國的時候，司徒敬子去世了，孔子前往弔唁。見主人哭得一點都不傷心，孔子沒等哭完就出去了。蘧伯玉向孔子請求說：「我們衛國習俗鄙陋，不懂喪禮。麻煩您屈尊擔任禮相。」孔子答應了。他讓人在內室中間掘坑，把床架在上面，為死者洗浴，使水流入

坑內；拆毀爐灶，用灶磚支起並控制雙腳；並在床上為他穿衣。到了安葬的時候，將廟牆拆個豁口，越過行神之位，直接把靈車拉出大門。到了墓地，男子面朝西，婦女面朝東，築完墳以後就回來了。這是殷人舉行喪禮的儀式，而孔子卻都予以進行了。子游問：「君子主持禮儀，不求改變習俗，然而先生您已經將它改變了。」孔子說：「不是像你說的那樣，我辦理喪事只不過是遵從質樸的原則而已。」

【出處】

孔子在衛，司徒敬之卒，夫子弔焉，主人不哀，夫子哭不盡聲而退。蘧伯玉請曰：「衛鄙俗不習喪禮，煩吾子辱相焉。」孔子許之，掘中霤而浴，毀灶而綴，足襲於床，及葬，毀宗而躐行，出於大門，及墓，男子西面，婦人東面，既封而歸，殷道也。孔子行之。子游問曰：「君子行禮，不求變俗，夫子變之矣。」孔子曰：「非此之謂也，喪事則從其質而已矣。」（《孔子家語》〈曲禮子貢問〉）

善哉為喪

孔子在衛國，衛國有人送葬，孔子觀看後評論說：「好啊！這位送葬的人，足以讓人傚法了。你們要好好記著。」子貢問：「先生您為什麼稱讚他呢？」孔子說：「那孝子送葬到墓地時，就如同小孩子那樣對父母戀戀不捨；下葬回來時，又像是擔心父母的神靈沒有跟著他回來而遲疑不前。」子貢說：「這哪裡比得上趕緊回家安排虞祭呢？」孔子說：「這才是親情的最好體現呢。你們好好記著！恐怕連

我都做不到這一步呢。」

【出處】

　　孔子在衛，衛之人有送葬者，而夫子觀之曰：「善哉為喪乎，足以為法也，小子識之。」子貢問曰：「夫子何善爾，其往也如慕，其返也如疑。」子貢曰：「豈若速返而虞哉。」子曰：「此情之至者也，小子識之，我未之能也。」（《孔子家語》〈曲禮子貢問〉）

擊磬於衛

　　孔子在衛國，一次正在擊磬，有一位背扛草筐的人從門前走過說：「這個擊磬的人有心思啊！」一會兒又說：「聲音硜硜的，真可鄙呀，沒有人瞭解自己，就只為自己就是了。好像涉水一樣，水深就穿著衣服趟過去，水淺就撩起衣服趟過去。」孔子說：「說得太準了，一點沒錯。」

【出處】

　　子擊磬於衛，有荷蕢而過孔氏之門者，曰：「有心哉，擊磬乎！」既而曰：「鄙哉，硜硜乎！莫己知也，斯己而已矣。深則厲，淺則揭。」子曰：「果哉！末之難矣。」（《論語》〈憲問〉）

孔子學鼓琴

　　孔子向師襄子學習彈琴，一連學了十天，也沒練習新曲目。師襄子說：「可以學習新曲了。」孔子說：「我已經熟習這首曲子了，但還沒有熟練掌握彈琴的技法。」過了幾天，師襄子又說：「你已熟悉技法，可以練習新的曲子了。」孔子說：「我還沒有領會這首曲子的意蘊呢。」又過了幾天，師襄子說：「可以學習新的曲子了。」孔子說：「我還沒有體會作曲者是怎樣一個人。」接下來好幾天，孔子蕭穆深思，接著心曠神怡，顯出躊躇滿志的樣子。而後說：「我體會出作曲者是個什麼樣的人了，他皮膚黝黑，身材高大，目光明亮而深邃，就好像統治四方的王者，除了周文王還會是誰呢！」師襄子恭敬地離開座位，向孔子行禮說：「我老師對我介紹過，這是《文王操》啊！」

【出處】

　　孔子學鼓琴師襄子，十日不進。師襄子曰：「可以益矣。」孔子曰：「丘已習其曲矣，未得其數也。」有間，曰：「已習其數，可以益矣。」孔子曰：「丘未得其志也。」有間，曰：「已習其志，可以益矣。」孔子曰：「丘未得其為人也。」有間，有所穆然深思焉，有所怡然高望而遠志焉。曰：「丘得其為人，黯然而黑，幾然而長，眼如望羊，如王四國，非文王其誰能為此也！」師襄子辟席再拜，曰：「師蓋云《文王操》也。」（《史記》〈孔子世家〉）

義然後取

孔子向公明賈瞭解公叔文子說：「先生他不說、不笑、不取錢財，是真的嗎？」公明賈回答說：「這是告訴你話的那個人的過錯。先生他到該說時才說，因此別人不厭惡他說話；快樂時才笑，因此別人不厭惡他笑；合於禮的財利他才取，因此別人不厭惡他取。」孔子說：「原來是這樣啊！」

【出處】

子問公叔文子於公明賈曰：「信乎，夫子不言，不笑，不取乎？」公明賈對曰：「以告者過也。夫子時然後言，人不厭其言；樂然後笑，人不厭其笑；義然後取，人不厭其取。」子曰：「其然？豈其然乎？」（《論語》〈憲問〉）

孔子過蒲

孔子路過蒲地，正好遇上公叔氏據蒲反叛衛國，蒲人扣留了孔子。有個叫公良孺的弟子，自己帶著五輛車子跟隨孔子周遊各地。此人身材高大，為人賢德且有勇力，對孔子說：「從前跟隨老師出遊在匡地遇難，如今又在蒲地遇難，這是命裡注定吧。我和老師一再遭難，情願搏鬥而死。」公良孺奮力與蒲人作戰，蒲人害怕了，對孔子說：「如果你們不去衛國，我們就放你們走。」蒲人與孔子訂立盟約，然後才放孔子一行從東門出去。孔子接著就到了衛國。子貢說：

「盟約可以違背嗎？」孔子說：「在要挾之下訂立的盟約，神並不會認可。」

【出處】

　　過蒲，會公叔氏以蒲畔，蒲人止孔子。弟子有公良孺者，以私車五乘從孔子。其為人長賢，有勇力，謂曰：「吾昔從夫子遇難於匡，今又遇難於此，命也已。吾與夫子再罹難，寧鬥而死。」鬥甚疾。蒲人懼，謂孔子曰：「苟毋適衛，吾出子。」與之盟，出孔子東門。孔子遂適衛。子貢曰：「盟可負邪？」孔子曰：「要盟也，神不聽。」（《史記》〈孔子世家〉）

肅慎氏之矢

　　孔子在陳國時，有一隻鷹墜落在陳侯的庭院裡死了。楛木做的箭射穿了它的身體，箭頭是用尖石做的，箭身一尺八寸長。陳惠公派人帶著鷹和箭去向孔子請教。孔子說：「這隻鷹是從遠方飛來的，射它的箭是北方肅慎氏製造的。從前周武王戰勝殷商，開通了到達南北方各少數民族地區的道路，命令他們各自以本地的土特產進貢，以盡侍奉天子的職守。於是肅慎氏就向周天子進貢楛矢和石砮，箭長一尺八寸。武王為了昭顯威德，告示後人，就在箭尾扣弦處刻上『肅慎國進貢之箭』的字樣，送給大女兒，帶到隨嫁虞胡公的封地陳國。古時候，帝王把珍玉分給同姓，用來表示血緣的親近；把遠方的貢品分給異姓，使他們不忘侍奉天子。虞胡公是異姓，所以得到肅慎國的貢

品。國君可以派管事的到府庫尋找，說不定還能找到。」陳惠公於是派人尋找，果然在黃金裝飾的木盒裡發現了楛矢。

【出處】

　　仲尼在陳，有隼集於陳侯之庭而死，楛矢貫之，石砮，其長尺有咫。陳惠公使人以隼如仲尼之館問之。仲尼曰：「隼之來也遠矣！此肅慎氏之矢也。昔武王克商，通道於九夷、百蠻，使各以其方賄來貢，使無忘職業。於是肅慎氏貢楛矢、石砮，其長尺有咫。先王欲昭其令德之致遠也，以示後人，使永監焉，故銘其栝曰『肅慎氏之貢矢』，以分大姬、配虞胡公而封諸陳。古者，分同姓以珍玉，展親也；分異姓以遠方之職貢，使無忘服也。故分陳以肅慎氏之貢。君若使有司求諸故府，其可得也。」使求，得之金櫝，如之。（《國語》〈魯語〉）

為尊者諱

　　陳司敗[52]問孔子說：「魯昭公懂禮嗎？」孔子說：「懂禮。」孔子出去後，陳司敗對巫馬施說：「我聽說君子不偏私袒護。魯昭公娶吳女為夫人，給她取名孟子。孟子本姓姬，避忌稱呼同姓，所以叫她孟子。魯君要是懂得禮儀，那還有誰不懂得禮節呢？」巫馬施把這些話轉告給孔子，孔子說：「我真幸運，如果有了過失，人家一定會知

---

52. 陳司敗，據《朱熹集注》：陳，國名；司敗，官名，即司寇。

道。作臣子的不能說國君的壞話，為尊者諱，就是懂禮啊。」[53]

【出處】

陳司敗問孔子曰：「魯昭公知禮乎？」孔子曰：「知禮。」退而揖巫馬施曰：「吾聞君子不黨，君子亦黨乎？魯君娶吳女為夫人，命之為孟子。孟子姓姬，諱稱同姓，故謂之孟子。魯君而知禮，孰不知禮！」施以告孔子，孔子曰：「丘也幸，苟有過，人必知之。臣不可言君親之惡，為諱者，禮也。」（《史記》〈仲尼弟子列傳〉）

不遇其時

孔子在陳、蔡兩國受困，住在四面土牆的斗室內，坐在用經典鋪成的坐席上，七天沒有糧食，野菜湯裡不見米粒，弟子們都面帶饑色。子路勸諫孔子說：「凡是做了好事的，上天會有福報；做了壞事的，上天會有災報。先生積德行善如此之久，想來還有行為不檢點的地方吧？為什麼仍然處境窮困呢？」孔子說：「仲由不明白，坐下，讓我告訴你。你認為有智慧的人無所不知嗎？那王子比干為什麼剖心而死？你認為進諫就一定會聽從嗎？那伍子胥為什麼挖出雙眼掛在吳國國都東門？你認為廉正的人一定會受重用嗎？那伯夷、叔齊為什麼餓死在首陽山下？你認為忠誠的人一定會被任用嗎？那為什麼鮑叔牙

---

53. 吳祖吳太伯姬姓，與魯同姓。周禮有不娶同姓、「男女同姓，其生不蕃」的說法。

不受重用？楚公子高終身沒有顯達？鮑焦抱樹枯槁而死？介子推登山自焚身亡？古往今來，學問廣博、足智多謀卻生不逢時的君子太多了，豈止我孔丘一人？賢不賢在於才能，有無作為在人，成不成功在於機遇，死與生在於天命。有才能卻缺乏機遇，再有才能也沒用。如果機遇偶合，施展能有什麼困難？虞舜曾經在歷山耕作，在河邊製作陶器，後來做了天子，那是因為遇上了唐堯。傳說曾經背土築牆，後來解除勞役，輔佐天子，那是他遇上了武丁。伊尹原是有莘氏陪嫁的奴隸，背著炊具，調和五味，後來輔佐天子，那是他遇上了成湯。呂望年滿五十，在棘津賣食品，七十歲在朝歌宰牛，九十歲時成為天子的老師，那是他遇上了周文王。管仲被捆起來蒙上雙眼關在囚車裡，後來被舉為仲父，那是他遇上了齊桓公。百里奚以五張羊皮的身價為秦伯放羊，後來被用作卿大夫，那是他遇上了秦穆公。沈尹天下聞名，已做了令尹，卻讓位給孫叔敖，那是因為遇上了楚莊王。伍子胥先前立下大功，後被殺死，不是他的智謀衰退，而是因為先前遇上的是闔廬，後來遇上的是夫差。那良馬拉鹽車受疲睏，不是沒有良馬的形狀，是世人不能識別它。如果良馬遇上王良、造父，難道會沒有奔馳千里的腳力嗎？那芝草蘭花長在幽深的樹林裡，不因為沒人欣賞就不散發芬芳。求學的人不是為了顯達，而是為了在逆境中不困頓；在憂患中志氣不減；面對禍福無常，內心不惑。聖人深思熟慮，能保持自己獨立的思考和見解。舜也是聖賢，他南面稱帝而統治天下，只是因為他遇上了堯。如果讓他處在夏桀商紂的時代，能使自己免受刑戮就不錯了，又怎能身居帝位統治天下呢？夏桀殺死關龍逢，商紂殺死王子比干，是關龍逢缺乏智慧，比干生性愚蠢嗎？那是夏桀商紂昏暗無道的時代所造成的。因此君子應該努力學習，加強自身修養，端正

品行，安心等待時機。」

【出處】

孔子困於陳、蔡之間，居環堵之內，席三經之席，七日不食，藜羹不糝，弟子皆有饑色，讀詩書治禮不休。子路進諫曰：「凡人為善者天報以福，為不善者天報以禍。今先生積德行，為善久矣。意者尚有遺行乎？奚居隱也！」孔子曰：「由，來，汝不知。坐，吾語汝。子以夫知者為無不知乎？則王子比干何為剖心而死？以諫者為必聽耶？伍子胥何為抉目於吳東門？子以廉者為必用乎？伯夷、叔齊何為餓死於首陽山之下？子以忠者為必用乎？則鮑莊何為而肉枯？荊公子高終身不顯，鮑焦抱木而立枯，介子推登山焚死。故夫君子博學深謀不遇時者眾矣，豈獨丘哉！賢不肖者才也，為不為者人也，遇不遇者時也，死生者命也；有其才不遇其時，雖才不用，苟遇其時，何難之有！故舜耕歷山而逃於河畔，立為天子則其遇堯也。傅說負壤土、釋板築，而立佐天子，則其遇武丁也。伊尹，有莘氏媵臣也，負鼎俎調五味而佐天子，則其遇成湯也。呂望行年五十賣食於棘津，行年七十屠牛朝歌，行年九十為天子師，則其遇文王也。管夷吾束縛膠目，居檻車中，自車中起為仲父，則其遇齊桓公也。百里奚自賣取五羊皮，伯氏牧羊以為卿大夫，則其遇秦穆公也。沈尹名聞天下，以為令尹，而讓孫叔敖，則其遇楚莊王也。伍子胥前多功，後戮死，非其智益衰也，前遇闔廬，後遇夫差也。夫驥厄罷鹽車，非無驥狀也，夫世莫能知也；使驥得王良、造父，驥無千里之足乎？芝蘭生深林，非為無人而不香。故學者非為通也，為窮而不困也，憂而不衰也，此知禍福之始而心不惑也，聖人之深念獨知獨見。舜亦賢聖矣，南面治天下，唯

其遇堯也；使舜居桀紂之世，能自免於刑戮固可也，又何官得治乎？夫桀殺關龍逄而紂殺王子比干，當是時，豈關龍逄無知，而比干無惠哉？此桀紂無道之世然也。故君子疾學修身端行，以須其時也。」（《說苑》〈雜言〉）

歲寒知松柏之茂

　　孔子在陳、蔡兩國之間受困，七天沒吃糧食，僅靠野菜充饑。宰予又餓又乏，孔子在室內彈琴唱歌，顏回在外面擇野菜。子路對子貢說：「先生在魯國被逐，在衛國隱居，在宋國樹下習禮遭人驅逐，在陳、蔡二國遭遇困境。殺先生的人無人追究，凌辱先生的人不受拘禁，而先生歌聲不止。君子有這樣不知羞恥的嗎？」顏回無言以對，進屋告訴孔子。孔子非常生氣地推開琴絃，喟然嘆息說：「仲由和端木賜真是小人啊！叫他倆進來，我來告訴他們。」子路和子貢進到室內。子貢說：「像現在這種情況，可以說是困窘了。」孔子說：「這是什麼話？君子有道稱之通達，無道才叫受窮。如今我固守仁義道德，遭受亂世的禍患，這是我應得的處境，怎麼能叫受窮呢？只要自己的內心無愧於道，面臨災難而不喪失應有的品德就已經足夠。嚴寒到來，霜雪降落，才知道松柏旺盛的生命力。從前齊桓公因出奔莒國而萌生復國稱霸之心，晉文公因出亡曹國而萌生復國稱霸之心，越王勾踐因受會稽之恥而萌生復國稱霸之心。今天在陳國、蔡國遭遇的困境，對我何嘗不是一種幸運呢！」孔子威嚴地重新操起琴瑟，子路威武地拿著盾牌翩翩起舞。子貢說：「我真是不知天高地厚啊！」古代

得道的人，困窮時高興，顯達時快樂，高興快樂的不是困窮和顯達。如果自身有道，那麼困窮和顯達都是一樣，就像寒暑風雨四季交替一樣。所以許由能自娛於穎水之上，共伯會自得於共首山下。

【出處】

孔子窮於陳、蔡之間，七日不嘗食，藜羹不糝。宰予備矣，孔子絃歌於室，顏回擇菜於外。子路與子貢相與而言曰：「夫子逐於魯，削跡於衛，伐樹於宋，窮於陳、蔡。殺夫子者無罪，藉夫子者不禁，夫子絃歌鼓舞，未嘗絕音。蓋君子之無所醜也若此乎？」顏回無以對，入以告孔子。孔子憫然推琴，喟然而嘆曰：「由與賜小人也。召，吾語之。」子路與子貢入，子貢曰：「如此者，可謂窮矣！」孔子曰：「是何言也？君子達於道之謂達，窮於道之謂窮。今丘也拘仁義之道，以遭亂世之患，其所也，何窮之謂？故內省而不疚於道，臨難而不失其德，大寒既至，霜雪既降，吾是以知松柏之茂也。昔桓公得之莒，文公得之曹，越王得之會稽。陳、蔡之厄，於丘其幸乎！」孔子烈然返瑟而弦，子路抗然執干而舞。子貢曰：「吾不知天之高也，不知地之下也。」古之得道者，窮亦樂，達亦樂，所樂非窮達也。道得於此，則窮達一也，為寒暑風雨之序矣。故許由虞乎穎陽，而共伯得乎共首。（《呂氏春秋》〈孝行覽‧慎人〉）

知人固不易

孔子被困在陳國、蔡國之間，只能吃野菜充饑，七天沒有米粒下

鍋。白天，孔子躺在床上迷迷糊糊地睡覺，顏回討米回來，開始生火做飯。飯快熟了，孔子望見顏回從鍋裡抓飯吃。過了一會，飯做熟了，顏回拜見孔子獻上飯食，孔子假裝沒看見顏回抓飯吃，起身說：「剛才我夢見了先君，把飯食弄乾淨了好去祭祀先君吧。」顏回回答說：「不行。剛才煙塵掉到鍋裡，扔掉沾著煙塵的食物不吉利，我抓出來吃了。」孔子嘆息著說：「人們相信自己的眼睛，然而眼睛看到的未必真實；人們覺得心可以依靠，然而心的揣度卻不足以依靠。弟子們千萬記住了：瞭解一個人，真的很不容易啊。」

【出處】

孔子窮乎陳、蔡之間，藜羹不斟，七日不嘗粒。晝寢。顏回索米，得而爨之，幾熟，孔子望見顏回攫其甑中而食之。選間，食熟，謁孔子而進食。孔子佯為不見之。孔子起曰：「今者夢見先君，食潔而後饋。」顏回對曰：「不可。向者煤炱入甑中，棄食不祥，回攫而飯之。」孔子嘆曰：「所信者目也，而目猶不可信；所恃者心也，而心猶不足恃。弟子記之：知人固不易矣。」故知非難也，孔子之所以知人難也。（《呂氏春秋》〈審分覽・任數〉）

言忠信，行篤敬

孔子師徒一行在陳、蔡兩國被圍困時，子張向孔子請教為人處世的道理。孔子回答說：「說話要忠誠信實，行為要真誠恭敬，即使身處南蠻北狄也行得通；說話不忠信，行為不恭敬，即使身在本鄉本

土，也行不通。站著的時候，就像有『忠信篤敬』四個字亮在眼前；坐在車上，就彷彿『忠信篤敬』四個字掛在車前的橫木上。能做到這種地步，就可以通行無阻了。」子張聽了，就把「言忠信，行篤敬」六個字寫在束腰的大帶子上。

【出處】

他日從在陳蔡間，困，問行。孔子曰：「言忠信，行篤敬，雖蠻貊之國行也；言不忠信，行不篤敬，雖州里行乎哉！立則見其參於前也，在輿則見其倚于衡，夫然後行。」子張書諸紳。（《史記》〈仲尼弟子列傳〉）

若似陽虎

孔子到宋國去，匡簡子要殺陽虎，孔子貌似陽虎，士兵們因此包圍了孔子的住宅。子路發怒，操起長戟準備出去拚命。孔子制止他說：「仁義之人也不能免俗嗎？不學習《詩》《書》，不研究《禮》《樂》，這是我的過錯；至於貌似陽虎，卻不是我的過錯。聽天由命吧！仲由唱歌，我來應和！」子路於是引吭高歌，孔子大聲應和，唱了三遍，士兵就解圍而去。

【出處】

孔子之宋，匡簡子將殺陽虎，孔子似之。甲士以圍孔子之舍，子路怒，奮戟將下鬥。孔子止之，曰：「何仁義之不免俗也？夫《詩》、

《書》之不習，《禮》、《樂》之不修也，是丘之過也。若似陽虎，則非丘之罪也，命也夫。由，歌予和汝。」子路歌，孔子和之，三終而甲罷。（《說苑》〈雜言〉）

傾蓋而語

孔子到郯國去，在路上遇見程子，停車傾蓋長談了很久。孔子吩咐子路說：「取束帛一捆贈給程先生。」子路不吭聲。過了一會，又叮囑子路說：「取束帛來贈送程先生。」子路不屑地回答說：「我聽說：士子不經人介紹相見，女子不經人說媒嫁人，君子是不會這麼做的。」孔子說：「仲由，《詩經》上不是說過嗎：『野外有蔓生的草，天降下露珠團團呀。有這樣一位美人，眉目清秀宛然呀，出乎意料的相遇，正合我的心願呀！』程子是天下的賢士，此次相見不贈送禮物給他，恐怕終身也難得再見了。大節上不能越軌，小節上有些出入是可以的。」

【出處】

孔子之郯，遭程子於塗，傾蓋而語終日。有間，顧子路曰：「取束帛一以贈先生。」子路不對。有間，又顧曰：「取束帛一以贈先生。」子路屑然對曰：「由聞之，士不中而見，女無媒而嫁，君子不行也。」孔子曰：「由，《詩》不云乎：『野有蔓草，零露溥兮，有美

一人，清揚婉兮，邂逅相遇，適我願兮。」[54]今程子天下之賢士也，於是不贈，終身不見。大德毋踰閑，小德出入可也。」（《說苑》〈尊賢〉）

苛政猛於虎

孔子經過北方的山戎地區，看見有個婦女在路邊哭得很傷心，孔子停車上前問她說：「是什麼事讓你哭得這麼傷心啊？」婦女回答說：「前幾年我的丈夫被老虎吃了，今天我的兒子又讓老虎吃了。」孔子同情地說：「真是悲慘啊！既然如此，那你為什麼不離開這個地方呢？」婦人回答說：「這兒政治清明，官吏不那麼凶狠苛刻，所以不願意離開。」孔子回頭對子貢說：「弟子們記住，政治昏暗、官吏苛嚴，比虎狼還厲害啊。」《詩經》中說：「上天降下死亡和饑荒，殘害四面八方的國家。」政治不清明，就會殘害四面八方的國家，又豈止兩個人受害呢？這位婦人不肯離開這裡，也就很自然了。

【出處】

孔子北之山戎氏，有婦人哭於路者，其哭甚哀，孔子立輿而問曰：「曷為哭哀至於此也。」婦人對曰：「往年虎食我夫，今虎食我子，是以哀也。」孔子曰：「嘻，若是，則曷為不去也？」曰：「其政平，其吏不苛，吾以是不能去也。」孔子顧子貢曰：「弟子記之，

54.「野有蔓草，零露漙兮，有美一人，清揚婉兮，邂逅相遇，適我願兮」，出自《詩經》〈鄭風・野有蔓草〉。

苛政猛於虎

夫政之不平而吏苛，乃等於虎狼矣。」《詩》曰：「降喪饑饉，斬伐四國。」[55]夫政不平也，乃斬伐四國，而況二人乎？其不去宜哉？（《新序》〈雜事〉）

樹欲靜乎風不定

　　孔子外出遊歷，半路上聽見有人啼哭，聲音十分悲傷。孔子催促弟子說：「趕快過去看看！前面有人在哭。」前進不遠，看見是丘吾子手持鐮刀腰扎草繩蹲在地上痛哭。孔子下車關切地問他說：「先生莫非有喪事嗎？怎麼哭得這樣傷心呢？」丘吾子回答說：「我有三種過失。」孔子說：「說來聽聽。」丘吾子說：「我年輕時喜歡求學，周遊天下，後來回家，父母雙親已經去世，這是一失；我侍奉傲慢奢侈的國君，勸諫不聽，這是第二失；我喜歡結交朋友，後來都斷絕了往來，這是第三失。樹枝欲不搖擺而風卻不停止，兒子想要侍奉雙親而雙親卻已離世。歲月一去不復返，親人已逝難再見。就讓我在此訣別吧！」於是自刎而死。孔子說：「弟子們謹記這些話，足以作為大家的鑒戒！」於是弟子中返回家鄉侍奉父母的有十三人。

【出處】

　　孔子行游中路聞哭者聲，其音甚悲，孔子曰：「驅之！驅之！前有異人音。」少進，見之，丘吾子也，擁鐮帶索而哭，孔子辟車而下，問曰：「夫子非有喪也？何哭之悲也。」丘吾子對曰：「吾有三

55.「降喪饑饉，斬伐四國」，出自《詩經》〈小雅·雨無正〉。

失。」孔子曰:「願聞三失。」丘吾子曰:「吾少好學問,周遍天下,還後吾親亡,一失也。事君奢驕,諫不遂,是二失也。厚交友而後絕,三失也。樹欲靜乎風不定,子欲養吾親不待;往而不來者,年也;不可得再見者,親也。請從此辭。」則自刎而死。孔子曰:「弟子記之,此足以為戒也。」於是弟子歸養親者十三人。(《說苑》〈敬慎〉)

野人大說

孔子趕路,在路邊休息時,馬掙脫束縛,吃了農民的莊稼,農夫扣留了他的馬。子貢自告奮勇去與農民交涉,好話歹話說了一大堆,農民仍然不把馬還給他。有個剛跟隨孔子學習的鄉下學生說:「讓我去試試吧。」鄉下學生對農民說:「您耕種的土地從東海直到西海,我們的馬兒哪能不吃你的莊稼呢?」農夫聽了很高興,對他說:「你說的話很中聽,哪像剛才的人繞那麼多彎彎呢。」當即把馬還給了他。

【出處】

孔子行道而息,馬逸,食人之稼,野人取其馬。子貢請往說之,畢辭,野人不聽。有鄙人始事孔子者,曰:「請往說之。」因謂野人曰:「子不耕於東海,吾不耕於西海也。吾馬何得不食子之禾?」其野人大說,相謂曰:「說亦皆如此其辯也!獨如向之人?」解馬而與之。(《呂氏春秋》〈孝行覽‧必己〉)

凶事不豫

　　孔子在宋國，看見桓魋為自己預做石槨，做了三年還沒有完工，工匠都為此疲憊不堪。孔子面有憂色說：「像這樣奢靡，死了還不如快點腐朽好。」冉有問孔子說：「《禮》書說，凶事不能事先預料到。指的什麼意思呢？」孔子說：「人死了以後再議定諡號，諡號定了以後再選擇下葬地點日期，安葬完畢再建立宗廟，這些事都是由下臣辦理的，並不能預先安排，自己哪做得了主呢？」

【出處】

　　孔子在宋，見桓魋自為石槨，三年而不成，工匠皆病。夫子愀然曰：「若是其靡也。死不如朽之速愈。」冉子僕曰：「禮，凶事不豫，此何謂也？」夫子曰：「既死而議諡，諡定而卜葬，既葬而立廟，皆臣子之事，非所豫屬也，況自為之哉。」（《孔子家語》〈曲禮子貢問〉）

喪家之狗

　　孔子前往鄭國，跟弟子們走散了，獨自一個人站在城郭的東門外。有人對子貢說：「東門外有個人，身長九尺六寸，長眼睛高顴骨，額頭突起，他的頭像堯，頸像皋陶，肩像子產，但自腰以下比禹短三寸，一副不得志的樣子，如同一條喪家犬。」子貢把這番話告訴孔子，孔子笑著感嘆說：「他形容我的相貌未必恰當，但他說我像一

條喪家犬，真是對極了！對極了！」

【出處】

孔子適鄭，與弟子相失，獨立東郭門外。或人謂子貢曰：「東門外有一人焉，其長九尺有六寸，河目隆顙，其頭似堯，其頸似皋繇，其肩似子產，然自腰已下，不及禹者三寸，纍然如喪家之狗。」子貢以告，孔子欣然而嘆曰：「形狀永也，如喪家之狗，然乎哉！然乎哉！」（《孔子家語》〈困誓〉）

觀其為政

楚公子十五歲就出任楚國的相國，孔子聽說後，派人去觀察他的執政情況。派去的人回來說：「看他的朝堂，十分清靜。廳堂上有五位老人，走廊下有二十位壯士。」孔子說：「集中二十五個人的智慧，即便治理天下，也能保得平安，何況一個楚國呢？」

【出處】

荊公子行年十五而攝荊相事，孔子聞之，使人往觀其為政焉。使者反曰：「視其朝清淨而少事，其堂上有五老焉，其廊下有二十壯士焉。」孔子曰：「合二十五人之智，以治天下，其固免矣，況荊乎？」（《孔子家語》〈六本〉）

子高問政

　　楚國的葉公子高向孔子請教政事，孔子說：「政事在於使近者高興，遠者歸順。」魯哀公向孔子請教政事，孔子說：「政事在於選用賢才。」齊景公向孔子請教政事，孔子說：「政事在於節約財力。」子貢問孔子說：「三個人都向您請教政事，您的回答卻不一樣，為什麼呢？」孔子說：「葉地都城大而國小，民眾有背叛之意，所以我說政事在於使近者高興，遠者歸順。魯哀公有三個大臣，他們對外阻擋賢人仕進，對內結黨營私愚弄君主。將來使宗廟得不到灑掃，社稷得不到血祭的，一定是這三位大臣。所以我說政事在於選用賢才。齊景公修築雍門，建造路寢高臺，一個早朝就以每人三百乘之家連賞三人，所以我說政事在於節約財力。」

【出處】

　　葉公子高問政於仲尼，仲尼曰：「政在悅近而來遠。」哀公問政於仲尼，仲尼曰：「政在選賢。」齊景公問政於仲尼，仲尼曰：「政在節財。」三公出，子貢問曰：「三公問夫子政一也。夫子對之不同，何也？」仲尼曰：「葉都大而國小，民有背心，故曰『政在悅近而來遠』。魯哀公有大臣三人，外障距諸侯四鄰之士，內比周而以愚其君，使宗廟不掃除，社稷不血食者，必是三臣也，故曰『政在選賢』。齊景公築雍門，為路寢，一朝而以三百乘之家賜者三，故曰『政在節財』。」（《韓非子》〈難三〉）

父為子隱

葉公告訴孔子說：「我的家鄉有個正直的人，他的父親偷了人家的羊，他告發了父親。」孔子說：「我家鄉的正直的人和你講的正直人不一樣：父親為兒子隱瞞，兒子為父親隱瞞。正直就在其中了。」[56]

【出處】

葉公語孔子曰：「吾黨有直躬者，其父攘羊，而子證之。」孔子曰：「吾黨之直者異於是。父為子隱，子為父隱，直在其中矣。」（《論語》〈子路〉）

求魚者濡

白公勝問孔子說：「可以跟人講隱秘的話嗎？」孔子不予回答。白公說：「講隱秘的話就如同把石頭扔入水中一樣不為人所知，是這樣嗎？」孔子說：「在水中潛行的人能聽到它。」白公說：「就如同把水倒入水中一樣不為人所知，是這樣嗎？」孔子說：「淄水、澠水匯合在一起，易牙嘗一嘗就能區分。」白公說：「如此說來，就不可以跟人講隱秘的話嗎？」孔子說：「為什麼不可以？理解你意思的人

---

56. 此處之隱，非隱蔽之隱，乃隱括之隱，即直內不直外。《韓詩外傳》：「外寬而內直，自設於隱括之中，直己不直人」。孝經：「父有爭子，則身不陷於不義」。孝慈則忠，忠則直也，故曰：直在其中矣。

就可以啊。」白公不理解孔子表達的意思，理解的話就不用講了。言語是表達思想的。捕魚的要打濕衣服，爭搶野獸要奔跑，並不是他們喜歡打濕衣服或樂於奔跑。所以，最高境界的言語是拋棄言語，最高境界的作為是無所作為。才智短淺的人為渺小的事情爭鬥，這就是白公後來遭受懲罰、死於非命的原因。

【出處】

白公問於孔子曰：「人可與微言乎？」孔子不應。白公曰：「若以石投水，奚若？」孔子曰：「沒人能取之。」白公曰：「若以水投水，奚若？」孔子曰：「淄、澠之合者，易牙嘗而知之。」白公曰：「然則人不可與微言乎？」孔子曰：「胡為不可？唯知言之謂者為可耳。」白公弗得也。知謂則不以言矣。言者謂之屬也。求魚者濡，爭獸者趨，非樂之也。故至言去言，至為無為。淺智者之所爭則末矣。此白公之所以死於法室。（《呂氏春秋》〈審應覽・精諭〉）

豈有不然

孔子謁見梁國國君，梁君問孔子說：「我想要長久地保住國家，擁有分封的都城，我想要使百姓安定而不困惑，我想使士人竭盡他們的才力，我想使日月的運行正常，我想使聖人自動到來，我想使官府得到治理。怎樣才能做到這些呢？」孔子回答說：「千輛兵車的君王，萬輛戰車的國主，向我請教的人太多了，但還沒有像大王您這樣問我治國方法的。不過您完全可以做到。我聽說，鄰國兩君和睦相

處，就會長久保住國家；君王賢惠臣子忠誠，就會長久地擁有分封的都城；不要殺害無罪的人，不要放過有罪的人，就會使百姓不困惑；增加士人的俸祿賞賜，就會使他們竭盡自己的才力；尊崇天命敬奉鬼神，就會使日月運行正常；善於使用刑罰，就會使聖人自行到來；重視賢士任用能人，就會使官府得到治理。」梁君說：「難道有與此相反的嗎！」

【出處】

仲尼見梁君，梁君問仲尼曰：「吾欲長有國，吾欲列都之得，吾欲使民安不惑，吾欲使士竭其力，吾欲使日月當時，吾欲使聖人自來，吾欲使官府治，為之奈何？」仲尼對曰：「千乘之君，萬乘之主，問於丘者多矣，未嘗有如主君問丘之術也，然而盡可得也。丘聞之，兩君相親，則長有國；君惠臣忠，則列都之得；毋殺不辜，毋釋罪人，則民不惑；益士祿賞，則竭其力；尊天敬鬼，則日月當時；善為刑罰，則聖人自來；尚賢使能，則官治。」梁君曰：「豈有不然哉！」（《說苑》〈政理〉）

木豈能擇鳥

衛國的孔文子讓太叔疾休掉妻子，而把自己的女兒嫁給他。太叔疾引誘前妻的妹妹，為她建造了宮室，待她與孔文子的女兒一樣，在禮儀上就好像有兩個妻子。孔文子大怒，準備攻打太叔疾。當時孔子正住在蘧伯玉家裡，文子前往徵詢孔子的意見。孔子說：「我對祭祀

的事情曾經學習瞭解。對打仗的事情卻不懂得。」孔子退出去後，讓人駕車離開說：「鳥兒可以選擇樹木，樹木怎麼能選擇鳥兒呢？」文子急忙趕出去勸阻孔子說：「我哪裡敢只考慮自己的私利呢？我這也是為了防止衛國發生禍患啊。」孔子打算留下來，這時魯國的季康子正好向冉求請教兵法。冉求回答之後說：「我的老師孔子在百姓中很有威望，連鬼神都不會質疑他的德行，起用他一定會使魯國名聲大振。」季康子把這些話報告給哀公，哀公就派人帶著禮品往迎孔子說：「大家相信冉求，我們將重用您。」

【出處】

衛孔文子使太叔疾出其妻，而以其女妻之，疾誘其初妻之娣，為之立宮，與文子女，如二妻之禮。文子怒將攻之。孔子舍蘧伯玉之家，文子就而訪焉。孔子曰：「簠簋之事，則嘗聞學之矣，兵甲之事，未之聞也。」退而命駕而行曰：「鳥則擇木，木豈能擇鳥乎？」文子遽自止之曰：「圉也豈敢度其私哉？亦訪衛國之難也。」將止，會季康子問冉求之戰，冉求既對之，又曰：「夫子播之百姓，質諸鬼神，而無憾，用之則有名。」康子言於哀公，以幣迎孔子曰：「人之於冉求信之矣，將大用之。」（《孔子家語》〈正論解〉）

以貴雪賤

孔子在魯哀公處侍坐，魯哀公賞給他桃子和黍子。哀公說：「請用吧。」孔子先吃黍子，然後吃桃子，旁邊的人都捂嘴偷笑。哀公

說：「黍子不是吃的，是用來擦拭桃子的。」孔子回答說：「我知道。黍子是五穀之首，祭祀先王時屬於上等祭品。瓜果有六種，桃子屬於最下等，祭祀先王時不能進入宗廟。我聽說，君主用低賤的擦拭高貴的，沒聽說用高貴的擦拭低賤的。現在用五穀之首的黍去擦拭瓜果中最下等的桃子，這是用上等的去擦拭下等的。我認為這有害於禮義，所以不敢把桃子放到宗廟祭品的前面吃。」

【出處】

孔子侍坐於魯哀公，哀公賜之桃與黍。哀公曰：「請用。」仲尼先飯黍而後啖桃，左右皆掩口而笑。哀公曰：「黍者，非飯之也，以雪桃也。」仲尼對曰：「丘知之矣。夫黍者，五穀之長也，祭先王為盛。果蓏有六，而桃為下，祭先王不得入廟。丘之聞也，君子賤雪貴，不聞以貴雪賤。今以五穀之長雪果蓏之下，是以上雪下也。丘以為妨義，故不敢以先於宗廟之盛也。」（《韓非子》〈外儲說左下〉）

君子成人之美

魯哀公問孔子說：「我聽說君子不下棋，是這樣嗎？」孔子回答說：「是這樣的。」哀公又問：「為什麼不能下棋呢？」孔子回答說：「因為下棋雙方勢必相互爭勝。」哀公再問：「互相爭勝為什麼就不能下棋呢？」孔子回答說：「因為爭勝就容易走邪路。」哀公感到震驚，過了好一會兒才感慨地說：「這樣看來，君子非常憎恨走邪路啊！」孔子回答說：「不極其憎惡走邪路，就不會專注於走正路。不

專注於走正路，老百姓也不會特別親近他。《詩經》裡說：『沒有見到君子，內心憂慮不安。現在已經見到他，現在已經結交他，我心裡就十分喜悅。』對於正人君子，《詩經》也是特別偏愛啊！」哀公說：「太好了！我聽說君子總是成人之美，而不助人為惡。沒有先生，我哪裡能聆聽到這些教誨啊！」

【出處】

魯哀公問於孔子曰：「吾聞君子不博，有之乎？」孔子對曰：「有之。」哀公曰：「何為其不博也？」孔子對曰：「為其有二乘。」哀公曰：「有二乘則何為不博也？」孔子對曰：「為行惡道也。」哀公懼焉。有間曰：「若是乎君子之惡惡道之甚也！」孔子對曰：「惡惡道不能甚，則其好善道亦不能甚；好善道不能甚，則百姓之親之也，亦不能甚。」《詩》云：『未見君子，憂心惙惙，亦既見止，亦既覯止，我心則說。』[57]詩之好善道之甚也如此。哀公曰：「善哉！吾聞君子成人之美，不成人之惡。微孔子，吾焉聞斯言也哉？」（《說苑》〈君道〉）

民富且壽

魯哀公向孔子請教治國方略，孔子回答說：「治理國家應該使老百姓富裕長壽。」哀公問：「什麼意思呢？」孔子說：「減輕賦稅，

57.「未見君子，憂心惙惙，亦既見止，亦既覯止，我心則說」，出自《詩經》〈召南・草蟲〉。

老百姓就會富足；倡行禮教，戒除爭鬥，老百姓就會遠離犯罪，從而健康長壽。」哀公說：「這樣一來，我就要受窮了。」孔子說：「《詩經》上說：『君子品德真高尚，好比百姓父母般。』」沒聽說過兒子富有父母卻貧窮的。」

【出處】

魯哀公問政於孔子，對曰：「政有使民富且壽。」哀公曰：「何謂也？」孔子曰：「薄賦斂則民富，無事則遠罪，遠罪則民壽。」公曰：「若是則寡人貧矣。」孔子曰：「《詩》云：『豈弟君子，民之父母。』[58]未見其子富而父母貧者也。」（《說苑》〈政理〉）

觀其言而察其行

魯哀公問孔子說：「應該選用什麼樣的人才呢？」孔子說：「不要選用好箝制別人的人，不要選用爭強好勝的人，不要選用能說會道的人。」哀公問：「為什麼呢？」孔子說：「好箝制別人的人，急於獲得利益，不能完全信任；喜歡爭強好勝的人，總想超過別人，不能傚法他；能說會道的人愛說大話，言不符實。弓與箭協調了，才能夠射中靶子；馬要老實馴服，然後才能成為良馬；人首要的是忠信厚道，其次才是聰明才智。如果為人不講誠信卻聰明有才，就會像豺狼一樣危險，令人不敢靠近。因此選拔人才，先要考察他是否有好的品德。如果忠信厚道，就可以親近他；如果兼有智慧，就可以重用他。

58.「豈弟君子，民之父母」，出自《詩經》〈大雅・泂酌〉。

選拔人才，必須觀其言而察其行。言語是用來抒發內心情感的，用他的言論來考察他的行為，即便是為非作歹的人，也無法掩飾他的真情。」魯哀公說：「好。」[59]

【出處】

哀公問於孔子曰：「人若何而可取也？」孔子對曰：「毋取拑者，無取健者，毋取口銳者。」哀公曰：「何謂也？」孔子曰：「拑者大給利不可盡用；健者必欲兼人，不可以為法也；口銳者多誕而寡信，後恐不驗也。夫弓矢和調而後求其中焉；馬愨願順，然後求其良材焉；人必忠信重厚，然後求其知能焉。今有人不忠信重厚而多智能，如此人者，譬猶豺狼與，不可以身近也。是故先其仁義之誠者，然後親之；於是有知能者，然後任之；故曰：親仁而使能。夫取人之術也，觀其言而察其行，夫言者所以抒其匈而發其情者也，能行之士必能言之，是故先觀其言而揆其行，夫以言揆其行，雖有奸軌之人，無以逃其情矣。」哀公曰：「善。」（《說苑》〈尊賢〉）

靈公之賢

魯哀公問孔子說：「當今的諸侯列國中，數哪個國君最賢？」孔子回答說：「應該是衛靈公。」魯哀公說：「我聽說在他的後宮裡，

59.《韓非子》〈難三〉中說：「明君不自舉臣，臣相進也；不自賢，功自徇也。論之於任，試之於事，課之於功，故群臣公政而無私，不隱賢，不進不肖。然則人主奚勞於選賢？」

姑、姊、妹不加區別。」孔子回答說：「我觀察的是朝政，不是後宮裡的事。靈公的弟弟叫公子渠牟，渠牟的智慧能夠治理千乘大國，他的誠信也能保住國家，因而靈公喜愛他；有個賢士叫王林，國內有賢人一定舉薦任用，沒有不顯達的。如果不能顯達，他就私下把自己的俸祿分給人家，因而靈公尊重他；還有個賢士叫慶足，國內的大事都交給他處理，沒有不成功的，因而衛靈公親近他；史鰌離開衛國後，靈公搬出宮外住了三個月，不近聲樂，史鰌回國入朝後他才回宮。我因此知道衛靈公的賢明。」

【出處】

魯哀公問於孔子曰：「當今之時，君子誰賢？」對曰：「衛靈公。」公曰：「吾聞之，其閨門之內，姑姐妹無別。」對曰：「臣觀於朝廷，未觀於堂陛之間也。靈公之弟曰公子渠牟，其知足以治千乘之國，其信足以守之，而靈公愛之。又有士曰王材，國有賢人，必進而任之，無不達也；不能達，退而與分其祿，而靈公尊之。又有士曰慶足，國有大事，則進而治之，無不濟也，而靈公說之。史鰌去衛，靈公邸舍三月，琴瑟不御，待史鰌之入也而後入，臣是以知其賢也。」（《說苑》〈尊賢〉）

徙而忘其妻

魯哀公問孔子說：「我聽說忘性重的人，搬家時竟然連妻子也忘了帶走，有這種事嗎？」孔子回答說：「這還不算忘性重的，有忘性

重的竟然連自身也忘了。」魯哀公問：「你講講是怎麼回事？」孔子說：「從前夏桀貴為天子，富有天下，但不行夏禹的正道，毀壞刑法，廢止世代相傳的祭祀，荒淫無度，沉溺酒色。他的寵臣左師觸龍，阿諛逢迎不止。後來商湯誅殺了夏桀，左師觸龍也被處死，夏桀被安葬的時候屍身也不完全。這不是連自身也忘了嗎？」魯哀公聽了，慘然失色說：「講得好啊！」

【出處】

魯哀公問孔子曰：「予聞忘之甚者，徙而忘其妻，有諸乎？」孔子對曰：「此非忘之甚者也，忘之甚者忘其身。」哀公曰：「可得聞與？」對曰：「昔夏桀貴為天子，富有天下，不修禹之道，毀壞辟法，裂絕世祀，荒淫於樂，沉酗於酒。其臣有左師觸龍者，諂諛不止，湯誅桀，左師觸龍者身死，四支不同壇而居，此忘其身者也。」哀公愀然變色，曰：「善！」（《說苑》〈敬慎〉）

莫眾而迷

魯哀公問孔子說：「民間俗語說：沒有眾人合計就會迷亂。現在我辦事總是和群臣一起商量，但國家卻越來越混亂，這是為什麼呢？」孔子回答說：「明君有事問臣下，有人知道，有人不知道；如果是這樣，明君在上，群臣就可以在下面直率地發表意見。現在群臣與季孫氏一個聲音，就彷彿全魯國是一個人似的，您即使問遍境內百

姓，又有什麼用呢？」[60]

【出處】

魯哀公問於孔子曰：「鄙諺曰：『莫眾而迷。』今寡人舉事與群臣慮之，而國愈亂，其故何也？」孔子對曰：「明主之問臣，一人知之，一人不知也。如是者，明主在上，群臣直議於下。今群臣無不一辭同軌乎季孫者，舉魯國盡化為一，君雖問境內之人，猶不免於亂也。」（《韓非子》〈內儲說上七術〉）

桃李冬實

魯哀公問孔子說：「《春秋》裡記載說：『冬季十二月份降霜，沒有把豆菽凍死。』為什麼記下這條？」孔子回答說：「這是說本來應該造成傷害的，結果卻沒有造成傷害。應該傷害卻沒加傷害，桃李在冬天也能結果。天道失去常規，草木尚且要違抗它，何況君主呢！」

【出處】

魯哀公問於仲尼曰：「《春秋》之記曰：『冬十二月隕霜不殺菽。』何為記此？」仲尼對曰：「此言可以殺而不殺也。夫宜殺而不殺，桃李冬實。天失道，草木猶犯干之，而況於人君乎？」（《韓非子》〈內儲說上七術〉）

---

60. 一說魯哀公問於晏子。

夔一足矣

　　聽到傳聞一定要深入考察，特別是針對人的議論，一定要認真考證。魯哀公問孔子說：「聽說舜的樂正夔只有一隻腳，是真的嗎？」孔子說：「從前舜想利用音樂把教化傳佈天下，於是重黎把夔從民間選拔出來，進薦給君主。舜任用夔為樂正。於是夔正定六律，和諧五聲，調和八風，天下完全歸服。重黎還想多找些像夔這樣的人才，舜說：『音樂是天地之氣的精華、政治得失的關鍵。只有聖人才能使音樂和諧，而和諧是音樂的根本。夔能使音樂和諧，以此安定天下。像夔這樣的人，有一個就足夠了。』這就是『夔一足』的出處，哪裡是說夔只有一隻腳呢！」

【出處】

　　凡聞言必熟論，其於人必驗之以理。魯哀公問於孔子曰：「樂正夔一足，信乎？」孔子曰：「昔者舜欲以樂傳教於天下，乃令重黎舉夔於草莽之中而進之，舜以為樂正。夔於是正六律，和五聲，以通八風，而天下大服。重黎又欲益求人，舜曰：『夫樂，天地之精也，得失之節也，故唯聖人為能和。樂之本也。夔能和之以平天下，若夔者一而足矣。』故曰『夔一足』，非『一足』也。」（《呂氏春秋》〈慎行論・察傳〉）

朝廷有禮

　　魯哀公問孔子說：「我想在疆域小的時候採取守勢，國土擴大的時候採取攻勢，應該怎麼做呢？」孔子說：「如果朝廷有禮法，上下相親，老百姓都樂意聽從君王指揮，您去攻打誰呢？如果朝廷沒有禮法，上下不親，老百姓都視君王為仇人，您同誰來一起保衛國家呢？」魯哀公於是廢除了在沼澤河流中捕魚的禁令，放鬆了對關卡集市的徵稅，以便給百姓更多恩惠。

【出處】

　　魯哀公問於仲尼曰：「吾欲小則守，大則攻，其道若何？」仲尼曰：「若朝廷有禮，上下有親，民之眾皆君之畜也，君將誰攻？若朝廷無禮，上下無親，民眾皆君之仇也，君將誰與守？」於是廢澤梁之禁，弛關市之徵，以為民惠也。（《說苑》〈指武〉）

人有三死

　　魯哀公問孔子說：「聰明人活得長嗎？」孔子說：「當然。人有三種死法不是命中注定，而是自找的。起居不按時，飲食不節制，縱欲和勞累過度，各種疾病會找上門來；身居下位卻忤逆君主，貪得無厭，不知滿足，刑罰牢獄會施加於身；以寡敵眾，以弱欺強，動輒發怒而自不量力，各種兵禍會聯袂而至。這三種死法都不是命中注定

的，而是人自找的。《詩經》中說：「做人沒有禮儀，不死幹什麼？」[61]就是這個意思。

【出處】

魯哀公問於孔子曰：「有智者壽乎？」孔子曰：「然。人有三死而非命也者，人自取之。夫寢處不時，飲食不節，佚勞過度者，疾共殺之；居下位而上忤其君，嗜欲無厭，而求不止者，刑共殺之；以少犯眾，弱以侮強，忿怒不量力者，兵共殺之。此三者，非命也，人自取之。《詩》云：『人而無儀，不死何為？』此之謂也。」（《說苑》〈雜言〉）

如履薄冰

魯哀公問孔子說：「我出生在深宮裡，在婦人的哺育下長大，從來不知道什麼是悲哀、憂愁，也不知道什麼是勞苦、恐懼和危險。」孔子說：「您所問的，是聖明君主思考的問題，孔丘是個小人啊，哪裡能回答呢？」哀公說：「除了您，我沒人可請教啊。」孔子說：「您走進宗廟的大門向右，從東邊的臺階登堂，抬頭看見椽子屋梁，低頭看見靈位，過去的器物還在，人卻已亡，您從這些方面來感受悲哀，悲哀之情自然到來。您黎明就起來梳洗打扮，天亮時上朝聽政，如果有一件事情處理不當，就會成為禍亂的發端，您從這些方面想想憂愁，憂愁一定油然而生。你天亮時上朝處理政事，太陽偏西時退朝，

61.「人而無儀，不死何為」，出自《詩經》〈鄘風・相鼠〉。

各國逃亡而來的諸侯子孫，一定有等在朝堂之外請求幫助的，您從這方面想想勞苦，勞苦的感覺自然有了。您走出國都，到四郊的野外漫步，一定能看到那些亡國的廢墟，您從這些方面來想想恐懼，恐懼的感覺也就有了。我聽說君主就好比渡船，老百姓就好比河水，水能載船，也能翻船，您從這些方面來想想危險，哪會沒有危險的感覺？執掌國家大權，身在萬民之上，就好比用一根爛繩子來駕馭飛跑的駿馬。《周易》說：『踩在老虎的尾巴上。』《詩經》說：『像走在薄薄的冰層上。』[62]不都是非常危險嗎？」哀公行了兩個大禮，說：「寡人雖然遲鈍，也會謹記您的教導。」

【出處】

　　哀公問孔子曰：「寡人生乎深宮之中，長於婦人之手，寡人未嘗知哀也，未嘗知憂也，未嘗知勞也，未嘗知懼也，未嘗知危也。」孔子辟席曰：「吾君之問，乃聖君之問也，丘小人也，何足以言之？」哀公曰：「否。吾子就席，微吾子，無所聞之矣。」孔子就席曰：「君入廟門，升自阼階，仰見榱棟，俯見几筵，其器存，其人亡，君以此思哀，則哀將安不至矣？君昧爽而櫛冠，平旦而聽朝，一物不應，亂之端也，君以此思憂，則憂將安不至矣？君平旦而聽朝，日昃而退，諸侯之子孫，必有在君之門廷者，君以此思勞，則勞將安不至矣？君出魯之四門，以望魯之四郊，亡國之墟，列必有數矣，君以此思懼，則懼將安不至矣？丘聞之君者舟也，庶人者水也，水則載舟，水則覆舟，君以此思危，則危將安不至矣。夫執國之柄，履民之上，懍乎如

62.「如履薄冰」，出自《詩經》〈小雅・小宛〉。

腐索御奔馬。《易》曰：『履虎尾。』《詩》曰：『如履薄冰。』不亦危乎？」哀公再拜曰：「寡人雖不敏，請事斯語矣。」（《新序》〈雜事〉）

東益宅不祥

魯哀公向孔子問道：「寡人聽說把住宅向東面擴展不太吉利，真是這麼回事嗎？」孔子說：「不吉利的事有五種，和向東擴展住宅沒有關係。損人利己的行為，對自身不吉利；遺棄老伴再娶年輕女子，對家庭不吉利；棄用賢能之士重用庸劣小人，對國家不吉利；年長的不教育後代，年輕的不願意學習，對社會不吉利；聖人隱退，奸臣專權，對國家不吉利。《詩經》中說：『請各自慎重舉止，否則老天不保佑你們。』[63]沒聽說過向東擴展住宅跟謀求好運有什麼瓜葛。」

【出處】

哀公問於孔子曰：「寡人聞之，東益宅不祥，信有之乎？」孔子曰：「不祥有五，而東益不與焉。夫損人而益己，身之不祥也；棄老取幼，家之不祥也；釋賢用不肖，國之不祥也；老者不教，幼者不學，俗之不祥也；聖人伏匿，愚者擅權，天下之不祥也。故不祥有五，而東益不與焉。《詩》曰：『各敬爾儀，天命不又。』未聞東益之與為命也。」（《新序》〈雜事〉）

63.「各敬爾儀，天命不又」，出自《詩經》〈小雅・小宛〉。

政為大

　　孔子陪魯哀公坐著說話，哀公問說：「請問治理民眾的措施中，什麼最重要？」孔子表情嚴肅地回答說：「您能談到這個問題，真是百姓的幸運了，所以為臣敢不加推辭地回答這個問題。在治理民眾的措施中，政事最重要。所謂政，就是正。國君做得正，百姓也就跟著做得正。國君的所作所為，百姓是要跟著學的。國君做得不正，百姓跟他學什麼呢？」

【出處】

　　孔子侍坐於哀公。公問曰：「敢問人道孰為大？」孔子愀然作色而對曰：「君及此言也，百姓之惠也，固臣敢無辭而對。人道，政為大。夫政者，正也。君為正，則百姓從而正矣。君之所為，百姓之所從。君不為正，百姓何所從乎！」（《孔子家語》〈大婚解〉）

愛人為大

　　哀公問孔子說：「請問如何治理政事呢？」孔子回答說：「夫婦有別，男女相親，君臣講信義。這三件事做好了，其他的事就可以做好。」哀公說：「具體該怎麼做呢？」孔子回答說：「古人治理政事，愛人最為重要；要做到愛人，施行禮儀最重要；要施行禮儀，恭敬最為重要；最恭敬的事，以天子諸侯的婚姻最為重要。結婚的時候，天子諸侯要穿上冕服親自去迎親。親自迎親，是表示敬慕的感情。所以

君子要用敬慕的感情和妻子相親相愛。如果沒有敬意，就是遺棄了相愛的感情。不親不敬，雙方就不能互相尊重。愛與敬，大概是治國的根本吧！」哀公說：「天子諸侯穿冕服親自迎親，是不是太隆重了？」孔子神色莊嚴地回答說：「婚姻是兩個不同姓氏的和好，以延續祖宗的後嗣，使之成為天地、宗廟、社稷祭祀的主人。怎麼能說太隆重呢？」哀公說：「我很淺陋，請給我解釋一下吧。」孔子說：「天地陰陽不交合，萬物就不會生長。天子諸侯的婚姻，是使社稷延續萬代的大事，怎麼能說太隆重呢？從前夏商周三代聖明的君主治理政事，都很敬重他們的妻子。妻子是祭祀宗祧的主體，兒子是傳宗接代的人，所以君子敬重妻兒是有道理的。敬這件事，首先是敬重自身。自身是親人的後代，不敬重自身，就是傷害親人；傷害親人，就是傷害根本；傷害根本，支屬就要隨之滅絕。自身、妻子、兒女這三者，從百姓到國君都是一樣。由自身想到百姓之身，由自己的兒子想到百姓的兒子，由自己的妻子想到百姓的妻子，國君能做到這三個方面的敬重，那麼教化就通行天下了。」

【出處】

公曰：「敢問為政如之何？」孔子對曰：「夫婦別、男女親、君臣信，三者正，則庶物從之。」公曰：「寡人雖無能也，願知所以行三者之道，可得聞乎？」孔子對曰：「古之政，愛人為大，所以治。愛人禮為大，所以治；禮，敬為大；敬之至矣，大婚為大；大婚至矣，冕而親迎，親迎者，敬之也。是故君子興敬為親，舍敬則是遺親也。弗親弗敬，弗尊也。愛與敬，其政之本與。」公曰：「寡人願有言也。然冕而親迎，不已重乎？」孔子愀然作色而對曰：「合二姓之

好，以繼先聖之後，以為天下宗廟社稷之主，君何謂已重焉？」公曰：「寡人實固，不固安得聞此言乎！寡人欲問，不能為辭，請少進。」孔子曰：「天地不合，萬物不生，大婚，萬世之嗣也，君何謂已重焉？」孔子遂言曰：「內以治宗廟之禮，足以配天地之神，出以治直言之禮，足以立上下之敬，物恥則足以振之，國恥足以興之，故為政先乎禮，禮其政之本與。」孔子遂言曰：「昔三代明王，必敬妻子也，蓋有道焉。妻也者，親之主也。子也者，親之後也。敢不敬與。是故君子無不敬。敬也者，敬身為大。身也者，親之支也，敢不敬與。不敬其身，是傷其親。傷其親，是傷其本也。傷其本，則支從之而亡。三者，百姓之象也。身以及身，子以及子，妃以及妃，君以修此三者，則大化愾乎天下矣。昔太王之道也，如此，國家順矣。」（《孔子家語》〈大婚解〉）

何為儒者

魯哀公問孔子說：「請問儒者的行為是怎樣的呢？」孔子回答說：「儒者如同席上的珍品等待別人採用，晝夜不停地學習等待別人請教，心懷忠信等待別人舉薦，努力做事等待別人錄用。儒者的自修立身是這樣的。儒者的衣冠周正，行為謹慎，做大事時神態慎重心懷畏懼，做小事時小心謹慎一絲不苟。難於進取而易於退讓，柔弱謙恭彷彿無能。儒者的容貌是這樣的。儒者的起居莊重謹慎，坐立行走恭敬，講話一定誠信，行為必定中正。在路途不與人爭坦途，冬夏之季不與人爭好處。不輕易赴死以等待值得犧牲生命的事情，保養身體以

期待有所作為。儒者的預先準備是這樣的。儒者以忠信而不以金玉為寶，不謀求佔有土地而擁有仁義，以學問廣博而不以積蓄財貨為富。儒者難以得到卻容易供養，容易供養卻難以留住。不到適當的時候不會出現，不正義的事情就不合作，先效力而後才要俸祿，儒者的近乎人情是這樣的。儒者對於別人委託的財貨不會有貪心，身處玩樂之境而不會沉迷，眾人威逼也不懼怕，用武力威脅也不會恐懼。見利不會忘義，見死不改操守，遇到猛禽惡獸的攻擊不度量自己的力量而與之搏鬥，推舉重鼎不度量自己的力量儘力而為。對過往的事情不追悔，對未來的事情不疑慮。錯話不說兩次，流言不去追究，時常保持威嚴，不學習什麼權謀，儒者的特立獨行是這樣的。儒者可以親近而不可以脅迫，可以接近而不可以威逼，可以殺頭而不可以侮辱。他們的居處不奢侈，飲食不豐厚，過失可以委婉地指出而不可以當面數落，儒者的剛毅是這樣的。儒者以忠信為鎧甲，以禮儀為盾牌，心中想著仁去行動，懷抱著義來居處，即使遇到暴政，也不改變操守，儒者的自立是這樣的。儒者有一畝地的宅院，居住著一丈見方的房間，荊竹編的院門狹小如洞，用蓬草編作房門，用破甕口作為窗框，外出時才換上遮體的衣服，一天的飯餅為一頓吃。君上採納他的建議，不敢產生懷疑，君上不採納他的建議，也不敢諂媚求進。儒者做官的原則是這樣的。儒者與今人一起居住，而以古人的道德標準要求自己，儒者今世的行為，可以作為後世的楷模。如果生不逢時，上面沒人援引，下面沒人推薦，進讒諂媚的人又合夥來陷害他，雖可危害他的身體，卻不可剝奪他的志向。雖然能危害他的生活起居，最終他還要施展自己的志向抱負，不忘百姓痛苦。儒者的憂思是這樣的。儒者廣博地學習而無休止，專意實行而不倦怠，獨處時不放縱自己，通達於上時不

離道義。遵循以和為貴的原則，悠然自得而有節制。仰慕賢人而容納眾人，有時可削減自己的棱角而依隨眾人。儒者的寬容大度是這樣的。儒者舉薦人才，對內不避親屬，對外不避有仇怨的人。度量功績，積累事實，不謀求更高的祿位。推薦賢能而進達於上，不祈望他們的報答。國君滿足了用賢的願望，百姓依仗他的仁德。只要有利於國家，不貪圖個人的富貴。儒者舉賢薦能是這樣的。儒者沐身心於道德之中，陳述自己的意見而伏聽君命。平靜地糾正國君的過失，君上和臣下都難以覺察。默默地等待，不急於去做。不在地位低下的人面前顯示自己高明，不把少的功勞誇大為多。國家大治的時候，群賢並處而不自輕，國家混亂的時候，堅守正道而不沮喪。不和志向相同的人結黨，也不詆毀和自己政見不同的人。儒者的特立獨行是這樣的。儒者中有這樣一類人，對上不做天子的臣下，對下不侍奉諸侯，謹慎安靜而崇尚寬厚，磨煉自己端方正直的品格。待人接物剛強堅毅，博聞強識而敬服前賢。即使把國家分給他，他也看作錙銖小事，不肯做別人的臣下和官吏。儒者規範自己的行為是這樣的。儒者交朋友，要志趣相合，方向一致，營求道藝，路數相同。地位相等高興，地位互有上下彼此也不厭棄。久不相見，聽到對方的流言蜚語絕不相信。志向相同就進一步交往，志向不同就退避疏遠。儒者交友的態度是這樣的。溫和善良是仁的根本，恭敬謹慎是仁的基礎，寬宏大量是仁的開始，謙遜待人是仁的功能，禮節是仁的外表，言談是仁的文采，歌舞音樂是仁的和諧，分散財物是仁的施與。儒者兼有這幾種美德，還不敢說已經做到仁了。儒者的恭敬謙讓是這樣的。儒者不因貧賤而灰心喪氣，不因富貴而得意忘形。不玷辱君王，不拖累長上，不給有關官吏帶來困擾，因此稱作儒。現今人們對儒這個名稱的理解虛妄不實，

經常被用來相互譏諷。」魯哀公聽到這番議論後，由衷感慨地說：「直到我死，也不敢再拿儒者開玩笑了。」

【出處】

　　公曰：「敢問儒行？」孔子曰：「略言之則不能終其物，悉數之則留僕未可以對。」哀公命席，孔子侍坐曰：「儒有席上之珍以待聘，夙夜強學以待問，懷忠信以待舉，力行以待取，其自立有如此者。儒有衣冠，中動作順，其大讓如慢，小讓如偽，大則如威，小則如媿，難進而易退，粥粥若無能也，其容貌有如此者。儒有居處齊難，其起坐恭敬，言必誠信，行必忠正，道塗不爭險易之利，冬夏不爭陰陽之和；愛其死以有待也，養其身以有為也，其備預有如此者。儒有不寶金玉，而忠信以為寶，不祈土地，而仁義以為土地；不求多積多文以為富；難得而易祿也，易祿而難畜也；非時不見，不亦難得乎？非義不合，不亦難畜乎？先勞而後祿，不亦易祿乎？其近人情，有如此者。儒有委之以財貨而不貪，淹之以樂好而不淫，劫之以眾而不懼，阻之以兵而不懾；見利不虧其義，見死不更其守；往者不悔，來者不豫；過言不再，流言不極；不斷其威，不習其謀；其特立有如此者。儒有可親而不可劫，可近而不可迫，可殺而不可辱；其居處不過，其飲食不溽；其過失可微辯，而不可面數也；其剛毅有如此者。儒有忠信以為甲冑，禮義以為干櫓；戴仁而行，抱德而處；雖有暴政，不更其所；其自立有如此者。儒有一畝之宮，環堵之室，蓽門圭窬，蓬戶甕牖，易衣而出，併日而食；上答之，不敢以疑，上不答之，不敢以諂；其為士有如此者。儒有今人以居，古人以稽，今世行之，後世以為楷，若不逢世，上所不受，下所不推；詭諂之民，有比

黨而危之，身可危也，其志，不可奪也；雖危起居，猶竟信其志，乃不忘百姓之病也；其憂思有如此者。儒有博學而不窮，篤行而不倦，幽居而不淫，上通而不困；禮必以和，優游以法；慕賢而容眾，毀方而瓦合；其寬裕有如此者。儒有內稱不避親，外舉不避怨；程功積事，不求厚祿，推賢達能，不望其報；君得其志，民賴其德，苟利國家，不求富貴；其舉賢援能，有如此者。儒有澡身浴德，陳言而伏；靜言而正之，而上下不知也；默而翹之，又不急為也；不臨深而為高，不加少而為多；世治不輕，世亂不沮；同己不與，異己不非；其特立獨行，有如此者。儒有上不臣天子，下不事諸侯，慎靜尚寬，底厲廉隅，強毅以與人，博學以知服；雖以分國，視之如錙銖，弗肯臣仕；其規為有如此者。儒有合志同方，營道同術，並立則樂，相下不厭；久別則聞，流言不信，義同而進，不同而退，其交有如此者。夫溫良者，仁之本也；慎敬者，仁之地也；寬裕者，仁之作也；遜接者，仁之能也；禮節者，仁之貌也；言談者，仁之文也；歌樂者，仁之和也；分散者，仁之施也；儒皆兼此而有之，猶且不敢言仁也；其尊讓有如此者。儒有不隕獲於貧賤，不充詘於富貴；不溷君王，不累長上，不閔有司，故曰儒。今人之名儒也，忘常以儒相詬疾。」哀公既得聞此言也，言加信，行加敬。曰：「終歿吾世，弗敢復以儒為戲矣。」（《孔子家語》〈儒行解〉）

莫能為禮

魯哀公向孔子請教說：「請問隆重的禮儀是什麼樣的？您為什麼把禮說得那麼重要呢？」孔子回答道：「我是個鄙陋的人，不足以瞭

解隆重的禮節。」魯哀公說：「您還是說說吧！」孔子回答道：「我聽說，在民眾生活中，禮儀是最重要的。沒有禮就不能有節制地侍奉天地神靈，沒有禮就無法區別君臣、上下、長幼的地位，沒有禮就不能分別男女、父子、兄弟的親情關係以及婚姻親族交往的親疏遠近。所以，君主把禮看得非常重要，用他所瞭解的禮來教化引導百姓，使他們懂得禮的重要和禮的界限。等到禮的教化卓有成效之後，才用文飾器物和禮服來區別尊卑上下。百姓順應禮的教化後，才談得上喪葬祭祀的規則、宗廟祭祀的禮節。安排好祭祀用的犧牲，佈置好祭神祭祖用的乾肉，每年按時舉行嚴肅的祭禮，以表達對神靈、先祖的崇敬之心，區別血緣關係的親疏，排定昭穆的次序。祭祀以後，親屬在一起飲宴，依序坐在應坐的位置上，以聯結彼此的親情。住低矮簡陋的居室，穿儉樸無華的衣服，車輛不加雕飾，器具不刻鏤花紋，飲食不講究滋味，內心沒有過分的欲望，和百姓同享利益。以前的賢明君主就是這樣講禮節的。」魯哀公問說：「那現在的君主為什麼不這樣做呢？」孔子回答說：「現在的君主，貪婪愛財而不知滿足，放縱自己的行為不感到厭倦，放蕩懶散而態度傲慢，不知休止地搜刮民脂民膏。為滿足自己的欲望，不顧招致百姓的怨恨，違背眾人的意志，去侵犯政治清明的國家。只求個人欲望得到滿足而不擇手段，殘暴地對待人民而肆意刑殺，不設法使國家得到治理。以前的君主統治民眾靠施行德政，現在的君主統治民眾靠施行暴政，這說明現在的君主根本不懂修明禮教。」

【出處】

哀公問於孔子曰：「大禮何如？子之言禮，何其尊也。」孔子對

曰：「丘也鄙人，不足以知大禮也。」公曰：「吾子言焉。」孔子曰：「丘聞之民之所以生者，禮為大。非禮則無以節事天地之神焉；非禮則無以辯君臣上下長幼之位焉；非禮則無以別男女父子兄弟婚姻親族疏數之交焉；是故君子此之為尊敬，然後以其所能教順百姓，不廢其會節。既有成事，而後治其文章黼黻，以別尊卑上下之等。其順之也，而後言其喪祭之紀，宗廟之序，品其犧牲，設其豕臘，修其歲時，以敬其祭祀，別其親疏，序其昭穆，而後宗族會宴，即安其居，以綴恩義。卑其宮室，節其服御，車不雕璣，器不彤鏤，食不二味，心不淫志，以與萬民同利，古之明王行禮也如此。」公曰：「今之君子，胡莫之行也。」孔子對曰：「今之君子，好利無厭，淫行不倦，荒怠慢游，固民是盡，以遂其心，以怨其政，忤其眾以伐有道。求得當欲不以其所，虐殺刑誅，不以其治。夫昔之用民者由前，今之用民者由後，是即今之君子，莫能為禮也。」（《孔子家語》〈問禮〉）

人有五儀

魯哀公向孔子問道：「我想選拔魯國的人才，和他們一起治理國家，請問怎樣選拔人才呢？」孔子回答道：「人分五等：庸人、士人、君子、賢人、聖人。分清這五類人，就懂得治國的道理了。」哀公問道：「請問什麼樣的人是庸人？」孔子回答說：「庸人心中沒有謹慎行事、善始善終的原則，口中講不出有道理的話，沒有賢人善士作為自己的依靠，不努力行事使自己得到安定的生活。他往往小事明白，大事糊塗，不知自己整天在忙些什麼，追求什麼，凡事隨大流。

這樣的人就是庸人。」哀公問道：「那什麼是士人呢？」孔子回答說：「士人心中有確定的原則，有明確的計劃，即使不能盡到循道治國的本分，也會遵循一定的法則；即使不能集百善於一身，也會有自己的操守。他們的知識不一定非常廣博，但一定要審查自己的知識是否正確；說話不一定多，但一定會考慮是否得當。富貴不能有所補益，貧賤不能有所損害。這樣的人就是士人。」哀公問：「那什麼樣的人是君子呢？」孔子回答說：「君子說話講究忠信而內心沒有怨恨，身有仁義的美德而沒有自誇的表情，考慮問題明智通達而話語委婉。遵循仁義之道努力實現自己的理想，自強不息。他從容的樣子好像很容易超越，但常人絕不能達到他的境界。這樣的人就是君子。」哀公問：「那什麼樣的人稱得上是賢人呢？」孔子回答說：「所謂賢人，他們的品德不踰越常規，行為符合禮法。言論可以讓天下人傚法而不會招來災禍，道德足以感化百姓而不會給自己帶來傷害。他雖富有，天下人不會怨恨；他若施恩，天下人便不會受窮。這樣的人就是賢人。」哀公又問：「那什麼樣的人才稱得上是聖人呢？」孔子回答說：「聖人的品德符合天地之道，變通自如，能探究萬事萬物的終始，使萬事萬物符合自然法則，依照萬事萬物的自然規律來成就它們。光明如日月，教化如神靈。下面的民眾不知道他的德行，看到他的人也不知道他就在身邊。這樣的人，就是聖人。」

【出處】

哀公問於孔子曰：「寡人欲論魯國之士，與之為治，敢問如何取之？」……孔子曰：「人有五儀，有庸人、有士人、有君子、有賢人、有聖人，審此五者，則治道畢矣。」公曰：「敢問何如斯可謂

之庸人？」孔子曰：「所謂庸人者，心不存慎終之規，口不吐訓格之言，不擇賢以托其身，不力行以自定；見小暗大，而不知所務，從物如流，不知其所執；此則庸人也。」公曰：「何謂士人？」孔子曰：「所謂士人者，心有所定，計有所守，雖不能盡道術之本，必有率也；雖不能備百善之美，必有處也。是故知不務多，必審其所知；言不務多，必審其所謂；行不務多，必審其所由。智既知之，言既道之，行既由之，則若性命之形骸之不可易也。富貴不足以益，貧賤不足以損。此則士人也。」公曰：「何謂君子？」孔子曰：「所謂君子者，言必忠信而心不怨，仁義在身而色無伐，思慮通明而辭不專；篤行信道，自強不息，油然若將可越而終不可及者。此則君子也。」公曰：「何謂賢人？」孔子曰：「所謂賢人者，德不踰閑，行中規繩，言足以法於天下，而不傷於身，道足以化於百姓，而不傷於本；富則天下無宛財，施則天下不病貧。此則賢者也。」公曰：「何謂聖人？」孔子曰：「所謂聖者，德合於天地，變通無方，窮萬事之終始，協庶品之自然，敷其大道而遂成情性；明並日月，化行若神，下民不知其德，睹者不識其鄰。此謂聖人也。」（《孔子家語》〈五儀解〉）

取人之法

魯哀公問孔子說：「請問先生怎麼用人呢？」孔子回答道：「任用官吏分管事務，不取那些貪得無厭的人，不取那些待人不誠懇的人，也不取說話過多而不謹慎的人。捷捷，是貪婪的表現；鉗鉗，是妄言不誠實的表現；嘽嘽，是多嘴多舌的表現。所以說，使用弓箭，

必須先調好弓弦才能要求箭利；駕馭馬匹，必須讓它拉車才能要求它日行千里。用人也是一樣，選取官吏，必須先要求他誠實謹慎，然後才能要求他聰明能幹。不誠實忠厚而有才幹的人，就像豺狼一樣，這樣的人是不可親近的。」[64]

【出處】

　　哀公問於孔子曰：「請問取人之法。」孔子對曰：「事任於官，無取捷捷，無取鉗鉗，無取啍啍。捷捷貪也，鉗鉗亂也，啍啍誕也。故弓調而後求勁焉，馬服而後求良焉，士必愨而後求智能者焉，不愨而多能，譬之豺狼不可邇。」（《孔子家語》〈五儀解〉）

冠冕是問

　　魯哀公問孔子說：「從前舜戴什麼帽子？」孔子未予回答。魯哀公說：「我在問你問題，為什麼你不回答？」孔子說：「因為您提問不先挑重要的，我正在思考怎樣回答。」魯哀公說：「什麼問題重要呢？」孔子說：「舜作為君主，政治理念是愛惜生命而厭惡殺戮，用人以賢能為標準。他的仁德像天地一樣廣大而清淨無欲，教化像四季一樣養育萬物。所以，四海之內都接受他的教化，甚至鳥獸、植物都被他的仁德感化，這都是因為他珍愛生命的緣故。您不問舜的治國之道，卻問他戴什麼帽子，所以我才遲遲不做回答。」

---

64. 王肅《孔子家語》註：「捷捷而不已食，所以為貪也。」「鉗鉗，妄對不謹誠。」「啍啍，多言。」

【出處】

　　魯哀公問於孔子曰：「昔者舜冠何冠乎？」孔子不對。公曰：「寡人有問於子而子無言，何也？」對曰：「以君之問不先其大者，故方思所以為對。」公曰：「其大何乎？」孔子曰：「舜之為君也，其政好生而惡殺，其任授賢而替不肖，德若天地而靜虛，化若四時而變物，是以四海承風，暢於異類，鳳翔麟至，鳥獸馴德，無他也，好生故也。君舍此道，而冠冕是問，是以緩對。」（《孔子家語》〈好生〉）

舉直錯諸枉

　　魯哀公問說：「怎樣才能使百姓服從呢？」孔子回答說：「把正直無私的人提拔起來，把邪惡不正的人棄置一邊，老百姓就會服從了；把邪惡不正的人提拔起來，把正直無私的人棄置一邊，老百姓就不會服從統治了。」

【出處】

　　哀公問曰：「何為則民服？」孔子對曰：「舉直錯諸枉，則民服；舉枉錯諸直，則民不服。」（《論語》〈為政〉）

為政在人

　　魯哀公向孔子請教治理國家的方法。孔子回答說：「文王、武王

的治國方法，都記載在典籍上面。他們在世，這些治國方法就能得到實施；他們去世，這些治國方法也就隨著廢弛。治人之道在於講究治國方法，種地之道在於講究種植方法。治國方法，就好像蒲盧[65]一樣，重在教化。所以，治理國家的根本問題在於得到賢人，而能否得到賢人又決定於國君自身的修養，加強自身修養要靠道德，加強道德修養要靠仁。所謂仁，就是愛人，愛人之中，以親近自己的親人最重要；所謂義，就是適宜，適宜之中，以尊敬賢人最重要。親近親人而有親疏之別，尊敬賢人而有貴賤之差，禮這個東西也就應運而生。職位卑下，又得不到上級的信任，是不能夠把百姓治理好的。所以，君子不可以不加強自身修養；要想加強自身修養，不可以不侍奉雙親；要想侍奉雙親，不可以不知人；要想知人，不可以不知道天理，天下通行的準則有五條，實行這五條準則的美德有三種。君臣、父子、夫婦、兄弟、朋友的交往，這五條就是天下通行的準則；智、仁、勇，這三點就是天下通行的美德，是用來推行這五條準則的。對於這五條準則，有的人生下來就知道，有的人通過學習才知道，有的人碰了釘子才知道；不管是怎樣知道的，只要知道了，就是一樣的。對於實行這五條準則的三項美德，有的人是心安理得地去實行，有的人是抱著功利目的去實行，有的人是勉強地去實行；不管是怎樣地去實行，只要最後都取得成功，就是一樣的。」孔子說：「愛好學習，接近於智；努力行善，接近於仁；懂得羞恥，接近於勇。知道了這三條，就知道該怎樣修身；知道該怎樣修身，就知道該怎樣治理百姓；知道該怎樣

65.蒲盧：鄭玄註：「蒲盧，蜾蠃，謂土蜂也。《詩》曰：『螟蛉有子，蜾蠃負之。』螟蛉，桑蟲也，蒲盧取桑蟲之子去而變化之，以成為己子，政之於百姓，若蒲盧之於桑蟲然。」後因以「蒲盧」比喻對百姓的教化。

治理百姓，就知道該怎樣治理天下和國家。」

【出處】

哀公問政。子曰：「文武之政，布在方策，其人存，則其政舉；其人亡，則其政息。人道敏政，地道敏樹。夫政也者，蒲盧也。故為政在人，取人以身，修身以道，修道以仁。仁者人也，親親為大；義者宜也，尊賢為大。親親之殺，尊賢之等，禮所生也。在下位不獲乎上，民不可得而治矣！故君子不可以不修身；思修身，不可以不事親；思事親，不可以不知人；思知人，不可以不知天。天下之達道五，所以行之者三，曰：君臣也，父子也，夫婦也，昆弟也，朋友之交也，五者天下之達道也。知仁勇三者，天下之達德也，所以行之者一也。或生而知之，或學而知之，或困而知之，及其知之，一也；或安而行之，或利而行之，或勉強而行之，及其成功，一也。」子曰：「好學近乎知，力行近乎仁，知恥近乎勇。知斯三者，則知所以修身；知所以修身，則知所以治人；知所以治人，則知所以治天下國家矣。」（《禮記》〈中庸〉）

反於己身

孔子拜見魯哀公，哀公說：「有人對我說：治理國家的人，在朝堂上就可以把國家治理好。我認為這是迂腐之言。」孔子說：「這不是迂腐之言。我聽說，自身有所得的人，也會讓別人有所得；自身有所失的人，也會使別人有所失。不出門就能把天下治理好，只有注重

自身修養的國君才能做到吧！」

【出處】

孔子見魯哀公，哀公曰：「有語寡人曰：『為國家者，為之堂上而已矣。』寡人以為迂言也。」孔子曰：「此非迂言也。丘聞之，得之於身者得之人，失之於身者失之人。不出於門戶而天下治者，其惟知反於己身者乎！」（《呂氏春秋》〈季春紀・先己〉）

請徒行罰

魯人焚燒一處長滿雜草的沼澤。天刮北風，火勢向南蔓延，魯哀公擔心會燒到國都，於是率領眾臣前往督促救火。救火的人趕到火場後不去救火，都去追逐野獸。哀公於是召來孔子詢問。孔子說：「追逐野獸既快樂又不受罰，救火既受苦又不得賞，所以沒人肯去救火。」哀公說：「那怎麼辦才好呢？」孔子說：「事情緊急，來不及行賞了；假如救火的人都給予賞賜，把國庫掏空也不夠啊。請只用刑罰好了。」哀公說：「好吧。」於是孔子下令說：「不救火的，與投降敗逃同罪；追趕野獸的，與擅入禁地同罪。」命令下達後還未傳遍，火已經撲滅了。

【出處】

魯人燒積澤。天北風，火南倚，恐燒國。哀公懼，自將眾趣救火。左右無人，盡逐獸而火不救，乃召問仲尼。仲尼曰：「夫逐獸者

樂而無罰，救火者苦而無賞，此火之所以無救也。」哀公曰：「善。」仲尼曰：「事急不及以賞。救火者盡賞之，則國不足以賞於人。請徒行罰。」哀公曰：「善。」於是仲尼乃下令曰：「不救火者比降北之罪，逐獸者比入禁之罪。」令下未遍而火已救矣。（《韓非子》〈內儲說上七術〉）

盡飾之道

　　季孫的母親去世了，魯哀公前去弔喪。曾子和子貢也去弔喪，但守門人因為哀公在裡面，不讓他們進去。曾子和子貢就進到馬房裡把自己的儀容修飾了一番，然後再去。子貢先進去，守門人說：「剛才已經往裡通報了。」曾子後進去，守門人則已經把路讓開。二人走到寢門的屋簷下，卿大夫都連忙讓位，哀公走下一個臺階，作揖，請他們就位。君子議論這件事情說：「儘力修飾儀容的做法，對達到自己的目的是很有作用的。」

【出處】

　　季孫之母死，哀公弔焉，曾子與子貢弔焉，闔人為君在，弗內也。曾子與子貢入於其廄而修容焉。子貢先入，闔人曰：「鄉者已告矣。」曾子後入，闔人辟之。涉內溜，卿大夫皆辟位，公降一等而揖之。君子言之曰：「盡飾之道，斯其行者遠矣。」（《禮記》〈檀弓下〉）

君孰與足

魯哀公問有若說：「遭了饑荒，國家用度困難，怎麼辦？」有若回答說：「為什麼不實行徹法[66]，只抽十分之一的田稅呢？」哀公說：「現在抽十分之二，我還不夠，怎麼能實行徹法呢？」有若說：「如果百姓的用度夠，您怎麼會不夠呢？如果百姓的用度不夠，您怎麼會夠呢？」

【出處】

哀公問於有若曰：「年饑，用不足，如之何？」有若對曰：「盍徹乎？」曰：「二，吾猶不足，如之何其徹也？」對曰：「百姓足，君孰與不足？百姓不足，君孰與足？」（《論語》〈顏淵〉）

帝也有師

魯哀公問子夏道：「一定要努力學習，才能使國家安定、人民安居樂業嗎？」子夏答道：「不學習，不明白古代聖賢的治國之道，卻能夠安國保民的，我還沒聽說過。」哀公問道：「那麼五帝也有老師嗎？」子夏說：「當然有。我聽說黃帝曾經向大真學習，顓頊曾經向綠圖學習，帝嚳曾經向赤松子學習，堯曾經向尹壽學習，舜曾經向務

---

66. 徹法：中國夏、商、周時期的賦稅制度。《孟子》〈滕文公〉：「夏后氏五十而貢，殷人七十而助，周人百畝而徹，其實皆什一也。」朱熹注《論語》說：「周制一夫授百畝田，而與同溝共井之人合作，計畝均收，民獲其九，公取其一，即謂徹。」

成跗學習，禹曾經向西王國學習，湯曾經向威子伯學習，文王曾經向
銚時子斯學習，武王曾經向郭叔學習，周公曾經向太公學習，孔子曾
經向老子學習。這十一位聖人，如果沒有名師指點，就不可能創立豐
功偉業，留下千古不朽的名聲。《詩經》中說：『從不犯錯不迷狂，
遵循先祖舊典章。』就是這個意思。」

【出處】

魯哀公問子夏曰：「必學而後可以安國保民乎？」子夏曰：「不
學而能安國保民者，未嘗聞也。」哀公曰：「然則五帝有師乎？」子
夏曰：「有。臣聞黃帝學乎大真，顓頊學乎綠圖，帝嚳學乎赤松子，
堯學乎尹壽，舜學乎務成跗，禹學乎西王國，湯學乎威子伯，文王學
乎銚時子斯，武王學乎郭叔，周公學乎太公，仲尼學乎老聃。此十一
聖人，未遭此師，則功業不著乎天下，名號不傳乎千世。」《詩》曰：
「不愆不忘，率由舊章。」[67]此之謂也。夫不學不明古道，而能安國
者，未之有也。（《新序》〈雜事〉）

夫謠之後

楚昭王渡江的時候，有一樣東西如斗大一般，直朝昭王的船撞
來，停在船的中部。楚昭王十分驚異，派人請教孔子。孔子說：「這
東西名叫萍實，可以剖開來吃。只有稱霸的國君才能獲得它，這是
吉祥物。」此後，齊國有一隻飛鳥，只有一隻腳，飛下來停留在宮殿

67.「不愆不忘，率由舊章」，出自《詩經》〈大雅・假樂〉。

前，張開翅膀跳躍。齊侯對此十分驚異，也派人請教孔子。孔子說：「這鳥名叫商羊，立即告訴百姓，趕快整治溝渠，天將下大雨。」於是照此辦理，天果真下了大雨。其他國家都遭受水災，只有齊國因此安全。孔子回來，弟子們都來詢問。孔子說：「以前小兒唱的歌謠說：『楚王渡江，獲得萍實，大小像拳頭，鮮紅如朝日，剖開吃它，甜美如蜜。』這歌謠楚國應驗了。小兒又有一對對地手拉著手，彎曲一隻腳跳著唱：『天要下大雨，商羊先跳舞。』現在齊國得到它，也應驗了。」凡是歌謠，沒有不應驗的。因此聖人不只是堅守正道就行，看到的事物還要能記下它，很快會得到應驗的。

【出處】

楚昭王渡江，有物大如斗，直觸王舟，止於舟中；昭王大怪之，使聘問孔子。孔子曰：「此名萍實。」令剖而食之：「惟霸者能獲之，此吉祥也。」其後齊有飛鳥一足來下，止於殿前，舒翅而跳，齊侯大怪之，又使聘問孔子。孔子曰：「此名商羊，急告民趣治溝渠，天將大雨。」於是如之，天果大雨，諸國皆水，齊獨以安。孔子歸，弟子請問，孔子曰：「異時小兒謠曰：楚王渡江得萍實，大如拳，赤如日，剖而食之，美如蜜。此楚之應也。兒又有兩兩相牽，屈一足而跳，曰：天將大雨，商羊起舞。今齊獲之，亦其應也。」夫謠之後，未嘗不有應隨者也，故聖人非獨守道而已也，睹物記也，即得其應矣。（《說苑》〈辨物〉）

不敢不告

　　齊國的陳恆殺死齊簡公，孔子聽說此事後，齋戒沐浴三天後上朝請示哀公說：「陳恆殺害了他的國君，請您下令討伐他。」哀公沒有同意。孔子再三請求，哀公說：「魯國被齊國削弱已經很久了，您要討伐它，打算怎麼做呢？」孔子答道：「陳恆殺害國君，百姓中不支持他的人佔了一半。用魯國的民眾，加上齊國的那一半，是可以戰勝他的。」哀公說：「您應該告訴季氏。」孔子謝絕了，退出去後對人說：「我曾經位居大夫，所以不敢不向國君報告。」

【出處】

　　齊陳恆弒其簡公，孔子聞之，三日沐浴而適朝，告於哀公曰：「陳恆弒其君，請伐之。」公弗許，三請，公曰：「魯為齊弱久矣，子之伐也，將若之何？」對曰：「陳恆弒其君，民之不與者半，以魯之眾，加齊之半，可克也。」公曰：「子告季氏。」孔子辭，退而告人曰：「以吾從大夫之後，吾不敢不告也。」（《孔子家語》〈正論解〉）

吾樂甚多

　　孔子在泰山遊覽，看見隱士榮聲期在郕邑的野外行走，穿著粗皮衣，繫著粗麻繩，一邊彈琴，一面唱歌。孔子問他說：「先生為什麼如此快樂呢？」榮啟期回答說：「我快樂的原因多著呢：大自然生育萬物，只有人最尊貴，而我得以為人，這是第一件快樂的事情。人有

男女之別，社會男尊女卑，我得以為男人，這是第二件快樂的事情。人生短暫，有的人尚未出生，還沒見到太陽月亮、沒離開襁褓就夭亡的，而我現在已活到九十五歲了，這是我第三件快樂的事情。貧困是讀書人的普遍情況，死亡是人的最後歸宿，我安處常情，等待最後的歸宿，還有什麼可憂愁的呢？」孔子感嘆說：「說得好！你是個能自我寬慰的人啊！」

【出處】

孔子游於泰山，見榮聲期行乎郕之野，鹿裘帶索，瑟瑟而歌。孔子問曰：「先生所以為樂者，何也？」期對曰：「吾樂甚多，而至者三。天生萬物，唯人為貴，吾既得為人，是一樂也；男女之別，男尊女卑，故人以男為貴，吾既得為男，是二樂也；人生有不見日月，不免襁褓者，吾既以行年九十五矣，是三樂也。貧者士之常，死者人之終，處常得終，當何憂哉。」孔子曰：「善哉！能自寬者也。」（《孔子家語》〈六本〉）

草上之風必偃

季康子問孔子說：「誅殺不講道義的人，親近有道義的人，怎麼樣？」孔子說：「執政怎麼能採用誅殺的手段呢？你要行善，老百姓也會行善。君子的品行是風，百姓的品性似草，有風吹過，草自然順風而倒。」孔子強調的是教化。

季孫問於孔子曰：「如殺無道，以就有道，何如？」孔子曰：「子為政，焉用殺，子欲善而民善矣。君子之德，風也；小人之德，草也；草上之風必偃。」言明其化而已矣。（《說苑》〈政理〉）

敬忠以勸

季康子問說：「要使老百姓對當政的人尊敬、盡忠並互相勉勵，該怎樣去做呢？」孔子說：「你用莊重的態度對待老百姓，他們就會尊敬你；你孝順父母，慈愛幼小，老百姓就會盡忠於你；你用善良教育那些能力弱的人，老百姓就會相互勉勵。」

【出處】

季康子問：「使民敬、忠以勸，如之何？」子曰：「臨之以莊，則敬；孝慈，則忠；舉善而教不能，則勸。」（《論語》〈為政〉）

違山十里

孔子去拜見季康子，季康子不大高興。孔子再次求見。孔子的學生宰予說：「我聽先生說過：『諸侯不來聘請，自己就不動身。』您主動求見司寇也太頻繁了點吧！」孔子說：「魯國國內仗著人多勢眾欺負人、仗著武力強暴人的現象已經持續很久了，但是官府卻不去治

理，諸侯來不來聘我，有比這更重要嗎？」魯國人聽到這番話後說：「聖人要治理國家，能不先嚴格自律嗎？」自此以後，國內再沒發生爭鬥的事情。孔子對弟子說：「離開山村十里，蟬鳴的聲音猶在耳邊。從政的人，沒有比牽掛國事更要緊的了。」孔子非常喜歡魯國的塗里，富裕的家庭幫助貧寒的家庭；打獵的時候，家裡有父母的多拿一些，沒父母的少拿一些；捕魚的時候，家裡有父母的拿大的，沒父母的拿小的。

【出處】

孔子見季康子，康子未說，孔子又見之，宰予曰：「吾聞之夫子曰：『王公不聘不動。』今吾子之見司寇也少數矣。」孔子曰：「魯國以眾相陵，以兵相暴之日久矣，而有司不治，聘我者孰大乎？」於是魯人聞之曰：「聖人將治，何以不先自為刑罰乎？」自是之後，國無爭者。孔子謂弟子曰：「違山十里，蟪蛄之聲猶尚存耳，政事無如膺之矣。」古之魯俗，塗里之間，羅門之羅，收門之魚，獨得於禮，是以孔子善之夫塗里之間，富家為貧者出；羅門之羅，有親者取多，無親者取少；收門之漁，有親者取巨，無親者取小。（《說苑》〈政理〉）

顏回好學

顏回是魯國人，字子淵。比孔子小三十歲。顏淵請教什麼是仁，孔子說：「約束自己，恢復周禮，天下就會回到仁義的時代。」孔子說：「顏回真是個賢人啊！吃的是粗茶淡飯，住在簡陋的胡同裡，一

般人誰能忍受這種困苦，顏回卻始終充滿樂趣。聽我授業時，顏回像個愚笨的人，下課後與他私下交談，也能夠任意發揮，才發現他一點不笨。」「任用你的時候，就匡時救世，不受重用的時候，就藏道在身，只有我和你才有這種處世態度吧！」顏回才二十九歲，頭髮就全白了。顏回早死，孔子哭得特別傷心，說：「自從我有了顏回，學生們和我越來越親近。」魯哀公問孔子說：「您的學生中誰最好學？」孔子回答說：「有個叫顏回的人最好學習，從不遷怒別人，從不犯同樣的過錯。不幸他短命而死，再也沒有像他這樣的人了。」

【出處】

顏回者，魯人也，字子淵。少孔子三十歲。顏淵問仁，孔子曰：「克己復禮，天下歸仁焉。」孔子曰：「賢哉回也！一簞食，一瓢飲，在陋巷，人不堪其憂，回也不改其樂。」「回也如愚；退而省其私，亦足以發，回也不愚。」「用之則行，舍之則藏，唯我與爾有是夫！」回年二十九，髮盡白，蚤死。孔子哭之慟，曰：「自吾有回，門人益親。」魯哀公問：「弟子孰為好學？」孔子對曰：「有顏回者好學，不遷怒，不貳過。不幸短命死矣，今也則亡。」（《史記》〈仲尼弟子列傳〉）

顏氏之計

孔子與弟子子路、子貢和顏淵在北方旅遊，登上了東邊的農山。孔子嘆息著說：「登高望下，使人心生悲涼。你們三人，各自說說自

己的志向吧。」子路說：「我希望得到像月亮一樣潔白的羽毛和太陽一樣火紅的羽毛；鐘鼓聲上聞於天，旌旗翩翩飛揚於地，我將領兵去攻打敵國，開拓千里疆土。只有我能做到這些，讓他們二人做我的隨從。」孔子說：「真是勇士啊！看你那激憤的樣子！」子貢說：「我希望齊、楚兩國在廣闊的原野上交戰，兩軍對壘，旌旗相望，塵埃相接，交兵作戰。我願穿戴白衣白帽，在兩軍兵刃相交之際陳述我的主張，解除兩國的戰禍。只有我能做到這些，讓他們二人做我的隨從吧。」孔子說：「真是雄辯之士啊！看你那神采飛揚的樣子！」只有顏淵不說什麼。孔子問他：「顏回呢，為什麼你不說話？」顏淵說：「文辯武功的事，他二人都說過了，我哪敢參與其中。」孔子說：「如果你自認為想法淺陋與他們不同，也說說看。」顏淵說：「我聽說鮑魚和蘭芷不能在同一個箱子裡收藏，堯舜桀紂用不同的方法治理國家。我的想法與他們二人不同。我希望遇到明王聖主而輔佐他們，使城池不用加固，軍隊不越溝池，把刀劍戈戟熔鑄成農具，使天下千年無戰爭的禍患。如果能這樣，那仲由又怎麼能充滿激憤地對外攻擊，子貢又怎麼能神采飛揚地出使別國呢？」孔子說：「真是美好的品德啊！難怪你的言詞如此豐美！」子路舉手問孔子說：「希望知道先生的意願。」孔子說：「我所希望的，也正是顏淵所憧憬的。我願意背上衣帽行李跟從顏淵。」

【出處】

　　孔子北遊，東上農山，子路、子貢、顏淵從焉。孔子喟然嘆曰：「登高望下，使人心悲，二三子者，各言爾志。丘將聽之。」子路曰：「願得白羽若月，赤羽若日，鐘鼓之音上聞乎天，旌旗翩翩，下

蟠於地。由且舉兵而擊之，必也攘地千里，獨由能耳。使夫二子為從焉！」孔子曰：「勇哉士乎！忿忿者乎！」子貢曰：「賜也，願齊楚合戰於莽洋之野，兩壘相當，旌旗相望，塵埃相接，接戰構兵，賜願著縞衣白冠，陳說白刃之間，解兩國之患，獨賜能耳。使夫二子者為我從焉！」孔子曰：「辯哉士乎！僊僊者乎！」顏淵獨不言。孔子曰：「回！來！若獨何不願乎？」顏淵曰：「文武之事，二子已言之，回何敢與焉！」孔子曰：「若鄙，心不與焉，第言之！」顏淵曰：「回聞鮑魚蘭芷不同篋而藏，堯舜桀紂不同國而治，二子之言與回言異。回願得明王聖主而相之，使城郭不修，溝池不越，鍛劍戟以為農器，使天下千歲無戰鬥之患，如此則由何忿忿而擊，賜又何僊僊而使乎？」孔子曰：「美哉，德乎！姚姚者乎！」子路舉手問曰：「願聞夫子之意。」孔子曰：「吾所願者，顏氏之計，吾願負衣冠而從顏氏子也。」（《說苑》〈指武〉）

武仲賢哉

　　顏回問孔子說：「臧文仲、臧武仲兩人誰更賢能？」孔子說：「臧武仲更賢能。」顏回說：「臧武仲被世人稱為聖人，但自身不能免於罪責，說明他的智慧不值得稱道；喜歡談論征戰，卻被邾國打敗，說明他的智謀不足。而臧文仲呢，雖然身死，但他的言論卻永遠不朽，怎麼會不如武仲賢能呢？」孔子說：「身死而言論得以流傳，所以被稱為文仲。但他還做過三件不仁愛的事、三件不明智的事，因此比不上臧武仲。」顏回問：「具體是怎麼回事呢？」孔子說：「使展禽居

於下位，設置六關徵稅，讓侍妾織草蓆販賣，這是三件不仁愛的事情；非法擁有天子的器物，縱容不合順序的祭祀，祭祀海鳥，這是三件不明智的事情。臧武仲在齊國時，齊國即將有難，他因沒有接受齊國賞賜的土地倖免於難，這在一般智者很難做到。臧武仲如此明智，卻不被魯國容納，也是有原因的。因為他做事有時不順從事理，不合乎恕道，與《夏書》的說法不符。」[68]

【出處】

顏回問於孔子曰：「臧文仲武仲孰賢？」孔子曰：「武仲賢哉。」顏回曰：「武仲世稱聖人而身不免於罪，是智不足稱也；好言兵討，而挫銳於邾，是智不足名也。夫文仲其身雖歿，而言不朽，惡有未賢？」孔子曰：「身歿言立，所以為文仲也。然猶有不仁者三，不智者三，是則不及武仲也。」回曰：「可得聞乎？」孔子曰：「下展禽，置六關，妾織蒲，三不仁；設虛器，縱逆祀，祠海鳥，三不智。武仲在齊，齊將有禍，不受其田，以避其難，是智之難也。夫臧文仲之智而不容於魯，抑有由焉，作而不順，施而不恕也夫。夏書曰：『念茲在茲，順事恕施。』」（《孔子家語》〈顏回〉）

為己不重

顏回請教君子的行為準則。孔子說：「有愛心就近於仁，會謀劃就近於智，對自己不要看得太重，對別人不要看得太輕，這就是君子

68.《夏書》曰：「念茲在茲，順事恕施。」意思是做事要順從事理、合乎恕道。

的表現啊！」顏回說：「請問比這略次一點的表現呢？」孔子說：「不用學習就能實踐，不用深思就有所得。你好好努力吧！」

【出處】

顏回問於君子。孔子曰：「愛近仁，度近智，為己不重，為人不輕，君子也夫。」回曰：「敢問其次。」子曰：「弗學而行，弗思而得，小子勉之。」（《孔子家語》〈顏回〉）

不可不察

顏回對孔子說：「小人說話也有與君子相同的時候，君子不能不詳察啊。」孔子說：「君子用行動說話，小人用舌頭說話。君子出於行義的目的而相互批評，私下裡則相互敬愛；小人出於作亂的目的而相互親愛，私下裡則相互詆毀。」

【出處】

顏回問於孔子曰：「小人之言有同乎？君子者不可不察也。」孔子曰：「君子以行言，小人以舌言，故君子為義之上相疾也，退而相愛；小人於為亂之上相愛也，退而相惡。」（《孔子家語》〈顏回〉）

各言爾志

顏淵、子路兩人侍立在孔子身邊。孔子說：「你們何不各自說說

自己的志向？」子路說：「願意拿出自己的車馬、衣服、皮袍，同我的朋友共同使用，用壞了也不抱怨。」顏淵說：「不誇耀自己的長處，不表白自己的功勞。」子路問孔子說：「願意聽聽您的志向。」孔子說：「讓年老的安心，朋友們信任我，讓年輕的子弟們得到關懷。」

【出處】

顏淵、季路侍，子曰：「盍各言爾志？」子路曰：「願車馬、衣輕裘與朋友共，敝之而無憾。」顏淵曰：「願無伐善，無施勞。」子路曰：「願聞子之志。」子曰：「老者安之，朋友信之，少者懷之。」（《論語》〈公冶長〉）

恭敬忠信

顏回準備西行遊學，向孔子請教說：「人靠什麼來立身處世？」孔子說：「恭敬忠信，可以用來立身處世。遇事恭謹就可以免禍，對人禮敬別人就會愛戴你，對人忠實別人就會結交你，對人誠信別人就會信賴你。有人愛戴，有人願意結交，有人信賴，一定會避免禍患，這樣的人連國家都能治理，何況保全自身呢？」

【出處】

顏回將西游，問於孔子曰：「何以為身？」孔子曰：「恭敬忠信，可以為身。恭則免於眾，敬則人愛之，忠則人與之，信則人恃之；人

各言爾志

所愛，人所與，人所恃，必免於患矣，可以臨國家，何況於身乎？故不比數而比疏，不亦遠乎？不修中而修外，不亦反乎？不先慮事，臨難乃謀，不亦晚乎？」（《說苑》〈敬慎〉）

莫如預恕

仲孫何忌問顏回說：「以一個字來增進仁德和智慧，你做得到嗎？」顏回說：「以一個字來增進智慧，不如說是『預』字；以一個字來增進仁德，不如說是『恕』字。[69]明白了不能幹什麼，也就明白了該幹什麼。」

【出處】

仲孫何忌問於顏回曰：「仁者一言而必有益於仁智，可得聞乎？」回曰：「一言而有益於智，莫如預；一言而有益於仁，莫如恕。夫知其所不可由，斯知所由矣。」（《孔子家語》〈顏回〉）

無攻人惡

叔孫武叔沒當官之前去拜訪顏回。顏回招呼下人說：「請用賓客的禮儀招待他。」武叔常常數說別人的過失而妄加評論。顏回告誡他說：「這樣做會給你帶來恥辱的。我從孔子那裡聽說過：『說人家不

69.預：事先準備；恕，即推己及人。

好，並不能證明自己就好；說人有過失，並不能證明自己正確。」君子應該多檢討自己的缺點，不要總是攻擊別人的過失。」

【出處】

叔孫武叔見未仕於顏回，回曰：「賓之。」武叔多稱人之過，而己評論之顏回曰：「固子之來辱也，宜有得於回焉，吾聞知諸孔子曰：『言人之惡，非所以美己；言人之枉，非所以正己。』故君子攻其惡，無攻人惡。」（《孔子家語》〈顏回〉）

仲弓問政

仲弓向孔子請教如何從政，孔子說：「出門做事如同接待貴賓一樣彬彬有禮，使用百姓如同舉辦隆重的祭祀一樣虔誠恭敬。這樣，無論是在諸侯所在的邦國，還是在卿大夫的封邑裡任職，都不會有人怨恨你。」孔子認為仲弓在德行方面有成就，評價說：「冉雍可以充任卿大夫一類的大官。」仲弓的父親出身卑微。孔子打比方說：「耕田的水牛生出紅色的小牛，兩角周正，即便你不想用它作祭品，山川的神靈會不惦念它嗎？」

【出處】

仲弓問政，孔子曰：「出門如見大賓，使民如承大祭。在邦無怨，在家無怨。」孔子以仲弓為有德行，曰：「雍也可使南面。」仲弓父，賤人。孔子曰：「犁牛之子騂且角，雖欲勿用，山川其舍諸？」（《史記》〈仲尼弟子列傳〉）

居敬而行簡

　　仲弓問孔子：「子桑伯子這個人怎麼樣？」孔子說：「這人還可以，辦事簡要而不煩瑣。」仲弓說：「居心恭敬嚴肅而行事簡要，像這樣來治理百姓，不是也可以嗎？但是自己馬馬虎虎，又以簡要的方法辦事，這豈不是太簡單了嗎？」孔子說：「冉雍，這話你說得對。」

【出處】

　　仲弓問子桑伯子，子曰：「可也簡。」仲弓曰：「居敬而行簡，以臨其民，不亦可乎？居簡而行簡，無乃大簡乎？」子曰：「雍之言然。」（《論語》〈雍也〉）

順非而澤

　　仲弓問孔子說：「古代法律禁令的規定中，都有哪些條款呢？」孔子說：「凡是用巧言曲解法律，變亂名義擅改法度，利用邪道擾亂國政者，屬死罪。凡是製作淫聲浪調，製作奇裝異服，設計奇巧怪異器物來擾亂君心的，屬死罪。凡行為詭詐又頑固，言辭虛偽又能詭辯，學非正學又廣博多知，順從壞事又曲加粉飾，用以蠱惑民眾者，為死罪。凡利用鬼神、時日、卜筮，用以惑亂民眾者，也屬死罪。犯此四類死罪的，都不需詳加審理。」仲弓又問：「法令禁止的就這四項嗎？」孔子說：「這是其中最緊要的。其餘應禁的還有十四項：天

子賜予的命服、命車不准在集市上出賣，圭璋璧琮等禮玉不准在集市上出賣，宗廟祭祀用的禮器不准在集市上出賣，兵車旂旗不准在集市上出賣，祭祀用的牲畜和酒不准在集市上出賣，作戰用的兵器鎧甲不准在集市上出賣，家用器具不合規矩不准在集市上出賣，麻布絲綢精粗不合乎規定、寬窄不合規定的不准在集市上出賣，染色不正的不准在集市上出賣，錦緞珠玉等器物雕刻巧飾特別華麗的不准在集市上出賣，衣服飲食不准在集市上出賣，果實還未成熟不准在集市上出賣，樹木不成材不准在集市上出賣，幼小的鳥獸魚鱉不准在集市上出賣。凡執行這些禁令都是為了治理民眾，犯禁者不赦。」

【出處】

　　仲弓曰：「其禁何禁？」孔子曰：「巧言破律，遁名改作，執左道與亂政者，殺。作淫聲，造異服，設伎奇器，以蕩上心者，殺。行偽而堅，言詐而辯，學非而博，順非而澤，以惑眾者，殺。假於鬼神，時日卜筮，以疑眾者，殺。此四誅者不以聽。」仲弓曰：「其禁盡於此而已？」孔子曰：「此其急者，其餘禁者十有四焉。命服命車，不粥於市；圭璋璧琮，不粥於市；宗廟之器，不粥於市；兵車旂旗，不粥於市；犧牲秬鬯，不粥於市；戎器兵甲，不粥於市；用器不中度，不粥於市；布帛精麤，不中數，廣狹不中量，不粥於市；奸色亂正色，不粥於市；文錦珠玉之器，雕飾靡麗，不粥於市；衣服飲食，不粥於市；果實不時，不粥於市；五木不中伐，不粥於市；鳥獸魚鱉不中殺，不粥於市。凡執此禁以齊眾者，不赦過也。」（《孔子家語》〈刑政〉）

三年之喪

　　宰予字子我，伶牙俐齒，能言善辯。師從孔子學習，問孔子說：「父母死了，守孝三年，時間是不是太長了？君子三年不習禮，禮義必定生疏；三年不演奏音樂，音樂一定淡忘。上年的穀子吃完了，新年的穀子成熟，鑽木取火的木材正好用完，守喪一年就行了。」孔子說：「只守喪一年，你會心安嗎？」宰我回答說：「心安。」孔子說：「你既然感到心安理得，你就這樣做吧。君子居喪守孝期間，再可口的美味，也不會感到香甜，再悅耳動聽的音樂，也不會令心情興奮，所以君子才不會去嚮往。」宰予退下之後，孔子評論說：「宰予不是個仁人君子啊！孩子生下來，三年才脫離母親的懷抱；為父母守孝三年，是天下認可的禮儀啊。」

【出處】

　　宰予字子我。利口辯辭。既受業，問：「三年之喪不已久乎？君子三年不為禮，禮必壞；三年不為樂，樂必崩。舊穀既沒，新穀既升，鑽燧改火，期可已矣。」子曰：「於汝安乎？」曰：「安。」「汝安則為之。君子居喪，食旨不甘，聞樂不樂，故弗為也。」宰我出，子曰：「予之仁也！子生三年然後免於父母之懷。夫三年喪，天下之通義也。」（《史記》〈仲尼弟子列傳〉）

鬼神之名

宰我問孔子說：「我聽說有鬼神這種名稱卻不知道它們是什麼，所以冒昧地來問您。」孔子說：「人天生就有氣有魄。氣是指人的精神旺盛。人生下來就注定會死亡，死後一定會回到土裡，這就是鬼；魂魄回到天上，這就是神。把鬼和神放在一起來祭祀，這是教化的極致。骨頭和肉置於地下，變成田中泥土，人的氣發散向上飛揚，這是神的顯露。聖人按照萬物的精氣，給它們取了個至高無上的名字，名為鬼神，作為黎民百姓遵守的法則，於是黎民百姓都害怕鬼神，服從鬼神。聖人以為光這樣做還不夠，於是又為它們修築宮殿房屋，建立宗廟和祖廟，在春天和秋天祭祀它們，用以區別親近和疏遠的關係，教育人們返思遠古和初始，不要忘掉自己是從哪裡來的。」

【出處】

宰我問於孔子曰：「吾聞鬼神之名，而不知所謂，敢問焉。」孔子曰：「人生有氣有魂，氣者，人之盛也，夫生必死，死必歸土，此謂鬼，魂氣歸天此謂神，合鬼與神而享之，教之至也。骨肉弊於下，化為野土，其氣發揚於上者，此神之著也。聖人因物之精，製為之極，明命鬼神，以為民之則，而猶以是為未足也，故築為宮室，設為宗祧，春秋祭祀，以別親疏，教民反古復始，不敢忘其所由生也。」（《孔子家語》〈哀公問政〉）

行之所易

商朝的法令規定，對在街上倒灰的人處以刑罰。子貢認為刑罰過重了，就詢問孔子，孔子說：「這是因為他們懂得治理方法。在街上倒灰一定會迷人眼睛；迷人家的眼睛，人家一定會發怒；一旦發怒，就會發生爭鬥；爭鬥起來，就會引起家族之間的相互殘殺。既然會造成家族之間的相互殘殺，那麼對這一行為處以刑罰也是可行的。再說，刑罰苛嚴是人們所厭惡的；而不去街上倒灰，則是人們容易辦到的。讓人們做容易辦到的事情，而不去觸犯所厭惡的刑罰，這合乎治理的原則。」

【出處】

殷之法，刑棄灰於街者。子貢以為重，問之仲尼。仲尼曰：「知治之道也。夫棄灰於街必掩人，掩人，人必怒，怒則鬥，鬥必三族相殘也。此殘三族之道也，雖刑之可也。且夫重罰者，人之所惡也；而無棄灰，人之所易也。使人行之所易，而無離所惡，此治之道也。」（《韓非子》〈內儲說上七術〉）

晝處於內

孔子到季氏家去。季康子白天在內室睡覺。孔子問起他的病情，康子便出來與孔子見面。談完話，出了季氏家門，子貢問孔子說：「季孫氏沒有生病，先生卻問起他的病情，這合乎禮嗎？」孔子說：

「按照禮制規定，君子如果不是遇上父母之喪，就不在外室睡覺；如果不是舉行齋戒或生病，白天就不在內室睡覺。所以夜裡在外室睡覺，別人即使前往弔喪也是可以的；白天在內室睡覺，即使前往探病也是可以的。」

【出處】

孔子適季氏，康子晝居內寢。孔子問其所疾。康子出見之。言終，孔子退，子貢問曰：「季孫不疾而問諸疾，禮與？」孔子曰：「夫禮，君子不有大故，則不宿於外。非致齊也，非疾也，則不晝處於內，是故夜居外，雖弔之，可也。晝居於內，雖問其疾，可也。」（《孔子家語》〈曲禮子貢問〉）

聖人相知

孔子去見溫伯雪子，沒說話就出來了。子貢說：「先生想見到溫伯雪子很久了，現在見到了卻不說話，這是為什麼呢？」孔子說：「像他那樣的人，看一眼就知道是有道之人，不用再說話了。」還沒有見到本人就知道他的志向，見到本人後馬上就能瞭解他的內心與志向。彼此道行相合，聖性相通，哪裡還需要言語溝通呢？

【出處】

孔子見溫伯雪子，不言而出。子貢曰：「夫子之欲見溫伯雪子好矣，今也見之而不言，其故何也？」孔子曰：「若夫人者，目擊而道

存矣，不可以容聲矣。」故未見其人而知其志，見其人而心與志皆見，天符同也。聖人之相知，豈待言哉？（《呂氏春秋》〈審應覽‧精諭〉）

死人有知

　　子貢問孔子說：「死人有知覺嗎？」孔子說：「我如果說死者有知覺，恐怕孝子賢孫不愛惜自己的生命去殉死；我如果說死人無知覺，又恐怕不孝的子孫丟棄父母的遺體不予安葬。你想知道死人有沒有知覺，死的時候自然會知道，沒必要現在急著知道。」

【出處】

　　子貢問孔子：「死人有知無知也？」孔子曰：「吾欲言死者有知也，恐孝子順孫妨生以送死也；欲言無知，恐不孝子孫棄不葬也。賜欲知死人有知將無知也？死徐自知之，猶未晚也！」（《說苑》〈辨物〉）

為人下之道

　　子貢問孔子說：「要怎樣才能做到甘居人下呢？」孔子說：「甘居人下的人，大概應該像泥土一樣。在它上面播種就能長出五穀，向下挖掘就有甘泉湧出，草木能在它上面生長，禽獸能在它上面繁衍，活著的人在它上面行走，去世的人在它懷裡安葬。雖然貢獻多多卻默

然無言。甘居人下的人，大概就跟泥土一樣吧！」

【出處】

子貢問孔子曰：「賜為人下，而未知所以為人下之道也？」孔子曰：「為人下者，其猶土乎！種之則五穀生焉，掘之則甘泉出焉，草木植焉，禽獸育焉，生人立焉，死人入焉，多其功而不言，為人下者，其猶土乎！」（《說苑》〈臣術〉）

進賢為賢

子貢問孔子說：「如今做臣子的，有誰稱得上賢人呢？」孔子說：「我不知道。從前齊國有鮑叔牙，鄭國有罕虎，他倆算得上賢人吧。」子貢說：「那麼齊國的管仲，鄭國的子產不算賢人嗎？」孔子說：「賜啊，你只知其一，不知其二，你認為是舉薦賢能為賢呢？還是出力為賢呢？」子貢說：「當然是舉薦賢能為賢。」孔子說：「對啊。我聽說鮑叔牙舉薦了管仲，子皮舉薦了子產，沒聽說管仲、子產舉薦過誰呀。」

【出處】

子貢問孔子曰：「今之人臣孰為賢？」孔子曰：「吾未識也，往者齊有鮑叔，鄭有子皮，賢者也。」子貢曰：「然則齊無管仲，鄭無子產乎？」子曰：「賜，汝徒知其一，不知其二，汝聞進賢為賢耶？用力為賢耶？」子貢曰：「進賢為賢？」子曰：「然，吾聞鮑叔之進

笣仲也，聞子皮之進子產也，未聞笣仲子產有所進也。」(《說苑》〈臣術〉)

以道導之

子貢向孔子請教如何治理百姓，孔子說：「要小心謹慎，治理百姓，就彷彿以腐朽的韁繩駕馭奔馬一樣。」子貢說：「有那麼聾人聽聞嗎？」孔子說：「那四通八達的國家到處都是百姓，按正確的方法來引導，就會順從地聽從你的指揮，不按正確的方法來引導，就會成為你的仇敵。哪裡是聾人聽聞呢？」

【出處】

子貢問治民於孔子。子曰：「懍懍焉若持腐索之扞馬。」子貢曰：「何其畏也？」孔子曰：「夫通達御皆人也，以道導之，則吾畜也；不以道導之，則吾仇也。如之何其無畏也。」(《孔子家語》〈致思〉)

東流之水

孔子正在觀賞東流的河水，子貢問說：「君子見到大水就要觀賞，為什麼呢？」孔子回答說：「因為奔流不息，滋養萬物卻不認為是自己的功勞，這就像德；它在高低曲折的地下流動，必定遵循一定的地理，這就像義；它廣大無邊，沒有窮盡之日，這就像道；它流向百仞深的山谷而無所畏懼，這就像勇士；以它為衡量標準必定公平合

理，這就像法；適度而不求盈滿，就像正人君子；雖然柔弱，但能到達任何細微之處，這就像明察之士；它一旦發源，就必定東流，這就像有志之士；經過它的洗滌，萬物都變得乾淨清潔，這就像善於教化者。水具有這些品德，君子見到大水又怎能不觀賞？」

【出處】

孔子觀於東流之水。子貢問曰：「君子所見大水，必觀焉何也？」孔子對曰：「以其不息，且遍與諸生而不為也。夫水似乎德，其流也則卑下，倨邑必修，其理似義；浩浩乎無屈盡之期，此似道；流行赴百仞之嶄而不懼，此似勇；至量必平之，此似法；盛而不求概，此似正；綽約微達，此似察；發源必東，此似志；以出以入，萬物就以化絜，此似善化也。水之德有若此，是故君子見，必觀焉。」（《孔子家語》〈三恕〉）

審其所從

子貢問孔子道：「兒子聽從父親的命令，應該算孝順吧？臣下聽從君王的命令，應該算忠貞吧？對此有什麼可懷疑的嗎？」孔子說：「賜，你太膚淺了！你不知道，以往英明的君主如果統治萬乘之國，身邊只要有七位諫臣，他就不會有錯誤的舉動；如果統治千乘之國，身邊只要有五位諫臣，國家就不會有危險；如果治理擁有百乘戰車的卿大夫之家，身邊只要有三位諫臣，俸祿和官位就不會丟掉。父親有直言敢諫的兒子，就不會有無禮之舉；讀書人有立言敢諫的朋友，就

不會做不合道義的事。所以，兒子服從父親的命令，怎麼就一定是孝順呢？臣下服從君王的命令，怎麼就一定是忠貞呢？能弄明白什麼是應該服從的，這才叫孝順和忠貞。」

【出處】

子貢問於孔子曰：「子從父命，孝乎？臣從君命，貞乎？奚疑焉。」孔子曰：「鄙哉賜，汝不識也。昔者明王萬乘之國，有爭臣七人，則主無過舉；千乘之國，有爭臣五人，則社稷不危也；百乘之家，有爭臣三人，則祿位不替；父有爭子，不陷無禮；士有爭友，不行不義。故子從父命，奚詎為孝？臣從君命，奚詎為貞？夫能審其所從，之謂孝，之謂貞矣。」（《孔子家語》〈三恕〉）

無自立辟

子貢問：「陳靈公在朝廷上公開宣洩淫欲，洩冶[70]嚴正勸諫，結果被殺。這與比干進諫身死相同，可以稱得上仁義嗎？」孔子說：「比干對於紂王來說，論親緣是叔父，論官職是少師，忠誠報國的目的是為了宗廟的延續。之所以拚死相諫，是希望自己死後紂王會反悔醒悟，情感本來就屬於仁義；洩冶對於陳靈公來說，論官位只是大夫，又沒有親緣關係，受到寵愛而捨不得離去，在混亂的朝廷中為官，以區區一己之力，想糾正國君的淫亂昏庸，死了也沒有什麼價值，可以說是過於拘謹固執。《詩經》上說：『當今之人多邪僻，勿

---

70. 洩冶：陳國大夫。《孔子家語》〈子路初見〉以洩冶為洩治。

自立法害自己。』[71]說的大概就是洩冶這種人吧！」

【出處】

　　子貢曰：「陳靈公宣婬於朝，洩冶正諫而殺之，是與比干諫而死同，可謂仁乎？」子曰：「比干於紂，親則諸父，官則少師，忠報之心在於宗廟而已，固必以死爭之，冀身死之後，紂將悔寤其本志，情在於仁者也；洩冶之於靈公，位在大夫，無骨肉之親，懷寵不去，仕於亂朝，以區區之一身，欲正一國之婬昏，死而無益，可謂捐矣。《詩》云：『民之多辟，無自立辟。』其洩冶之謂乎。」（《孔子家語》〈子路初見〉）

生無所息

　　子貢問孔子說：「我已厭倦學習，對於道又困惑不解，想去侍奉君主得以休息，可以嗎？」孔子說：「《詩經》裡說：『侍奉君王從早到晚都要溫文恭敬，做事要格外恭謹小心。』侍奉君主是很難的事情，怎麼可以休息呢？」子貢說：「那我希望侍奉父母以得到休息。」孔子說：「《詩經》裡講：『孝子的孝心永不枯竭，孝的法則要永遠傳遞。』侍奉父母也是很難的事，怎麼可以休息呢？」子貢說：「我希望在妻子兒女那裡得到休息。」孔子說：「《詩經》裡說：『要給妻子做出典範，進而至於兄弟，推而治理宗族國家。』與妻子兒女相處也是難事，哪能夠得到休息呢？」子貢說：「我希望在朋友那裡得到休

71.「民之多辟，無自立辟」，出自《詩經》〈大雅‧板〉。

息。」孔子說：「《詩經》裡說：『朋友之間互相幫助，使彼此舉止符合威儀。』和朋友相處也是很難的，哪裡能得到休息呢？」子貢說：「我希望去種莊稼得到休息。」孔子說：「《詩經》裡說：『白天割茅草，晚上把繩搓；趕快修屋子，又要去播種。』[72]種莊稼也是很難的事，哪裡能得到休息呢？」子貢說：「那我就沒有可以休息的地方嗎？」孔子說：「有的。你從這裡看那個墳墓，樣子高高的；看它高高的樣子，又填得實實的；從側面看，一個個隔開。這就是休息的地方了。」子貢說：「天哪，只有死才能休息啊！」

【出處】

子貢問於孔子曰：「賜倦於學，困於道矣，願息於事君，可乎？」孔子曰：「《詩》云：『溫恭朝夕，執事有恪。』事君之難也，焉可息哉！」曰：「然則賜願息而事親。」孔子曰：「《詩》云：『孝子不匱，永錫爾類。』事親之難也，焉可以息哉！」曰：「然賜請願息於妻子。」孔子曰：「《詩》云：『刑於寡妻，至於兄弟，以御於家邦。』妻子之難也，焉可以息哉！」曰：「然賜願息於朋友。」孔子曰：「《詩》云：『朋友攸攝，攝以威儀。』朋友之難也，焉可以息哉！」曰：「然則賜願息於耕矣。」孔子曰：「《詩》云：『晝爾於茅，宵爾索綯，亟其乘屋，其始播百穀。』耕之難也，焉可以息哉！」曰：「然則賜將無所息者也。」孔子曰：「有焉，自望其廣，則睪如也，視其

72.「溫恭朝夕，執事有恪」，出自《詩經》〈商頌‧那〉；「孝子不匱，永錫爾類」，出自《詩經》〈大雅‧既醉〉；「刑於寡妻，至於兄弟，以御於家邦」，出自《詩經》〈大雅‧思齊〉；「朋友攸攝，攝以威儀」，出自《詩經》〈大雅‧既醉〉；「晝爾於茅，宵爾索綯，亟其乘屋，其始播百穀」，出自《詩經》〈爾風‧七月〉。

高，則填如也，察其從，則隔如也，此其所以息也矣。」子貢曰：「大哉乎死也！君子息焉，小人休焉，大哉乎死也！」（《孔子家語》〈困誓〉）

溫其如玉

子貢問孔子：「請問君子以玉為貴而以珉[73]為賤，這是為什麼呢？是因為玉少而珉多嗎？」孔子說：「並不是因為玉少就認為它貴重，也不是因為珉多而輕賤它。從前君子將玉的品質與人的美德相比。玉溫潤而有光澤，像仁；細密而又堅實，像智；有棱角而不傷人，像義；懸垂就下墜，像禮；敲擊它，聲音清脆而悠長，最後戛然而止，像樂；玉上的瑕疵掩蓋不住它的美好，玉的美好也掩蓋不了它的瑕疵，像忠；玉色晶瑩發亮，光彩四溢，像信；玉的光氣如白色長虹，像天；玉的精氣顯現於山川之間，像地；朝聘時用玉製的圭璋單獨通達情意，像德；天下人沒有不珍視玉的，像尊重道。《詩經》說：『每想起那位君子，他溫和得如同美玉。』所以君子以玉為貴。」

【出處】

子貢問於孔子曰：「敢問君子貴玉而賤珉何也？為玉之寡而珉多歟？」孔子曰：「非為玉之寡故貴之，珉之多故賤之。夫昔者君子比德於玉，溫潤而澤，仁也；縝密以栗，智也；廉而不劌，義也；垂之如墜，禮也。叩之，其聲清越而長，其終則詘然樂矣。瑕不掩瑜，瑜

---

73. 珉：像玉的石頭。

不掩瑕，忠也；孚尹旁達，信也；氣如白虹，天也；精神見於山川，地也；珪璋特達，德也；天下莫不貴者，道也。《詩》云：『言念君子，溫其如玉。』[74]故君子貴之也。」（《孔子家語》〈問玉〉）

一張一弛，文武之道

子貢觀看年終的蜡祭。孔子說道：「子貢，你覺得有樂趣嗎？」子貢回答說：「全國的人都像發了瘋似的，我不知道這有什麼樂趣。」孔子說：「他們辛苦勞作了一整年，才得到國君的恩澤享受這一天的快樂，這個道理不是你能理解的。時刻緊張而不放鬆，文王和武王都做不到；只是放鬆而不緊張，文王和武王也不會這樣做。時而緊張，時而放鬆，勞逸結合，這才是文王和武王治理天下的辦法。」

【出處】

子貢觀於蜡。孔子曰：「賜也，樂乎？」對曰：「一國之人皆若狂，賜未知其為樂也。」孔子曰：「百日之勞，一日之樂，一日之澤，非爾所知也。張而不弛，文武弗能，弛而不張，文武弗為。一張一弛，文武之道也。」（《孔子家語》〈觀鄉射〉）

以臣召君

子貢問孔子說：「晉文公在溫地的會盟，實際召請來周天子，而

74.「言念君子，溫其如玉」，出自《詩經》〈秦風‧小戎〉。

讓諸侯來朝見。老師您編寫《春秋》時寫道：『天王在河陽打獵。』
這是為什麼呢？」孔子說：「以臣下的身分召請君主，這不可以傚
法。所以我寫成晉文公率諸侯朝見天子。」

【出處】

子貢問於孔子曰：「晉文公實召天子而使諸侯朝焉。夫子作《春
秋》，云天王狩於河陽，何也？」孔子曰：「以臣召君，不可以訓，
亦書其率諸侯事天子而已。」（《孔子家語》〈曲禮子貢問〉）

二者孰賢

子貢問道：「管仲的過失在於過度奢侈，晏子的過失在於過度節
儉。兩個人儘管都有過失，但比較起來誰更賢能一些呢？」孔子說：
「管仲使用雕花的簋和天子才能使用的紅色帽帶，大門前樹立屏障而
堂上設置放禮器和酒具的土臺，斗栱上畫有山和雲形的圖案，楹柱上
畫有水草花卉的圖案。他雖然是個賢能的大夫，但卻使居上位的人為
難。晏子祭祀先祖，供奉用的豬腿連豆器都裝不滿，一件狐皮大衣穿
了三十年。他雖然是個賢能的大夫，但卻使居下位的人為難。君子應
該對上不僭越居上位的人，對下不為難居下位的人。」

【出處】

子貢問曰：「管仲失於奢，晏子失於儉，與其俱失矣，二者孰
賢？」孔子曰：「管仲鏤簋而朱紘，旅樹而反坫，山節藻梲，賢大夫

也，而難為上。晏平仲祀其先祖，而豚肩不掩豆，一狐裘三十年，賢大夫也，而難為下。君子上不僭下，下不偪上。」（《孔子家語》〈曲禮子貢問〉）

直於行者曲於欲

孔子對弟子說：「你們誰能勸阻子西的沽名釣譽呢？」子貢說：「我能。」於是前往楚國開導子西，該說的話都說了。孔子說：「心胸寬廣，就不會為利益所惑。品德純潔的人，本性就不會改變。曲就是曲，直就是直。」又感嘆說：「子西不能免禍。」後來白公勝發動政變，子西果然被殺。這就是俗語說的：「行為剛直的人也會屈從欲望。」

【出處】

孔子謂弟子曰：「孰能道子西之釣名也？」子貢曰：「賜也能。」乃導之，不復疑也。孔子曰：「寬哉，不被於利！潔哉，民性有恆！曲為曲，直為直。」孔子曰：「子西不免。」白公之難，子西死焉。故曰：「直於行者曲於欲。」（《韓非子》〈說林下〉）

弊蓋不棄

孔子的看家狗死了，孔子對子貢說：「平常駕車的馬死了，就要用帷幔裹起來埋掉，狗死了，就要用車蓋蓋好再埋掉。你去把狗埋掉

吧。我聽說破舊的帷幔不要丟掉，為的是用來埋葬馬，破舊的車蓋也不要丟掉，為的是用來埋葬狗。如今我很貧窮，連車蓋都沒有。你在把狗放進坑裡的時候，可以用蓆子裹著，不要讓它的頭直接埋在土裡。」

【出處】

孔子之守狗死，謂子貢曰：「路馬死，則藏之以帷，狗則藏之以蓋，汝往埋之。吾聞：弊幃不棄，為埋馬也，弊蓋不棄，為埋狗也。今吾貧無蓋，於其封也與之蓆，無使其首陷於土焉。」（《孔子家語》〈曲禮子夏問〉）

子貢問喪

子貢問應當怎樣居父母之喪，孔子答道：「敬是最重要的，哀痛還在其次，形容憔悴甚至鬧出病來最不應該。臉色要和哀情相稱，悲容要和孝服相稱。」子貢又問如何居兄弟之喪，孔子答道：「你提的這個問題，書本上都有記載了。」作為君子，既不可強迫他人拋開喪親的悲痛，也不可以忘掉自己喪親的哀痛。孔子說：「少連、大連這兩個人都很懂得為父母居喪的禮節。父母去世後的頭三天，一味哭泣，不進飲食；三個月內，哭泣祭奠沒有懈怠；到了一週年以後，還悲從中來，時時落淚；到了三年頭上還滿面愁容。他們還是東夷地方的人呀！」

子貢問喪，子曰：「敬為上，哀次之，瘠為下。顏色稱其情；戚容稱其服。」請問兄弟之喪，子曰：「兄弟之喪，則存乎書策矣。」君子不奪人之喪，亦不可奪喪也。孔子曰：「少連、大連善居喪，三日不怠，三月不解，期悲哀，三年憂。東夷之子也。」（《禮記》〈雜記下〉）

可與言詩

子貢說：「貧窮而不諂媚，富有而不驕傲自大，怎麼樣？」孔子說：「這也算可以了。但是還不如雖貧窮卻樂於道，雖富裕而又好禮的人。」子貢說：「《詩經》上說，『要像對待骨、角、象牙、玉石一樣，切磋它，琢磨它』[75]，講的就是這個意思吧？」孔子說：「賜呀，你能從我已經講過的話中領會到我還沒有說到的意思，舉一反三，我可以同你談論《詩》了。」

子貢曰：「貧而無諂，富而無驕，何如？」子曰：「可也。未若貧而樂，富而好禮者也。」子貢曰：「《詩》云：『如切如磋，如琢如磨』，其斯之謂與？」子曰：「賜也，始可與言《詩》已矣，告諸往而知來者。」（《論語》〈學而〉）

75.「如切如磋，如琢如磨」，出自《詩經》〈衛風・淇奧〉。

民無信不立

　　子貢問怎樣治理國家。孔子說，「糧食充足，軍備充足，老百姓信任統治者。」子貢說：「如果不得不去掉一項，那麼在三項中先去掉哪一項呢？」孔子說：「去掉軍備。」子貢說：「如果不得不再去掉一項，那麼這兩項中去掉哪一項呢？」孔子說：「去掉糧食。自古以來人總是要死的，如果老百姓對統治者不信任，那麼國家就不能存在了。」

【出處】

　　子貢問政，子曰：「足食，足兵，民信之矣。」子貢曰：「必不得已而去，於斯三者何先？」曰：「去兵。」子貢曰：「必不得已而去，於斯二者何先？」曰：「去食。自古皆有死，民無信不立。」（《論語》〈顏淵〉）

斗筲之人

　　子貢問道：「怎樣才可以叫作士？」孔子說：「自己在做事時有知恥之心，出使外國各方，能夠完成君主交付的使命，可以叫作士。」子貢說：「請問次一等的呢？」孔子說：「宗族中的人稱讚他孝順父母，鄉鄰們稱讚他尊敬兄長。」子貢又問：「再次一等的呢？」孔子說：「說到一定做到，做事一定堅持到底，不問是非固執己見，那是小人啊。但也可以說是再次一等的士了。」子貢說：「現在的執

政者，您看怎麼樣？」孔子說：「唉！這些器量狹小的人，哪裡算得上士呢？」

【出處】

子貢問曰：「何如斯可謂之士矣？」子曰：「行己有恥，使於四方不辱君命，可謂士矣。」曰：「敢問其次。」曰：「宗族稱孝焉，鄉黨稱弟焉。」曰：「敢問其次。」曰：「言必信，行必果，硜硜然小人哉！抑亦可以為次矣。」曰：「今之從政者何如？」子曰：「噫！斗筲之人，何足算也！」（《論語》〈子路〉）

善者好之

子貢問孔子說：「全鄉人都喜歡、讚揚他，這個人怎麼樣？」孔子說：「這還不能肯定。」子貢又問孔子說：「全鄉人都厭惡、憎恨他，這個人怎麼樣？」孔子說：「這也是不能肯定的。最好的人是全鄉的好人都喜歡他，全鄉的壞人都厭惡他。」

【出處】

子貢問曰：「鄉人皆好之，何如？」子曰：「未可也。」「鄉人皆惡之，何如？」子曰：「未可也。不如鄉人之善者好之，其不善者惡之。」（《論語》〈子路〉）

盜不與期　賊不與謀

　　船之所以載人，是因為浮在水面上不會下沉；世人所以敬重君子，是因為君子恪守信義不做邪惡的事情。孔子占卜得到賁卦，搖頭說：「不吉利。」子貢說：「賁卦已經很好了，為什麼說不吉利呢？」孔子說：「白就是白，黑就是黑，賁是雜色，有什麼好？」所以事物最令人討厭的就是不專一；人最令人討厭的就是不可信。一個人既不專一又不可信，就連盜賊也不會與他結夥同謀。盜賊是邪惡的人，尚且要尋找合適的夥伴，更何況要成就大事的人呢！

【出處】

　　人之所乘船者，為其能浮而不能沈也。世之所以賢君子者，為其能行義而不能行邪辟也。孔子卜，得賁。孔子曰：「不吉。」子貢曰：「夫賁亦好矣，何謂不吉乎？」孔子曰：「夫白而白，黑而黑，夫賁又何好乎？」故賢者所惡於物，無惡於無處。夫天下之所以惡，莫惡於不可知也。夫不可知，盜不與期，賊不與謀。盜賊大奸也，而猶所得匹偶，又況於欲成大功乎？夫欲成大功，令天下皆輕勸而助之，必之士可知。（《呂氏春秋》〈慎行論・壹行〉）

見之以細

　　魯國的法令規定：魯國人在其他諸侯國給人當奴僕，贖出他們的可以回國後從國庫領取贖金。子貢從其他諸侯國贖出了做奴僕的魯國

人，回來後卻不願領取贖金。孔子評論說：「端木賜做錯了。從今以後，魯國人不會再贖人了。」領取贖金，對品行並沒有損害，不領取贖金，人們就沒有積極性再去贖人了。子路救了一個溺水的人，那個人酬謝他一條牛，子路收下了。孔子讚揚說：「魯國人今後都會救溺水的人。」孔子能從細節推斷到未來的結果啊。

【出處】

魯國之法，魯人為人臣妾於諸侯，有能贖之者，取其金於府。子貢贖魯人於諸侯，來而讓，不取其金。孔子曰：「賜失之矣。自今以往，魯人不贖人矣。」取其金，則無損於行；不取其金，則不復贖人矣。子路拯溺者，其人拜之以牛，子路受之。孔子曰：「魯人必拯溺者矣。」孔子見之以細，觀化遠也。（《呂氏春秋》〈先識覽・察微〉）

出非其時

叔孫氏有個車伕叫子鉏商，他到大野一帶打柴，捉到一隻麒麟，折斷了它的前左腿，把它帶回來。叔孫氏認為不祥，就把它丟到城外，派人告訴孔子說：「有一隻獐子居然長著角，這是為什麼呢？」孔子前往觀看說：「這是麒麟啊。它為什麼來到這裡？」孔子以衣揩淚，眼淚把衣襟都打濕了。叔孫氏聽說後，就把麒麟帶回去了。子貢問孔子說：「先生為什麼要哭呢？」孔子說：「麒麟的到來，是為了聖明的君主。但它在不該出現的時候出現，而且受到傷害，所以我深感痛心。」

　　叔孫氏之車士曰子鉏商，采薪於大野，獲麟焉，折其前左足，載以歸，叔孫以為不祥，棄之於郭外。使人告孔子曰：「有麕而角者，何也？」孔子往觀之，曰：「麟也。胡為來哉？胡為來哉？」反袂拭面，涕泣沾衿。叔孫聞之，然後取之。子貢問曰：「夫子何泣爾？」孔子曰：「麟之至，為明王也，出非其時而害，吾是以傷焉。」（《孔子家語》〈辯物〉）

貧而樂道，富而好禮

　　子貢口齒伶俐，巧於辭令，常常遭到孔子的駁斥。孔子問子貢說：「你和顏回比，誰更出色一些？」子貢回答說：「我哪能跟顏回比呢？顏回能以一推十，我不過能以一推二而已。」子貢拜孔子為師之後，問孔子說：「先生覺得我是個什麼樣的人？」孔子說：「你像個器物。」子貢問說：「什麼器物？」孔子說：「宗廟裡的瑚璉。」[76]子貢問孔子說：「富有而不驕縱，貧窮而不諂媚，這樣是否可以？」孔子說：「可以。不過，不如即使貧窮仍然樂於恪守聖賢之道，雖然富有仍能處事謙恭守禮。」

【出處】

　　子貢利口巧辭，孔子常黜其辯。問曰：「汝與回也孰愈？」對

---

76. 瑚、璉皆宗廟禮器。用以比喻治國安邦之才。

曰：「賜也何敢望回！回也聞一以知十，賜也聞一以知二。」子貢既已受業，問曰：「賜何人也？」孔子曰：「汝器也。」曰：「何器也？」曰：「瑚璉也。」子貢問曰：「富而無驕，貧而無諂，何如？」孔子曰：「可也；不如貧而樂道，富而好禮。」（《史記》〈仲尼弟子列傳〉）

君子無所不慎

　　子貢出任信陽宰，臨行前，去向孔子告別。孔子告誡說：「要勤勉謹慎，尊奉天子頒行的時令，不要掠奪，不要討伐，不要殘暴，不要偷盜。」子貢說：「我從小就侍奉君子，哪裡會犯偷盜之罪呢？」孔子說：「你不明白我的意思。用賢人取代賢人，就叫掠奪；用不賢的人取代賢人，就叫討伐；法令鬆弛而懲罰急切，就叫殘暴；把好處據為己有，就叫偷盜，並不是指盜竊財物的意思。我聽說，會做官的人，執行法令以造福人民；不會做官的人，歪曲法令以侵害百姓。這就是百姓產生怨恨的原因。做官從政，最重要的是公正，面對財物，最重要的是廉潔。任何時候，廉潔公正的操守都不可改變。抹殺別人的優點，這叫障蔽賢路；宣揚別人的缺點，這是小人的行徑。當面不予告誡，卻在背後詆毀，這絕不是親近和睦的表現。說到別人的優點時，要好像自己也有這些優點；談起別人的缺點時，要好像自己也有這些缺點。君子無時無刻不保持謹慎。」

【出處】

　　子貢為信陽宰，將行，辭於孔子。孔子曰：「勤之慎之，奉天子

之時，無奪無伐，無暴無盜。」子貢曰：「賜也少而事君子，豈以盜為累哉？」孔子曰：「汝未之詳也，夫以賢代賢，是謂之奪；以不肖代賢，是謂之伐；緩令急誅，是謂之暴；取善自與，謂之盜。盜非竊財之謂也。吾聞之知為吏者，奉法以利民，不知為吏者，枉法以侵民，此怨之所由也。治官莫若平，臨財莫如廉，廉平之守，不可改也。匿人之善，斯謂蔽賢。揚人之惡，斯為小人。內不相訓，而外相謗，非親睦也。言人之善，若己有之，言人之惡，若己受之，故君子無所不慎焉。」（《孔子家語》〈辯政〉）

人下之道

子貢請教孔子說：「我已經做到為人謙遜了，但不懂得為人謙遜的道理，想請教一下。」孔子說：「為人謙遜的人，大概就像土地一樣吧！向下掘得深就會有甘泉流淌出來；在它上面種植，就會有百穀生長出來，草木繁殖出來，禽獸孕育出來。活著的人出現在它上面，死了的人埋葬在它下面。雖然功勞很多，但它卻毫不放在心上；它志向遠大，而且無所不容，為人謙遜的人就應該是這樣的。」

【出處】

子貢問於孔子曰：「賜既為人下矣，而未知為人下之道，敢問之。」子曰：「為人下者，其猶土乎。汩之之深則出泉，樹其壤則百穀滋焉，草木植焉，禽獸育焉，生則出焉，死則入焉，多其功而不意，恢其志而無不容，為人下者以此也。」（《孔子家語》〈困誓〉）

子贛之承

　　子贛（子貢）到承地去，途中遇見身著喪服、以破頭巾遮臉的舟綽。子贛問他說：「從這裡到承地有多遠？」舟綽沉默不答。子贛又說：「向你問話，為什麼不回答？」舟綽掀開臉上的破頭巾說：「看見一個人，老遠就輕慢地問話，這算仁厚嗎？走到近前還看不出人家穿著喪服，能算聰明嗎？輕侮別人，符合道義嗎？」子贛下車說：「是我不好，發問不當。剛才的三句話，可以再講來聽聽嗎？」舟綽說：「這對您已經足夠了，我不再告訴您什麼。」從此以後，子贛在車上遇見三個人時就扶軾表示禮敬，遇見五個人就下車表示敬意。

【出處】

　　子贛之承，或在塗，見道側巾幣布擁蒙而衣衰，其名曰丹綽。子贛問焉，曰：「此至承幾何？」嘿然不對。子贛曰：「人問乎己而不應，何也？」屏其擁蒙而言曰：「望而黷人者，仁乎？睹而不識者，智乎？輕侮人者，義乎？」子贛下車曰：「賜不仁，過聞三言，可復聞乎？」曰：「是足於子矣，吾不告子。」於是子贛三偶則式，五偶則下。（《說苑》〈敬慎〉）

多能鄙事

　　太宰問子貢說：「孔夫子是位聖人吧？為什麼這樣多才多藝呢？」子貢說：「這本是上天讓他成為聖人，而且使他多才多藝。」孔子聽

到後說：「太宰怎麼會瞭解我呢？我因為少年時地位低賤，所以會許多卑賤的技藝。君子哪會有這麼多的技藝呢？不會的。」

【出處】

太宰問於子貢曰：「夫子聖者與，何其多能也？」子貢曰：「固天縱之將聖，又多能也。」子聞之，曰：「太宰知我乎？吾少也賤，故多能鄙事。君子多乎哉？不多也。」（《論語》〈子罕〉）

適至而止

鮑焦穿著破衣服，身上的肉都袒露出來。他提著籮筐去挖野菜，在路上遇見子貢。子貢說：「您怎麼落到這種地步呢？」鮑焦說：「天下拋棄道德教化的人太多了，我怎能不落到這種地步？我聽說，世上的人不理解自己，而自己還要堅持去做，是違背自己的意願；當政的人不瞭解自己，而自己還要去向他求職，是毀壞清廉。違背意願，毀壞清廉，仍然不肯罷休，那是為利益所惑的緣故啊。」子貢說：「我聽說過，認為世道不好的人，就不去獲取利益；認為君主昏庸的人，就不在他的土地上生活。現在您認為君主昏庸卻還在他的土地上奔走，認為世道不好卻還要從世間尋找蔬菜充飢，這土地和地上生長的東西都屬於誰的呢？」鮑焦說：「哎呀！我聽說有德行的人對入仕會慎重考慮，對隱退卻看得簡單；潔身自好的人容易感到慚愧，對生命卻看得很淡。」於是扔掉手中的籮筐，在洛水邊上絕食，像草木一樣枯萎而死。君子評論鮑焦說：「多麼清廉而剛烈啊！山峰太尖銳則山

不高；水面太狹窄則水不深；行為太獨特的人，其德行注定不厚重；心比天高志比地大的人，其人生一定不祥。鮑先生就是例子。他的器量有限，所以只能走到這一步。《詩經》中說：『算了吧！天命如此，讓人怎麼說？』」

【出處】

鮑焦衣弊膚見，挈畚將蔬，遇子貢將於道。子貢曰：「吾子何以至此也？」焦曰：「天下之遺德教者眾矣！吾何以不至於此也。吾聞之，世不己知，而行之不己者，是爽行也；上不己知，而干之不止者，是毀廉也。行爽廉毀，然且不舍，惑於利者也。」子貢曰：「吾聞之，非其世者不生其利，污其君者，不履其土。今吾子污其君而履其土，非其而將其蔬，此諸之有哉？」鮑焦曰：「嗚呼！吾聞賢者重進而輕退，廉者易丑而輕死。」乃棄其蔬而立，槁死於洛水之上。君子聞之曰：「廉夫剛哉！夫山銳則不高，水狹而不深，行特者其德不厚，志與天地疑者，其為人不祥。鮑子可謂不祥矣，其節度深淺，適至而止矣。」《詩》曰：「已焉哉！天實為之，謂之何哉？」[77]（《新序》〈節士〉）

溫良恭儉讓

陳子禽問子貢說：「仲尼在哪裡獲得這麼廣博的學問啊？」子貢說：「文王、武王的治國思想仍在人間流傳，賢能的人記住它的重要

77.「已焉哉！天實為之，謂之何哉」，出自《詩經》〈邶風・北門〉。

部分，不賢的人記住它的細枝末節，文王、武王的思想無處不在，先生在哪裡不能學習，又何必須要專門的老師！」陳子禽又問說：「孔子每到一個國家，都能瞭解這個國家的政事。是他主動請求獲取，還是人家主動告訴他的呢？」子貢說：「先生憑藉他溫和、善良、恭謹、儉樸、謙讓的美德得來的。先生獲取國情的方式，或許與別人不同吧。」

【出處】

陳子禽問子貢曰：「仲尼焉學？」子貢曰：「文武之道未墜於地，在人，賢者識其大者，不賢者識其小者，莫不有文武之道。夫子焉不學，而亦何常師之有！」又問曰：「孔子適是國必聞其政。求之與？抑與之與？」子貢曰：「夫子溫良恭儉讓以得之。夫子之求之也，其諸異乎人之求之也。」（《史記》〈仲尼弟子列傳〉）

大者之旁，無所不容

東郭子惠問子貢說：「孔子的門下為什麼那樣龐雜呢？」子貢說：「校正竹木彎曲的工具旁邊彎木多，良醫門下病人多，磨刀石旁邊鈍器多。孔子修養道德等待天下的人，來者不拒，所以龐雜。《詩經》中說：『鬱鬱的柳樹上，鳴蟬嘒嘒叫。深深的池塘邊，蘆葦茂盛一大片。』意思就是博大者無所不容。」

　　東郭子惠問於子貢曰：「夫子之門何其雜也？」子貢曰：「夫隱括之旁多枉木，良醫之門多疾人，砥礪之旁多頑鈍。夫子修道以俟天下，來者不止，是以雜也。《詩》云：『菀彼柳斯，鳴蜩嘒嘒；有漼者淵，萑葦淠淠。』[78]言大者之旁，無所不容。」（《說苑》〈雜言〉）

問同而答異

　　冉求問孔子說：「聽到該做的事情就要採取行動嗎？」孔子回答說：「立刻行動。」子路也問同樣的問題，孔子回答說：「有父親兄長在，怎麼能馬上行動呢？」子華覺得奇怪，不解地說：「我大膽地問問，為什麼同樣的問題而答案不同呢？」孔子回答說：「冉求做事猶豫不決，所以我激勵他；仲由做事果敢有膽，所以我有意讓他保持克制。」

【出處】

　　求問曰：「聞斯行諸？」子曰：「行之。」子路問：「聞斯行諸？」子曰：「有父兄在，如之何其聞斯行之！」子華怪之，「敢問問同而答異？」孔子曰：「求也退，故進之。由也兼人，故退之。」（《史記》〈仲尼弟子列傳〉）

78.「菀彼柳斯，鳴蜩嘒嘒；有漼者淵，萑葦淠淠」，出自《詩經》〈小雅・小弁〉。

中道而廢

冉求說:「我不是不喜歡老師您所講的道,而是我的能力不夠呀。」孔子說:「能力不夠是到半路才停下來,現在你是自己給自己劃了界限不想前進。」

【出處】

冉求曰:「非不說子之道,力不足也。」子曰:「力不足者,中道而廢,今女畫。」(《論語》〈雍也〉)

大罪有五

孔子對冉有說:「刑罰的源頭,產生於對人們積習成性的欲望不加以節制。禮制和法度,是用來控制民眾積習成性的欲望從而顯明善惡的。順應天道,闡述禮制和法度,修明五教,如果這樣做還不能讓一些人受到教化,那麼還必須闡明法典以使效果牢固。犯有奸詐邪惡違法妄行行為的案件,就用制度規則來整頓;犯有不孝之罪的案件,就用喪祭的禮儀來整頓;犯有以下犯上之罪的案件,就用朝覲的禮儀來整頓;犯有爭鬥變亂之罪的案件,就用鄉飲酒的禮儀來整頓;犯有淫亂之罪的案件,就用婚聘之禮來整頓。三皇五帝就是如此教化民眾的。這樣做了,即使有應用五刑的情況,不也是可以的嗎?」孔子又說:「大罪有五種,而殺人是最輕的。違背天地而行事的,罪及五代;誣陷周文王、周武王的,罪及四代;違背人倫的,罪及三代;用

鬼神害人的，罪及二代；親手殺人的，罪行只在於他本人。所以說大罪有五種，而殺人是最輕的。」

【出處】

孔子曰：「刑罰之源，生於嗜欲不節，失禮度者，所以御民之嗜欲，而明好惡順天之道，禮度既陳，五教畢修，而民猶或未化，尚必明其法典以申固之。其犯奸邪靡法妄行之獄者，則飭制量之度；有犯不孝之獄者，則飭喪祭之禮；有犯殺上之獄者，則飭朝覲之禮；有犯鬥變之獄者，則飭鄉飲酒之禮；有犯淫亂之獄者，則飭婚聘之禮。三皇五帝之所化民者如此，雖有五刑之用，不亦可乎！」孔子曰：「大罪有五，而殺人為下，逆天地者罪及五世，誣文武者罪及四世，逆人倫者罪及三世，謀鬼神者罪及二世，手殺人者罪及其身，故曰大罪有五，而殺人為下矣。」（《孔子家語》〈五刑解〉）

伯高之喪

伯高死了，孔子派去致弔送禮的使者還沒到，孔子的弟子冉有就代為準備了一份含有一束帛四匹馬的禮物往弔，並稱說是奉了孔子之命。孔子聽說後，說：「真奇怪！這平白讓我失去了對伯高的誠信。」伯高死於衛國，其家屬派人來向孔子報喪。孔子說：「我在什麼地方哭伯高呢？如果是兄弟，我在祖廟裡哭他；父親的朋友，我在廟門外哭他；老師，我在正寢裡哭他；朋友，我在正寢門外哭他；只是互通姓名的泛泛之交，我在野外哭他。對於伯高來說，在野外哭他，顯得

交情太淺；在正寢哭他，又顯得禮數太重。他是通過子貢和我見面認識的，我還是到子貢家哭他吧。」於是，命子貢代為喪主。因為這和喪之正主不同，所以特地交代子貢：「是為了你本人的關係來哭的，你就拜謝；為了和伯高有交情而來哭的，就用不著你來拜謝。」

【出處】

伯高之喪，孔氏之使者未至，冉子攝束帛、乘馬而將之。孔子曰：「異哉！徒使我不誠於伯高。」伯高死於衛，赴於孔子，孔子曰：「吾惡乎哭諸？兄弟，吾哭諸廟；父之友，吾哭諸廟門之外；師，吾哭諸寢；朋友，吾哭諸寢門之外；所知，吾哭諸野。於野，則已疏；於寢，則已重。夫由賜也見我，吾哭諸賜氏。」遂命子貢為之主，曰：「為爾哭也來者，拜之；知伯高而來者，勿拜也。」（《禮記》〈檀弓上〉）

刑不上於大夫

冉有問孔子道：「先王制定法律制度，規定刑罰不加到大夫身上，禮不下到平民身上。那麼，大夫犯罪，就不可以施加刑罰嗎？平民行事，就不可以用禮來進行約束嗎？」孔子說：「不是這樣。凡是治理君子，用禮來駕馭他們的思想，原因是把他們歸屬為有廉恥之節的人。所以古代的大夫，有犯不廉潔之罪而被罷免放逐的，但不叫作

不廉潔而被罷免放逐，而叫作『簠簋不飭』[79]；有犯淫亂或男女無別之罪的，但不叫作淫亂或男女無別，而叫作『帷幕不修』；有犯矇蔽主上、用心不忠之罪的，但不叫作矇蔽主上、用心不忠，而叫作『臣節未著』；有犯軟弱無能、不勝其職之罪的，但不叫軟弱無能、不勝其職，而叫『下官不職』；有觸犯國家法紀之罪的，但不叫觸犯國家法紀，而叫『行事不請』。這五種情況，大夫早就自定有罪名了，但仍不正面稱呼他有罪，接著為他隱諱，這是為了使他們感到慚愧羞恥。所以大夫的罪行在五刑範圍內的，一旦被人譴責揭發，就會戴上用毛作帽帶的白色帽子，端著盛水的盤子，上面放一把劍，到君王那裡請罪。君王不派主管司法的官吏捆綁束縛大夫來施加刑罰。犯有大罪的，聽到君王的命令就向北方拜兩拜，跪下自殺。君王也不派人拘捕加以處死，只是說：『這是你咎由自取，我對你算是有禮了。』所以用刑不加到大夫身上，而大夫也不能逃避他的罪行，這是教化造成的結果。所謂禮不下到平民身上，是因為他們忙於自己的事而不能充分學習禮儀之事，所以不能責成他們有完備的禮儀。」冉有跪著離開席位，說道：「您說得太好了，我還從未聽說過這些話，請讓我回去後把它們記下來。」

【出處】

　　冉有問於孔子曰：「先王制法，使刑不上於大夫，禮不下於庶人，然則大夫犯罪，不可以加刑，庶人之行事，不可以治於禮乎？」孔子曰：「不然，凡治君子以禮御其心，所以屬之以廉恥之節也，故

---

79. 簠、簋：兩種盛黍稷稻粱之禮器，也用作放祭品；不飭：不整飭。借指貪污。舊時彈劾貪吏常用此語。

古之大夫，其有坐不廉污穢而退放之者，不謂之不廉污穢而退放，則曰簠簋不飭；有坐淫亂男女無別者，不謂之淫亂男女無別，則曰帷幕不修也；有坐罔上不忠者，不謂之罔上不忠，則曰臣節未著；有坐罷軟不勝任者，不謂之罷軟不勝任，則曰下官不職；有坐干國之紀者，不謂之干國之紀，則曰行事不請。此五者，大夫既自定有罪名矣，而猶不忍斥，然正以呼之也，既而為之諱，所以愧恥之，是故大夫之罪，其在五刑之域者，聞而譴發，則白冠氂纓，盤水加劍，造乎闕而自請罪，君不使有司執縛牽掣而加之也。其有大罪者，聞命則北面再拜，跪而自裁，君不使人捽引而刑殺。曰：『子大夫自取之耳，吾遇子有禮矣，以刑不上大夫而大夫亦不失其罪者，教使然也。』所謂禮不下庶人者，以庶人遽其事而不能充禮，故不責之以備禮也。」冉有跪然免席曰：「言則美矣，求未之聞，退而記之。」（《孔子家語》〈五刑解〉）

富而教之

　　孔子到衛國去，冉有為他駕車。孔子說：「人口真多呀！」冉有說：「人口已經夠多了，還要再做什麼呢？」孔子說：「使他們富起來。」冉有說：「富了以後又還要做些什麼？」孔子說：「對他們進行教化。」

【出處】

　　子適衛，冉有僕，子曰：「庶矣哉！」冉有曰：「既庶矣，又何

加焉？」曰：「富之。」曰：「既富矣，又何加焉？」曰：「教之。」（《論語》〈子路〉）

為母請粟

　　子華出使齊國，冉有為他母親向孔子請求糧食。孔子說：「給她一釜。」冉有請求增加，孔子說：「那就給她一庾。」最後給了冉有五秉糧食。[80]孔子說：「公西赤到齊國去，坐的是肥馬拉的車子，穿的是又輕又暖的裘皮衣裳。我聽說，君子救濟窮人，而不是使他致富。」

【出處】

　　子華使於齊，冉有為其母請粟。孔子曰：「與之釜。」請益，曰：「與之庾。」冉子與之粟五秉。孔子曰：「赤之適齊也，乘肥馬，衣輕裘。吾聞君子周急不繼富。」（《史記》〈仲尼弟子列傳〉）

子路問政

　　子路生性粗俗，好逞勇力，脾氣剛直。曾經頭戴雞冠樣式的帽子，身佩豬皮裝飾的寶劍欺凌孔子。孔子用禮儀慢慢誘導他。後來，子路身穿儒服，通過孔子學生的引薦，請求拜孔子為師。子路向孔子

---

80. 釜，庾，秉均為容量單位。一庾為十六斗，一秉為十六斛，一斛為十斗或五斗。結合上下文看，釜的容量最小。秉的容量最大。

為母請粟

請求如何處理政事,孔子回答說:「自己先給百姓做出榜樣,然後才能使百姓辛勤勞作。」子路請求孔子進一步解釋。孔子說:「堅持不懈就可以。」

【出處】

子路性鄙,好勇力,志伉直,冠雄雞,佩豭豚,陵暴孔子。孔子設禮稍誘子路,子路後儒服委質,因門人請為弟子。子路問政,孔子曰:「先之,勞之。」請益。曰:「無倦。」(《史記》〈仲尼弟子列傳〉)

何必持劍

子路仗劍而行,孔子問他說:「仲由,用得著這樣嗎?」子路回答說:「對我友好的,當然要以友好的態度對他;對我不友好的,就要用它自衛。」孔子說:「君子以忠誠為本,以仁愛防身,不出院牆,卻可以聞名於千里之外。對不友好的人要用忠誠來感化他,對殘暴的人要用仁愛來防禦他,又何必仗劍而行呢?」子路說:「請允許我拜先生為師,向您學習吧。」

【出處】

子路持劍,孔子問曰:「由,安用此乎?」子路曰:「善,古者固以善之;不善,古者固以自衛。」孔子曰:「君子以忠為質,以仁為衛,不出環堵之內,而聞千里之外;不善以忠化寇,暴以仁圍,何必持劍乎?」子路曰:「由也請攝齊以事先生矣。」(《說苑》〈貴德〉)

不可不學

孔子問子路說：「你有什麼愛好？」子路說：「愛好長劍。」孔子說：「我不是問這個。憑著你的聰明，如果努力學習，豈是別人能趕上的？」子路問：「學習有好處嗎？」孔子說：「國君沒有直言敢諫的諍臣，執政就會有缺失；讀書人缺乏益師良友，德行就不會長進。狂奔的駿馬需要鞭策，弓弩發射離不開校正器。木料經墨線一彈就能取直，人善於接受規勸就很少犯錯。認真學習，虛心求教，就更容易獲得成功；詆毀仁義，厭惡士子，離犯法受刑就不遠了。君子不能不學習。」子路說：「南山上的竹子，不用扶持自然端直，砍伐下來做成箭桿，一樣能射穿牛皮，學習有必要嗎？」孔子說：「在箭的尾部裝上羽毛，將箭頭磨得十分鋒利，那不就射得更深了嗎？」子路彎腰拱手說：「恭敬地接受您的教誨！」

【出處】

孔子謂子路曰：「汝何好？」子路曰：「好長劍。」孔子曰：「非此之問也，請以汝之所能，加之以學，豈可及哉！」子路曰：「學亦有益乎？」孔子曰：「夫人君無諫臣則失政；士無教交，則失德；狂馬不釋其策，操弓不返於檠；木受繩則直，人受諫則聖；受學重問，孰不順成；毀仁惡士，且近於刑。君子不可以不學。」子路曰：「南山有竹，弗揉自直，斬而射之，通於犀革，又何學為乎？」孔子曰：「括而羽之，鏃而砥礪之，其入不益深乎？」子路拜曰：「敬受教哉！」（《說苑》〈建本〉）

知之為知之

　　子路衣著華麗來見孔子。孔子說：「仲由，穿得這樣花裡胡哨幹什麼？從前長江發源於岷山，源頭的水流只能浮起酒杯。到了下游渡口，不乘船、不避風就不能渡過，這是因為它彙集了眾多的河流。現在你衣著華美，面色豐潤，天下人誰會像溪流一樣增益你呢？」子路急步退下，換了舊衣服進來。孔子說：「仲由，記住我的話：巧於言辭的，是浮華；行為驕矜的，是自誇；在容色上顯擺逞能的，是小人。所以，君子對任何事物知道就是知道，不知道就是不知道，這是言辭的要領；能做就是能做，不能做就是不能做，這是行為的準則。言辭有要領就是智慧，行為有準則就是仁德。既智慧又仁德，不就可以隨時得到增益了嗎？《詩經》中說：『商湯謙恭不懈怠，聖明恭謹的品德日益增進。』[81]說的就是這個意思啊。」

【出處】

　　子路盛服而見孔子。孔子曰：「由，是裾裾者何也？昔者江水出於岷山；其始也，大足以濫觴，及至江之津也，不方舟，不避風，不可渡也，非唯下流眾川之多乎？今若衣服甚盛，顏色充盛，天下誰肯加若者哉？」子路趨而出，改服而入，蓋自如也。孔子曰：「由，記之，吾語若：賁於言者，華也，奮於行者，伐也。夫色智而有能者，小人也。故君子知之為知之，不知為不知，言之要也；能之為能，不能為不能，行之至也。言要則知，行要則仁；既知且仁，夫有何加矣

81.「湯降不遲，聖敬日躋」，出自《詩經》〈商頌・長發〉。

哉？由，《詩》曰：『湯降不遲，聖敬日躋。』此之謂也。」（《說苑》〈雜言〉）

智者自知

孔子問子路說：「有智慧的人會怎麼做？有仁德的人會怎麼做？」子路回答說：「有智慧的人使別人瞭解自己，有仁德的人使別人熱愛自己。」孔子說：「這樣的人算得上士了。」孔子以同樣的問題問子貢，子貢回答說：「有智慧的人理解別人，有仁德的人熱愛別人。」孔子說：「這樣的人也算得上士。」孔子再以同樣的問題問顏回。顏回回答說：「有智慧的人有自知之明，有仁德的人懂得自尊自愛。」孔子說：「這樣的人稱得上士人中的君子。」

【出處】

子路見於孔子。孔子曰：「智者若何？仁者若何？」子路對曰：「智者使人知己，仁者使人愛己。」子曰：「可謂士矣。」子路出，子貢入，問亦如之。子貢對曰：「智者知人，仁者愛人。」子曰：「可謂士矣。」子貢出，顏回入，問亦如之。對曰：「智者自知，仁者自愛。」子曰：「可謂士君子矣。」（《孔子家語》〈三恕〉）

披褐而懷玉

子路問孔子說：「如果一個人地位低下，卻有特殊才能，他該怎

麼辦？」孔子說：「國家政治昏暗時，就隱居起來；國家政治清明，就身穿禮服、頭戴禮帽、拿著玉笏去朝廷當官。」

【出處】

子路問於孔子曰：「有人於此，披褐而懷玉，何如？」子曰：「國無道，隱之可也；國有道，則袞冕而執玉。」（《孔子家語》〈三恕〉）

儘力養親

子路問孔子說：「有人早起晚睡，耕種莊稼，手掌和腳底都磨出了繭子，盡心養活父母，然而卻沒有得到孝子的名聲，這是為什麼呢？」孔子說：「想必自身有不敬的行為吧？說話的言辭是否恭順？臉色是否溫和？古人說：人心換人心。如果這個人儘力養親，而沒有上面所說的三種過錯，怎麼會沒有孝子的名聲呢？」孔子又說：「仲由啊，你記住：一個人即使有武士的勇力，也不能把自己舉起來。一個人不能修養自身的道德，這是他的過錯；道德修養好而名聲不得彰顯，這就是他朋友的過錯。所以君子在家要淳厚樸實，出外要結交賢能之士。這樣怎麼會沒有孝子的名聲呢？」

【出處】

子路問於孔子曰：「有人於此，夙興夜寐，耕芸樹藝，手足胼胝，以養其親，然而名不稱孝，何也？」孔子曰：「意者身不敬與，辭不順與，色不悅與。古之人有言曰，人與己與不汝欺，今儘力養

親而無三者之闕，何謂無孝之名乎。」孔子曰：「由，汝志之，吾語汝，雖有國士之力，而不能自舉其身，非力之少，勢不可矣。夫內行不修，身之罪也，行修而名不彰，友之罪也，行修而名自立。故君子入則篤行，出則交賢，何謂無孝名乎。」（《孔子家語》〈困誓〉）

終生之樂

　　子路問孔子說：「君子也會憂愁嗎？」孔子說：「不會。君子修練自己的品行，沒得到官位的時候，就為有修練的意願高興；已經獲得官位，就為能施展才華而高興。因此每天開心而無憂愁。小人就不是這樣，沒獲得官位，就為得不到憂愁；已經獲得官位，又擔心失去。因此每天苦惱，沒有一天是快樂的。」

【出處】

　　子路問孔子曰：「君子亦有憂乎？」孔子曰：「無也。君子之修其行未得，則樂其意；既已得，又樂其知。是以有終生之樂，無一日之憂。小人則不然，其未之得則憂不得，既已得之又恐失之。是以有終身之憂，無一日之樂也。」（《說苑》〈雜言〉）

用是為非

　　子路向孔子請教說：「我想放棄對古代禮儀的學習而按自己的意願行事，可以嗎？」孔子說：「不行。從前，東夷人仰慕中原的禮

儀，女子死了丈夫，就為她招一個非正式婚配的女婿，使她終身不嫁。雖說不嫁，但已不符合貞節的本義了。蒼梧有個弟弟，娶的妻子容貌嬌美，請求換給他哥哥。雖然是對哥哥的忠誠，卻不符合禮儀。現在你想放棄對古代禮儀的學習而隨自己的意願行事，誰知道你會不會把錯誤當正確、把正確當錯誤呢？做事情開始不謹慎，以後要悔改就難了。」

【出處】

子路問於孔子曰：「請釋古之學而行由之意，可乎？」孔子曰：「不可，昔者東夷慕諸夏之義，有女，其夫死，為之內私婿，終身不嫁，不嫁則不嫁矣，然非貞節之義也；蒼梧之弟，娶妻而美好，請與兄易，忠則忠矣，然非禮也。今子欲釋古之學而行子之意，庸知子用非為是，用是為非乎！不順其初，雖欲悔之，難哉！」（《說苑》〈建本〉）

天子之佐

子路問孔子說：「您怎麼評價管仲？」孔子說：「是德才超群的大人物。」子路說：「從前管仲勸說齊襄公，襄公不賞識他，說明他缺乏辯才；想擁立公子糾為國君卻沒成功，說明他沒有能力；家人在齊國受害而無憂傷的表情，這是不仁慈；成為俘虜被關入囚車卻無羞慚之色，這是不知羞恥；侍奉曾經射殺過的君主，這是不忠貞；不能像召忽一樣為公子糾殉死，這是不仁。先生憑什麼說他德才超群

呢？」孔子說：「齊襄公不賞識管仲，不是管仲缺乏辯才，而是襄公不懂得他的主張；擁立公子糾失敗，不是因為他無能，是時運不濟；家人在齊國受害而無憂色，不是他不仁慈，是因為他知道命該如此；成為俘虜關入囚車無羞慚之色，不是他不知道羞恥，而是他心中自有主張；侍奉他射殺過的國君，不是他不貞，而是他懂得權衡時勢；不肯像召忽一樣為公子糾殉死，不是他不仁，因為召忽只是做臣子的材料，不死就會成為三軍的俘虜，為主殉死就可以名聞天下。管仲卻是天子的佐臣，諸侯的輔相，殉死不過成為溝中的死屍，不死卻可以建立豐功偉業，他為什麼要去殉死呢？仲由，你不懂得其中的道理啊！」

【出處】

　　子路問於孔子曰：「管仲何如人也？」子曰：「大人也。」子路曰：「昔者管子說襄公，襄公不說，是不辯也；欲立公子糾而不能，是無能也；家殘於齊而無憂色，是不慈也；桎梏而居檻車中無慚色，是無愧也；事所射之君，是不貞也；召忽死之，管仲不死，是無仁也。夫子何以大之？」子曰：「管仲說襄公，襄公不說，管仲非不辯也，襄公不知說也；欲立公子糾而不能，非無能也，不遇時也；家殘於齊而無憂色，非不慈也，知命也；桎梏居檻車而無慚色，非無愧也，自裁也；事所射之君，非不貞也，知權也；召忽死之，管仲不死，非無仁也。召忽者，人臣之材也，不死則三軍之虜也；死之則名聞天下，夫何為不死哉？管仲者，天子之佐，諸侯之相也，死之則不免為溝中之瘠；不死則功復用於天下，夫何為死之哉？由！汝不知也。」（《說苑》〈善說〉）

怨仇並前

　　子路問孔子說：「應該怎樣治國呢？」孔子說：「尊重賢人，蔑視不賢的人。」子路說：「范氏、中行氏尊重賢人，輕視不賢的人，他們為什麼會滅亡呢？」孔子回答說：「范氏、中行氏尊重賢人卻不重用他們，輕視不賢的人卻不斥退他們；賢人因不受重用而怨恨他，不肖之徒因受到輕視而仇恨他。賢人怨恨，不肖之徒仇視，范氏、中行氏還能不亡嗎？」

【出處】

　　子路問於孔子曰：「治國何如？」孔子曰：「在於尊賢而賤不肖。」子路曰：「范中行氏尊賢而賤不肖，其亡何也？」曰：「范中行氏尊賢而不能用也，賤不肖而不能去也；賢者知其不己用而怨之，不肖者知其賤己而仇之。賢者怨之，不肖者仇之；怨仇並前，中行氏雖欲無亡，得乎？」（《說苑》〈尊賢〉）

能屈能伸

　　子路問孔子說：「我聽說大丈夫生活在世間，富貴而不能有利於世間的事物；處於貧賤之地，不能暫時忍受委屈以求得將來的伸展，則不足以達到人們所說的大丈夫的境界。」孔子說：「君子所做的事，期望必須達到自己的目標。需要委屈的時候就委屈，需要伸展的時候就伸展。委屈自己是因為有所期待，求得伸展需要抓住時機。所以雖

然受了委屈也不能失掉氣節，志向實現了也不能有害於義。」

【出處】

子路問於孔子曰：「由聞丈夫居世，富貴不能有益於物，處貧賤之地，而不能屈節以求伸，則不足以論乎人之域矣。」孔子曰：「君子之行己，期於必達於己。可以屈則屈，可以伸則伸。故屈節者，所以有待，求伸者，所以及時。是以雖受屈而不毀其節，志達而不犯於義。」（《孔子家語》〈屈節解〉）

門人習射

孔子和弟子們在矍相的園圃中學習鄉射禮，觀看的人們圍成了一堵牆。當射禮行至司馬時，孔子讓子路手執弓箭出來邀請比射的人，說：「敗軍之將、喪失國土的大夫、求做別人後嗣的人，一律不准入場，其餘的人進來。」聽到這話，圍觀的人走了一半。孔子又讓公罔之裘、序點舉起酒杯說：「幼年壯年時能孝敬父母，友愛兄弟，到老年還愛好禮儀，不隨流俗，修身以待終年的人，請留在這個地方。」結果又走掉一半。序點又舉杯說：「好學不倦，好禮不變，到老還言行不亂的人，請留在這裡。」結果只有幾個人留下沒走。射箭結束後，子路走上前對孔子說：「我和這些人出任司馬，怎麼樣？」孔子回答說：「可以勝任了。」

【出處】

　　於是退而與門人習射於矍相之圃，蓋觀者如堵牆焉。射至於司馬，使子路執弓矢出列延，謂射之者曰：「奔軍之將，亡國之大夫，與為人後者不得入，其餘皆入。」蓋去者半。又使公罔之裘序點，揚觶而語曰：「幼壯孝悌，耆老好禮，不從流俗，修身以俟死者在此位。」蓋去者半。序點揚觶而語曰：「好學不倦，好禮不變，耄期稱道而不亂者，在此位。」蓋僅有存焉。射既闋，子路進曰：「由與二三子者之為司馬，何如？」孔子曰：「能用命矣。」（《孔子家語》〈觀鄉射〉）

鳥獸不同群

　　長沮、桀溺在一起耕種，孔子路過，讓子路去詢問渡口在哪裡。長沮問子路：「那個拿著韁繩的是誰？」子路說：「是孔丘。」長沮說：「是魯國的孔丘嗎？」子路說：「是的。」長沮說：「那他是早已知道渡口的位置了。」子路再去問桀溺。桀溺說：「你是誰？」子路說：「我是仲由。」桀溺說：「你是魯國孔丘的門徒嗎？」子路說：「是的。」桀溺說：「像洪水一般的壞東西到處都是，你們同誰去改變它呢？而且你與其跟著躲避人的人，為什麼不跟著我們這些躲避社會的人呢？」說完，仍舊不停地幹農活。子路回來後把情況報告給孔子。孔子很失望地說：「人是不能與飛禽走獸合群共處的，如果不同世上的人群打交道，還與誰打交道呢？如果天下太平，我就不會與你們一道來從事改革了。」

　　長沮、桀溺耦而耕，孔子過之，使子路問津焉。長沮曰：「夫執輿者為誰？」子路曰：「為孔丘。」曰：「是魯孔丘與？」曰：「是也。」曰：「是知津矣。」問於桀溺，桀溺曰：「子為誰？」曰：「為仲由。」曰：「是魯孔丘之徒與？」對曰：「然。」曰：「滔滔者天下皆是也，而誰以易之？且而與其從辟人之士也，豈若從辟世之士？」耰而不輟。子路行以告，夫子憮然曰：「鳥獸不可與同群，吾非斯人之徒與而誰與？天下有道，丘不與易也。」（《論語》〈微子〉）

焉能事鬼

　　季路問怎樣去侍奉鬼神。孔子說：「連人都侍奉不好，怎能去侍奉鬼神呢？」季路又問：「請問死是怎麼回事？」孔子答說：「連活著的道理都不明白，又何必問死後的事情呢？」

【出處】

　　季路問事鬼神，子曰：「未能事人，焉能事鬼？」曰：「敢問死。」曰：「未知生，焉知死？」（《論語》〈先進〉）

食美者念其親

　　魯國有一位非常節儉的人，以瓦做的炊具做飯。有一天，他做了一些食物，自己覺得味道很美，便盛到瓦罐裡，特意端給孔子品嚐。

孔子很高興，像接受三牲的餽贈一樣。子路問他說：「闊口的瓦盆，再簡陋不過，食物也很普通，您為什麼如此高興呢？」孔子說：「善於進諫的人，心裡時常會想到君主；吃到美味的人，心中經常會想起父母。我並不是因為餽贈的食物豐厚，是因為他吃到美味就想到我啊！」

【出處】

魯有儉嗇者，瓦鬲煮食，食之，自謂其美，盛之土型之器，以進孔子。孔子受之，歡然而悅，如受大牢之饋。子路曰：「瓦甌，陋器也，煮食，薄膳也，夫子何喜之如此乎？」子曰：「夫好諫者思其君，食美者念其親。吾非以饌具之為厚，以其食厚而我思焉。」（《孔子家語》〈致思〉）

逾月則其善

魯國有個人為父母服喪期滿，早上舉行祥祭，晚上就唱起歌來。子路對此予以嘲笑。孔子說：「仲由，你總是責備別人沒有個完。他已經服喪三年，時間也夠久了。」子路出去以後，孔子又對其他人說：「實際上那人也用不著再等多久，假若過一個月再唱歌，就更好了。」

【出處】

魯人有朝祥而暮歌者，子路笑之。孔子曰：「由，爾責於人終無

已，夫三年之喪，亦以久矣。」子路出，孔子曰：「又多乎哉，逾月則其善也。」（《孔子家語》〈曲禮子貢問〉）

貧何傷乎

　　子路向孔子請教時說：「貧窮真是令人傷心啊！父母在世時不能好好供養，去世後又無法把喪禮辦得風光一些。」孔子說：「儘管全家吃豆子、喝清水，卻能使父母開心歡樂，這就是孝順了；父母去世後能用衣被遮蓋身體，收殮後馬上安葬，按照自己的財力理性辦理喪事，這就是遵禮了。貧窮又有什麼值得傷心的呢？」

【出處】

　　子路問於孔子曰：「傷哉貧也，生而無以供養，死則無以為禮也。」孔子曰：「啜菽飲水，盡其歡也，斯為之孝乎。斂手足形，旋葬而無槨，稱其財，為之禮，貧何傷乎？」（《孔子家語》〈曲禮子貢問〉）

有姊之喪

　　子路為姐姐服喪，到了可以除掉喪服的時候，子路仍不除喪。孔子問他說：「為什麼還不除服呢？」子路回答說：「我兄弟姐妹少，不忍心除服啊。」孔子說：「講究仁義之道的人誰會忍心呢？不過既然先王制定了禮制，我們就應該遵從。做得過分的，就要降低要求來

俯就它；做得不夠的，就要提高要求來達到禮的標準。」子路聽了這些話，隨後就除掉了喪服。

【出處】

子路有姊之喪，可以除之矣，而弗除。孔子曰：「何不除也？」子路曰：「吾寡兄弟而弗忍也。」孔子曰：「行道之人皆弗忍，先王制禮，過之者俯而就之，不至者企而及之。」子路聞之，遂除之。（《孔子家語》〈曲禮子貢問〉）

有所不知

子路問孔子說：「魯國大夫在練祭時還拿著喪棒，這合於禮制嗎？」孔子說：「我不知道。」子路出來，對子貢說：「我以為我們先生無所不知，但先生實際上也有不知道的事情。」子貢問：「你問的是什麼事情？」子路回答：「我問道：『魯國大夫在練祭時還拿著喪棒，這合於禮制嗎？』先生說：『我不知道。』子貢說：「等等，我再替你問問。」於是就去進見孔子，問道：「練祭時拿著喪棒，這合於禮制嗎？」孔子說：「不合於禮制。」子貢出來，對子路說：「你不是說先生不知道嗎？先生實際上無所不知，是你的問法不對。根據禮制，住在這個國家，就不能非議這個國家的大夫。」

【出處】

子路問於孔子曰：「魯大夫練而杖，禮也？」孔子曰：「吾不知

也。」子路出，謂子貢曰：「吾以為夫子無所不知，夫子亦徒有所不知也。」子貢曰：「子所問何哉？」子路曰：「止，吾將為子問之。」遂趨而進曰：「練而杖，禮與？」孔子曰：「非禮也。」子貢出，謂子路曰：「子謂夫子而弗知之乎，夫子徒無所不知也，子問，非也，禮，居是邦則不非其大夫。」（《孔子家語》〈曲禮子夏問〉）

子行三軍

子路問孔子說：「老師如果您統帥三軍，想和誰一起共事呢？」孔子說：「赤手空拳和老虎搏鬥，徒步涉水過河，死了都不會後悔的人，我是不會和他在一起共事的；我要找的，一定要是遇事小心謹慎，善於謀劃而能完成任務的人。」

【出處】

子路曰：「子行三軍，則誰與？」子曰：「暴虎馮河，死而無悔者，吾不與也。必也臨事而懼，好謀而成者也。」（《論語》〈述而〉）

今之成人

子路問怎樣做才是一個完美的人。孔子說：「如果具有臧武仲的智慧，孟公綽的克制，卞莊子的勇敢，冉求那樣多才多藝，再用禮樂加以修飾，也就可以算是一個完人了。」孔子又說：「現在的完人何必一定要這樣呢？見到財利想到義的要求，遇到危險能獻出生命，長

久處於窮困還不忘平日的諾言，這樣也可以算是一位完美的人。」

【出處】

子路問成人，子曰：「若臧武仲之知、公綽之不欲、卞莊子之勇、冉求之藝，文之以禮樂，亦可以為成人矣。」曰：「今之成人者何必然？見利思義，見危授命，久要不忘平生之言，亦可以為成人矣。」（《論語》〈憲問〉）

修己以敬

子路問什麼叫君子。孔子說：「修養自己，保持嚴肅恭敬的態度。」子路說：「這樣就夠了嗎？」孔子說：「修養自己，使周圍的人們安樂。」子路說：「這樣就夠了嗎？」孔子說：「修養自己，使所有百姓都安樂。修養自己使所有百姓都安樂，堯舜也恐怕難以做到呢。」

【出處】

子路問君子，子曰：「修己以敬。」曰：「如斯而已乎？」曰：「修己以安人。」曰：「如斯而已乎？」曰：「修己以安百姓。修己以安百姓，堯、舜其猶病諸！」（《論語》〈憲問〉）

吾豈匏瓜

佛肸召孔子去，孔子打算前往。子路說：「從前我聽先生說過：『親自做壞事的人那裡，君子是不去的。』現在佛肸據中牟反叛，你卻要去，這如何解釋呢？」孔子說：「是的，我有過這樣的話。不是說堅硬的東西磨也磨不壞嗎？不是說潔白的東西染也染不黑嗎？我難道是個苦味的葫蘆嗎？怎麼能只掛在那裡而不給人吃呢？」

【出處】

佛肸召，子欲往。子路曰：「昔者由也聞諸夫子曰：『親於其身為不善者，君子不入也。』佛肸以中牟畔，子之往也，如之何？」子曰：「然，有是言也。不曰堅乎，磨而不磷；不曰白乎，涅而不緇。吾豈匏瓜也哉？焉能繫而不食？」（《論語》〈陽貨〉）

汝問非也

叔孫武叔的母親去世，小斂以後，抬屍體的人便把死者的屍體抬出內室。武叔跟在後面，出門後才袒露左臂，摘掉素冠，用麻縷束髮。子路見了，不滿地嘆息了一聲。孔子說：「這是合於禮制的。」子路問：「準備小斂的時候，就應該變換喪服。如今他走出內室才變換，先生卻認為合乎禮制，為什麼呢？」孔子說：「仲由，你問得不對。君子不應用一般人的標準來質疑士人。」

【出處】

叔孫武叔之母死，既小斂，舉屍者出戶，武孫從之出戶，乃袒投其冠而括髮。子路嘆之，孔子曰：「是禮也。」子路問曰：「將小斂則變服，今乃出戶，而夫子以為知禮，何也？」孔子曰：「由，汝問非也。君子不舉人以質士。」（《孔子家語》〈曲禮子夏問〉）

立義行道

子路說：「不能自甘於辛勤勞苦，不能自安於貧窮睏乏，不能輕看死亡，卻說自己能倡行仁義，我是不信的。」從前，申包胥為搬兵救楚，在秦國朝廷上痛哭了七天七夜，終於保存了楚國；不是自甘受苦，怎麼能做這種事情？曾參窮得衣不遮體，食不果腹，但不合道義他就毅然辭去上卿的職位。如果不是安於貧困，怎麼能做到這樣呢？比干在快被處死時，仍然誠心規勸紂王，伯夷、叔齊餓死在首陽山，也要彰顯自己的志向；如果不是看輕死亡，怎麼能做這種事呢？所以說，士人要立義行道，不考慮難易才能真正實行它，想揚名立萬，不計較利害得失才能獲得成功。《詩經》上說：「像他那樣的人，高大而忠厚。」不是善良忠厚、以修養身心來激勵品行的君子，誰又能做得到呢？

【出處】

子路曰：「不能勤苦，不能恬貧窮，不能輕死亡；而曰我能行義，吾不信也。」昔者申包胥立於秦庭，七日七夜喪不絕聲，遂以存

楚，不能勤苦，安能行此！曾子布衣緼袍未得完，糟糠之食，藜藿之羹未得飽，義不合則辭上卿，不恬貧窮，安能行此！比干將死而諫逾忠，伯夷叔齊餓死於首陽山而志逾彰，不輕死亡，安能行此！故夫士欲立義行道，毋論難易而後能行之；立身著名，無顧利害而後能成之。《詩》曰：「彼其之子，碩大且篤。」[82]非良篤修激之君子，其誰能行之哉？（《說苑》〈立節〉）

不仕無義

　　子路跟隨孔子出行，落在了後面，遇到一個老丈，用枴杖挑著除草的工具。子路問道：「你看到我的老師嗎？」老丈說：「我手腳不停地勞作，五穀還來不及播種，哪裡顧得上你的老師是誰？」說完，便扶著枴杖去除草。子路拱著手恭敬地站在一旁。老丈留子路到他家住宿，殺了雞，做了小米飯給他吃，又叫兩個兒子出來與子路見面。第二天，子路趕上孔子，把這件事向他作了報告。孔子說：「這是個隱士啊。」叫子路回去再看看他。子路到了那裡，老丈已經走了。子路說：「不做官是不對的。長幼間的關係是不可能廢棄的；君臣間的關係怎麼能廢棄呢？想要自身清白，卻破壞了根本的君臣倫理關係。君子做官，只是為了實行君臣之義。道行不通，早就知道了。」

【出處】

　　子路從而後，遇丈人，以杖荷蓧。子路問曰：「子見夫子乎？」

82.「彼其之子，碩大且篤」，出自《詩經》〈唐風·椒聊〉。

丈人曰：「四體不勤，五穀不分，孰為夫子？」植其杖而芸，子路拱而立。止子路宿，殺雞為黍而食之，見其二子焉。明日，子路行以告，子曰：「隱者也。」使子路反見之，至則行矣。子路曰：「不仕無義。長幼之節不可廢也，君臣之義如之何其廢之？欲潔其身而亂大倫。君子之仕也，行其義也，道之不行已知之矣。」（《論語》〈微子〉）

過而能改

　　子路彈琴，孔子聽到後對冉有說：「仲由真是不成器啊！先王制作音樂，奏出中和之聲以為節制，流傳到南方，不返歸北方。因為南方是萬物生育的地方，北方則是殺伐盛行的區域。所以君子彈奏出的音樂，溫柔適中，能培養滋生萬物之氣，使憂愁的情緒不在心中產生，粗暴的舉動不在身上發生。這樣的音樂，體現的就是所謂的太平盛世之風。小人彈奏的音樂卻不是這樣，激烈而瑣碎，象徵殺伐征戰之氣，中和的感覺不在心中產生，溫和的舉動不在身上發生。這樣的音樂，體現的就是所謂的亂世之風。從前舜彈奏五絃琴，創作《南風》之詩，詩中說：『多麼溫和的南風啊，可以解除我百姓的憂愁；多麼及時的南風啊，可以增加我百姓的財富。』正是因為注重這樣的教化，所以他的事業蓬勃地興盛起來。舜的德行如清泉流淌，直到現在王公大人們還對此加以稱頌而不忘懷。殷紂王喜歡作北方的殺伐之音，他的國家也很快就歸於滅亡了，直到現在王公大人們仍引以為戒。舜是平民出身，他積累德行，蓄養和氣，最終成為天子。紂本來

貴為天子，卻荒淫殘暴，最終走向滅亡。這不是由他們各自的修養造成的嗎？仲由現在還是一介平民，不曾留意先王之制，卻習於亡國之聲，怎麼能保住自己那六七尺長的身軀呢？」冉有把孔子的這番話告訴子路。子路聽了很害怕，就自我懺悔，靜靜思索而不進食，以致於到了瘦骨嶙峋的地步。孔子說：「有了過錯而能改正，這是有所長進的表現啊！」

【出處】

　　子路鼓琴，孔子聞之，謂冉有曰：「甚矣由之不才也。夫先王之制音也，奏中聲以為節，流入於南，不歸於北。夫南者，生育之鄉，北者，殺伐之城。故君子之音溫柔居中以養生育之氣，憂愁之感不加於心也，暴厲之動，不在於體也。夫然者，乃所謂治安之風也。小人之音則不然，亢麗微末，以象殺伐之氣，中和之感，不載於心，溫和之動，不存於體，夫然者乃所以為亂之風。昔者舜彈五弦之琴，造南風之詩，其詩曰：『南風之薰兮，可以解吾民之慍兮，南風之時兮，可以阜吾民之財兮。』唯修此化，故其興也勃焉，德如泉流，至於今王公大人述而弗忘。殷紂好為北鄙之聲，其廢也忽焉，至於今王公大人舉以為誡。夫舜起布衣，積德含和而終以帝，紂為天子，荒淫暴亂而終以亡，非各所修之致乎。由今也匹夫之徒，曾無意於先王之制，而習亡國之聲，豈能保其六七尺之體哉？」冉有以告子路，子路懼而自悔，靜思不食，以至骨立。夫子曰：「過而能改，其進矣乎。」（《孔子家語》〈辯樂解〉）

以道事君

　　季子然問：「仲由和冉求可以算是大臣嗎？」孔子說：「我以為你是問別人，原來是問由和求呀。所謂大臣是能夠用周公之道的要求來侍奉君主，如果這樣不行，他寧肯辭職不幹。由和求這兩個人，只能算是充數的臣子罷了。」季子然說：「他們跟著季氏，會什麼都幹嗎？」孔子說：「殺父親、殺君主這種事，他們是不會跟著幹的。」

【出處】

　　季子然問：「仲由、冉求可謂大臣與？」子曰：「吾以子為異之問，曾由與求之問。所謂大臣者，以道事君，不可則止。今由與求也，可謂具臣矣。」曰：「然則從之者與？」子曰：「弒父與君，亦不從也。」（《論語》〈先進〉）

文武並用

　　齊國的國師率兵伐魯，季康子派冉求率領左軍抵禦，樊遲率領右軍。魯軍不敢越過壕溝迎敵，樊遲說：「不是辦不到，是因為大夥兒不信任您。請您再三申明號令，然後帶頭越過壕溝。」冉求接受了這一建議。結果士兵們都跟著越過壕溝。魯軍攻入齊軍陣中，齊軍敗逃。因為冉求和他的部下用戈為武器，所以魯軍能順利攻入敵陣。孔子得知此戰的結果後說：「這是合乎道義的。」戰後，季孫氏問冉求說：「您懂得打仗，是學來的呢？還是天生就懂呢？」冉求回答說：

「是學來的。」季孫氏問道:「跟著孔子,怎麼學習打仗?」冉求答道:「就是從孔子那裡學來的。孔子是一位大聖人,知識無所不包,文武並用兼通。我聽他講過戰法,但卻瞭解得不夠詳盡。」季孫氏聽說後很高興。樊遲把這件事告訴孔子。孔子說:「季孫氏在這件事情上是喜歡別人有才能的。」

【出處】

　　齊國書伐魯,季康子使冉求率左師禦之,樊遲為右。師不逾溝,樊遲曰:「非不能也,不信子,請三刻而逾之。」如之。眾從之,師入齊軍,齊軍遁。冉有用戈,故能入焉。孔子聞之曰:「義也。」既戰,季孫謂冉有曰:「子之於戰,學之乎?性達之乎?」對曰:「學之。」季孫曰:「從事孔子,惡乎學?」冉有曰:「即學之孔子也。夫孔子者,大聖,無不該,文武並用兼通,求也適聞其戰法,猶未之詳也。」季孫悅,樊遲以告孔子。孔子曰:「季孫於是乎可謂悅人之有能矣。」(《孔子家語》〈正論解〉)

不患寡而患不均

　　季氏準備討伐顓臾。冉有、子路去見孔子說:「季氏快要攻打顓臾了。」孔子說:「冉求,這就是你的過錯了。從前周天子讓顓臾主持東蒙的祭祀,而且已經在魯國的疆域之內,是國家的臣屬,為什麼要討伐它呢?」冉有說:「季孫大夫想去攻打,我們兩人都不願意。」孔子說:「冉求,周任有句話說:『儘自己的力量去承擔你的職務,

實在做不好就辭職。』有了危險不去扶助，跌倒了不去攙扶，那還用輔佐的人幹什麼呢？而且你說的話錯了。老虎、犀牛從籠子裡跑出來，龜甲、玉器在匣子裡毀壞了，這是誰的過錯呢？」冉有說：「現在顓臾城牆堅固，而且離費邑很近。如果不早點奪取它，將來一定會成為子孫的憂患。」孔子說：「冉求，自己想要那樣做卻不肯明說，還要找理由辯解，是君子所痛恨的。我聽說，對於諸侯和大夫，不怕貧窮，而怕財富不均；不怕人口少，而怕不安定。財富均了，也就沒有所謂貧窮；大家和睦，就不會感到人少；安定了，也就沒有傾覆的危險。如果遠方的人還不歸服，就用仁、義、禮、樂招徠他們；已經來了，就讓他們安心住下來。現在你倆輔助季氏，遠方的人不歸服你倆不能招徠；國內民心離散你倆不能保全，反而策劃在國內使用武力。我只怕季孫的憂患不在顓臾，而在自己內部呢！」

【出處】

季氏將伐顓臾，冉有、季路見於孔子，曰：「季氏將有事於顓臾。」孔子曰：「求，無乃爾是過與？夫顓臾，昔者先王以為東蒙主，且在邦域之中矣，是社稷之臣也。何以伐為？」冉有曰：「夫子欲之，吾二臣者皆不欲也。」孔子曰：「求，周任有言曰：『陳力就列，不能者止。』危而不持，顛而不扶，則將焉用彼相矣？且爾言過矣，虎兕出於柙，龜玉毀於櫝中，是誰之過與？」冉有曰：「今夫顓臾，固而近於費。今不取，後世必為子孫憂。」孔子曰：「求，君子疾夫舍曰欲之而必為之辭。丘也聞，有國有家者，不患寡而患不均，不患貧而患不安。蓋均無貧，和無寡，安無傾。夫如是，故遠人不服則修文德以來之，既來之，則安之。今由與求也相夫子，遠人不服而

不能來也，邦分崩離析而不能守也，而謀動干戈於邦內。吾恐季孫之憂不在顓臾，而在蕭牆之內也。」（《論語》〈季氏〉）

道之將行

子周在季孫氏面前說子路的壞話，子服景伯報告孔子說：「季孫氏本來就有了疑心，可是我還有力量殺死公伯繚，把他的屍體陳放在街頭示眾。」孔子說：「正道能夠行得通，是天意；正道廢棄不能施行，也是天意，公伯繚能對抗天意嗎？」

【出處】

周愬子路於季孫，子服景伯以告孔子，曰：「夫子固有惑志，繚也，吾力猶能肆諸市朝。」孔子曰：「道之將行，命也；道之將廢，命也。公伯繚其如命何！」（《史記》〈仲尼弟子列傳〉）

子路將行

子路將要出發，來向孔子辭行。孔子說：「我是送給你車呢？還是送給你忠告？」子路說：「請給我忠告吧。」孔子說：「不努力就達不到目的，不勞動就沒有收穫，不忠誠就沒有親人，不講信用別人就不會信任你，不恭敬就會失禮。謹慎地處理好這五個方面就可以了。」子路說：「我會終身牢記。請問取得新結交的人信任該怎樣做？說話少能辦成事該怎麼做？一心向善而不受人侵犯該怎麼做？」

孔子說:「這些問題都已包括在我講的五個方面。要取得新結識的人信任,一定要忠誠;說話少能辦事,最主要是講信用;一心向善而不受別人侵犯,那就是遵行禮儀。」

【出處】

子路將行,辭於孔子。子曰:「贈汝以車乎?贈汝以言乎?」子路曰:「請以言。」孔子曰:「不強不達,不勞無功,不忠無親,不信無復,不恭失禮,慎此五者而矣。」子路曰:「由請終身奉之。敢問親交取親若何?言寡可行若何?長為善士而無犯若何?」孔子曰:「汝所問苞在五者中矣。親交取親,其忠也;言寡可行,其信乎;長為善士,而無犯於禮也。」(《孔子家語》〈子路初見〉)

過其所愛

子路做郈邑的長官時,用自己的俸祿買來糧食,熬成稀飯後施捨給挖溝的民眾。孔子知道後,讓子貢倒掉稀飯、砸爛盛飯的器皿說:「這些民眾是屬於魯君的,你幹嘛給他們飯吃?」子路勃然大怒,握拳露臂來見孔子說:「先生憎恨我施行仁義嗎?先生教給我仁義,所謂仁義,就是與天下人分享自己的所得和利益。現在用我自己的俸糧去供養民眾,有什麼不妥嗎?」孔子說:「子路好粗野啊!我以為你懂禮了,卻原來你根本不懂。你供養民眾,是愛他們。禮法規定,天子愛天下,諸侯愛國家,大夫愛官職,士人愛家,超越所愛的範圍就叫冒犯。對於魯君統治下的民眾,你竟敢擅自去愛,你這是侵權,

太膽大妄為了！」話沒說完，季孫的使者就到了，責備孔子說：「我發動民眾而驅使他們，先生讓弟子給民眾送飯，是想與我爭奪民眾嗎？」孔子無言，隨後駕車離開了魯國。

【出處】

季孫相魯，子路為郈令。魯以五月起眾為長溝，當此之為，子路以其私秩粟為漿飯，要作溝者於五父之衢而餐之。孔子聞之，使子貢往覆其飯，擊毀其器，曰：「魯君有民，子奚為乃餐之？」子路怫然怒，攘肱而入，請曰：「夫子疾由之為仁義乎？所學於夫子者，仁義也；仁義者，與天下共其所有而同其利者也。今以由之秩粟而餐民，其不可何也？」孔子曰：「由之野也！吾以女知之，女徒未及也。女故如是之不知禮也！女之餐之，為愛之也。夫禮，天子愛天下，諸侯愛境內，大夫愛官職，士愛其家，過其所愛曰侵。今魯君有民而子擅愛之，是子侵也，不亦誣乎！」言未卒，而季孫使者至，讓曰：「肥也起民而使之，先生使弟子令徒役而餐之，將奪肥之民耶？」孔子駕而去魯。（《韓非子》〈外儲說右上〉）

賢者欲養，二親不待

子路說：「身背重物走遠路的人，不會選擇地方休息；家庭貧寒、父母年邁的人，不會計較俸祿的多寡。從前，我侍奉父母的時候，經常食不果腹，還要為父母到百里外的地方背米。父母過世後，我到南方的楚國宦遊，跟隨我的車馬有百乘之多，積蓄的糧食超過萬

鍾，把蓆子疊起來坐，排列著鼎鑊開飯，過去食不果腹、為父母雙親背米的時代一去不返。用繩索串起的枯魚，能有多少不被蟲蛀；父母雙親的壽命，快得如同白駒過隙！草木想要生長，霜露已經不給機會；孝子想要奉養父母，年邁的雙親已不能等待。所以說，家境貧寒、父母年邁的人，千萬不要計較俸祿的多少，而要儘快出仕謀生。」

【出處】

子路曰：「負重道遠者，不擇地而休；家貧親老者，不擇祿而仕。昔者由事二親之時，常食藜藿之實而為親負米百里之外，親沒之後，南游於楚，從車百乘，積粟萬鍾，累茵而坐，列鼎而食，願食藜藿負米之時不可復得也；枯魚銜索，幾何不蠹，二親之壽，忽如過隙，草木欲長，霜露不使，賢者欲養，二親不待，故曰：家貧親老不擇祿而仕也。」（《說苑》〈建本〉）

子路去魯

子路要離開魯國，對顏淵說：「臨別之際，你有什麼話送我呢？」顏淵說：「我聽說，要離開故國，應該先到祖墳上哭一番再動身；返回故國，就不必哭了，只要到墳上巡視一圈就可以入城。」說罷，顏淵又對子路說：「您給我留下什麼話讓我安身無咎呢？」子路說：「我聽說，經過墓地就應憑軾致敬，經過社壇就應下車致敬。」

子路去魯

子路去魯，謂顏淵曰：「何以贈我？」曰：「吾聞之也：去國，則哭於墓而後行；反其國，不哭，展墓而入。」謂子路曰：「何以處我？」子路曰：「吾聞之也：過墓則式，過祀則下。」（《禮記》〈檀弓下〉）

曲懸之樂

衛國孫桓子侵伐齊國，與齊軍交戰，結果被打敗了。齊人乘勝追擊，抓住了孫桓子。新築大夫仲叔子奚帶領部眾援救桓子，桓子因此倖免於難。衛國人賞賜城邑給仲叔子奚[83]，子奚辭謝，請求使用諸侯坐的車上三面懸掛的樂器，並在朝見時使用以繁纓作裝飾的馬匹。衛國國君答應了，並由司徒、司馬、司空三官將這事記錄下來。後來子路在衛國當官，見到有關記錄，便去請教孔子。孔子說：「可惜啊！不如多給他一些城邑。唯有禮器和名號，是不能借給別人的，這二者是國君所應掌握的。名號用來顯示威信，威信用來守護禮器，禮器用來體現禮制，禮制用來施行道義，道義用來產生利益，利益用來安定百姓，這是為政的基本準則。如果把它們借給別人，就是把政權送給別人。政權丟掉了，國家也就跟著滅亡了，這是無法阻止的。」

---

83. 子奚，《孔子家語》〈正論解〉為於奚。

【出處】

　　衛孫桓子侵齊，遇敗焉，齊人乘之，執。新築大夫仲叔於奚以其眾救桓子，桓子乃免。衛人以邑賞仲叔於奚，於奚辭，請曲懸之樂，繁纓以朝，許之，書在三官。子路仕衛，見其故，以訪孔子。孔子曰：「惜也不如多與之邑，惟器與名，不可以假人，君之所司，名以出信，信以守器，器以藏禮，禮以行義，義以生利，利以平民，政之大節也。若以假人，與人政也，政亡，則國家從之，不可止也。」（《孔子家語》〈正論解〉）

必也正名乎

　　子路對孔子說：「衛國國君要您去治理國家，您打算先從哪些事情做起呢？」孔子說：「首先必須正名分。」子路說：「有這樣做的嗎？您想得太不合時宜了。這名怎麼正呢？」孔子說：「仲由，真粗野啊。君子對於他所不知道的事情，總是採取存疑的態度。名分不正，說起話來就不順當合理，說話不順當合理，事情就辦不成。事情辦不成，禮樂也就不能興盛。禮樂不能興盛，刑罰的執行就不會得當。刑罰不得當，百姓就不知怎麼辦好。所以，君子一定要定下一個名分，必須能夠說得明白，說出來一定能夠行得通。君子對於自己的言行，是從不馬馬虎虎對待的。」

【出處】

　　子路曰：「衛君待子而為政，子將奚先？」子曰：「必也正名

乎！」子路曰：「有是哉，子之迂也！奚其正？」子曰：「野哉，由也！君子於其所不知，蓋闕如也。名不正，則言不順；言不順，則事不成；事不成，則禮樂不興；禮樂不興，則刑罰不中；刑罰不中，則民無所措手足。故君子名之必可言也，言之必可行也。君子於其言，無所苟而已矣。」（《論語》〈子路〉）

恭正以靜

子路出任蒲邑大夫，辭行時向孔子請教。孔子說：「蒲邑勇武之士較多，很難治理。我告訴你：恭謹尊敬，就可以駕馭勇武的人；寬厚清正，就能得到大家的擁護；能做到這兩點，秩序自然就安定了。」

【出處】

子路為蒲大夫，辭孔子。孔子曰：「蒲多壯士，又難治。然吾語汝：恭以敬，可以執勇；寬以正，可以比眾；恭正以靜，可以報上。」（《史記》〈仲尼弟子列傳〉）

三稱其善

子路在蒲地執政三年，孔子經過蒲地，進入境內，稱讚說：「好啊！仲由恭敬而又誠信。」進入子路的城邑，又稱讚說：「好啊！仲由忠信而又寬厚。」進入子路的官署，再稱讚說：「好啊！仲由明

察而又果斷。」子貢拉著韁繩問說：「先生還沒有看見仲由為政的情況，卻三次稱讚他做得好。到底他為政好在哪裡，可以說來聽聽嗎？」孔子說：「我已經瞭解他為政的情況了。進入蒲境，看見田畝都得到整治，荒地都得到開闢，溝渠也得到拓寬加深，這說明他恭敬而又誠信，因而當地百姓都願意盡力勞作。進入蒲邑，見城牆和房屋都很堅固，樹木十分繁茂，這說明他忠信而又寬厚，因而當地百姓毫不懈怠。進入蒲地官署，見官署內十分清靜閒適，手下人都聽從他的命令，這說明他明察而又果斷，因而當地的政事有條不紊。三次稱讚，並不足以概括他的美德善行啊。」

【出處】

　　子路治蒲三年，孔子過之，入其境曰：「善哉由也，恭敬以信矣。」入其邑曰：「善哉由也，忠信而寬矣。」至廷曰：「善哉由也，明察以斷矣。」子貢執轡而問曰：「夫子未見由之政，而三稱其善，其善可得聞乎？」孔子曰：「吾見其政矣。入其境，田疇盡易，草萊甚辟，溝洫深治，此其恭敬以信，故其民盡力也；入其邑，牆屋完固，樹木甚茂，此其忠信以寬，故其民不偷也；至其庭，庭甚清閒，諸下用命，此其言明察以斷，故其政不擾也。以此觀之，雖三稱其善，庸盡其美乎！」（《孔子家語》〈辯政〉）

惡夫佞者

　　子路讓子羔去做費地的長官。孔子說：「這簡直是害人子弟。」

子路說：「那個地方有老百姓，有社稷，治理百姓和祭祀神靈都是學習，難道一定要讀書才算學習嗎？」孔子說：「所以我討厭那種花言巧語狡辯的人。」

【出處】

子路使子羔為費宰，子曰：「賊夫人之子。」子路曰：「有民人焉，有社稷焉，何必讀書然後為學。」子曰：「是故惡夫佞者。」（《論語》〈先進〉）

買道而葬

季子皋埋葬他的妻子時，踏壞了他人田地裡的禾苗，申祥把情況告訴了他，並且說：「建議賠償人家。」子皋說：「孟氏不因為這麼一點小事責備我，朋友也不因為這麼一點小事而拋棄我，由於我是本邑的長官，就算我同意賠償，買路而葬，只怕此例一開，後人難以照辦呀。」

【出處】

季子皋葬其妻，犯人之禾，申祥以告曰：「請庚之。」子皋曰：「孟氏不以是罪予，朋友不以是棄予，以吾為邑長於斯也。買道而葬，後難繼也。」（《禮記》〈檀弓下〉）

行者比於鳥

　　成回跟隨子路學習三年，始終恭敬如初。子路問其原因，成回回答說：「我聽說行路的人就像飛鳥，上怕鷹鸇猛禽，下怕陷入羅網。這個世界，說人好話的人少，說人壞話的人多，只要人還活著，誰能說災禍罪過肯定不會施加到自己身上？人活七十歲，還總怕自己的品行節操有欠缺，我因此以恭敬的態度等待天命。」子路點頭稱讚說：「真是君子啊！」

【出處】

　　成回學於子路三年，回恭敬不已。子路問其故何也，回對曰：「臣聞之，行者比於鳥，上畏鷹鸇，下畏網羅。夫人為善者少，為讒者多。若身不死，安知禍罪不施。行年七十，常恐行節之虧。回是以恭敬待大命。」子路稽首曰：「君子哉！」（《說苑》〈敬慎〉）

何忍食此

　　子路和子羔同時在衛國做官，衛國的蒯聵發動叛亂。孔子在魯國得知消息後說：「高柴會回來，仲由會死於這次叛亂的。」不久衛國的使者來告知說：「子路死在這次叛亂中了。」孔子在正室廳堂哭泣。有人來慰問，孔子拜謝。哭過之後，讓使者進來問子路遇害的情況。使者說：「子路被剁成了肉醬。」孔子讓身邊的人把肉醬倒掉，流淚說：「我怎忍心吃這種東西呢？」

【出處】

子路與子羔仕於衛，衛有蒯聵之難。孔子在魯，聞之曰：「柴也其來，由也死矣。」既而衛使至，曰：「子路死焉。」夫子哭之於中庭，有人弔者，而夫子拜之，已哭，進使者而問故，使者曰：「醢之矣。」遂令左右皆覆醢，曰：「吾何忍食此。」(《孔子家語》〈曲禮子夏問〉)

不若速貧

南公敬叔因為富有得罪了魯定公而逃到衛國。衛侯請求魯定公恢復敬叔的官位，敬叔於是載著寶物來朝見魯定公。孔子聽到這件事說：「像這樣以財貨行賄謀求官位，還不如迅速貧窮好呢！」子游問孔子說：「為什麼這麼說呢？」孔子說：「富而不好禮，必定會招致災禍。南宮敬叔因富有而失去官位，卻不知改悔，我怕他將來還有禍患啊！」南宮敬叔聽說後馬上去拜見孔子。從此以後他做事遵循禮節，並把自己的財產施捨給百姓。

【出處】

南宮敬叔以富得罪於定公，奔衛，衛侯請復之，載其寶以朝。夫子聞之曰：「若是其貨也，喪不若速貧之愈。」子游侍曰：「敢問何謂如此？」孔子曰：「富而不好禮，殃也，敬叔以富喪矣，而又弗改，吾懼其將有後患也。」敬叔聞之，驟如孔氏，而後循禮施散焉。(《孔子家語》〈曲禮子貢問〉)

朝服而弔

季桓子去世後，魯國大夫都穿著朝服前往弔唁。子游問孔子說：「這符合禮制嗎？」孔子沒有回答。過了幾天，子游又問起這個問題。孔子說：「剛死的時候是可以的。穿戴羔裘玄冠的人，到時候改過來就行了。你何必疑慮呢？」

【出處】

季桓子死，魯大夫朝服而弔。子游問於孔子曰：「禮乎？」夫子不答。他日，又問。子曰：「始死則矣，羔裘玄冠者，易之而已，汝何疑焉。」（《孔子家語》〈曲禮子夏問〉）

未之前聞

公儀仲子的嫡子死了，他不立嫡孫為繼承人，卻立他的庶子為繼承人。為了表示對這種做法的諷刺，檀弓故意不穿喪服去弔喪，並且說：「究竟是怎麼回事啊？我可從來沒聽說過這種做法。」他快步走到門右邊去問子服伯子，說：「仲子舍其嫡孫而立其庶子，道理何在？」伯子為仲子打掩護說：「過去周文王捨棄嫡子伯邑考而立武王，宋微子不立嫡孫腯而立其弟衍，仲子也不過是沿襲古人的成例而已。」後來，孔子的弟子子游就此事請教孔子，孔子回答說：「公儀仲子的做法不對，應當立嫡孫為後。」

公儀仲子之喪，檀弓免焉。仲子舍其孫而立其子，檀弓曰：「何居？我未之前聞也。」趨而就子服伯子於門右，曰：「仲子舍其孫而立其子，何也？」伯子曰：「仲子亦猶行古之道也。昔者文王舍伯邑考而立武王，微子舍其孫腯而立衍也；夫仲子亦猶行古之道也。」子游問諸孔子，孔子曰：「否！立孫。」（《禮記》〈檀弓上〉）

禮之大成

子游問說：「老師如此推崇禮，可以說給我聽聽吧？」孔子說：「我曾想看看夏朝的禮，因此到杞國去，年代久遠，無法驗證了，我得到了他們的曆書《夏時》。我又想看看殷朝的禮，所以到宋國去，也是無法得到驗證，我得到他們的易書《坤乾》。我從《夏時》《坤乾》中看到的是陰陽的功用和禮的區分等次，並從此看到了禮的演變道理及周轉的程序。」原本禮最初是開始於飲食行為的。他們將黍米用水淘洗後，放在燒熱的石上烤熟；把豬肉分開放在燒熱的石上烤熟，在地上鑿個小水坑當作酒樽，用手捧著酒來喝。用土塊做鼓槌敲打土做的鼓，按他們的這種生活方式來敬鬼神。到他們死的時候，活著的人就登上屋頂向天空大聲喊叫，他們喊：「啊——，某人你回來呀！」但死者不能復生，他們就用生米舉行飯含之禮，並且在下葬時給死者包裹一些熟食，不讓他挨餓。因此招魂時望著天而隱藏屍體於地下，身體埋到地下，靈魂卻在天上。北方是陰，所以死人的頭朝北；南方是陽，所以活著的以南為尊，這都是從最初傳下來的。先前先代君王

沒有宮殿房屋，冬天就居住在四周都是用土做成的土窟裡，夏天就居住在用柴木聚集而成的巢裡。當時不知道用火燒食物，生吃草木的果實以及鳥獸的肉，喝動物的血，連毛也吃下去。當時也沒有麻絲，穿的是羽毛和獸衣。後世有聖人出現，然後利用火的熱力，用模子澆鑄金屬，調和泥土燒製磚瓦，用以建造臺榭、宮室和門窗。同時用火來炮烤煮炙食物，釀製醴酒。製作麻絲，來供養人們的生活、料理喪事和祭祀鬼神上帝。後世的人在這些方面都遵守原始時候的做法。由於遵從原始，所以祭祀時，玄酒[84]最古，放在地位最尊的屋內，醴、酪放在戶內，粢醍[85]放在行禮的堂上，而澄酒卻放在堂下。擺列出那些犧牲，備齊那些鼎俎，安排琴、瑟、管、磬、鐘、鼓，撰寫祝辭嘏辭，用來迎接上神及先祖的降臨。在祭祀進行中要辨正君臣的意義，專一父子的慈孝，親睦兄弟的友愛，溝通上下的聲氣，夫婦各有自己應處的地位，這就稱為承奉上天的福佑。作壇祝辭的名號，用玄酒來祭神，進獻牲血和毛，然後進獻俎上的生肉，還要進獻半熟的牲體。行禮時，主人主婦都要親自踩踏蒲草結的席，端著用粗布覆蓋的酒樽，穿著新織的綢衣，獻上醴酒和酪酒，進獻肉乾。主人和主婦相互交替進獻，讓祖先的靈魂十分歡娛，這叫作人神感通，合而為一。祭祀以後退下，把半生不熟的牲體合在一起烹煮，再區別犬、豕、牛、羊的牲體，盛入簠簋、籩、豆之中。祝辭將主人孝順告訴鬼神，嘏辭把神的慈愛轉達主人，這叫作大祥。這時禮就大功告成了。」

---

84. 玄酒：古代祭禮中當酒用的清水。

85. 粢醍：淺紅色的清酒。

【出處】

言偃復問曰：「夫子之極言禮也，可得而聞與？」孔子曰：「我欲觀夏道，是故之杞，而不足徵也，吾得《夏時》焉。我欲觀殷道，是故之宋，而不足徵也；吾得《坤乾》焉。《坤乾》之義，《夏時》之等，吾以是觀之。」夫禮之初，始諸飲食，其燔黍捭豚，污尊而抔飲，蕢桴而土鼓，猶若可以致其敬於鬼神。及其死也，升屋而號，告曰：「皋！某復。」然後飯腥而苴孰。故天望而地藏也，體魄則降，知氣在上，故死者北首，生者南鄉，皆從其初。昔者先王，未有宮室，冬則居營窟，夏則居橧巢。未有火化，食草木之實、鳥獸之肉，飲其血，茹其毛。未有麻絲，衣其羽皮。後聖有作，然後修火之利，範金合土，以為臺榭、宮室、牖戶，以炮，以燔，以亨，以炙，以為醴酪；治其麻絲，以為布帛，以養生送死，以事鬼神上帝，皆從其朔。故玄酒在室，醴盞在戶，粢醍在堂，澄酒在下。陳其犧牲，備其鼎俎，列其琴瑟、管磬、鐘鼓，修其祝嘏，以降上神與其先祖。以正君臣，以篤父子，以睦兄弟，以齊上下，夫婦有所，是謂承天之祜。作其祝號，玄酒以祭，薦其血毛，腥其俎，孰其肴，與其越席，疏布以冪，衣其浣帛，醴盞以獻，薦其燔炙，君與夫人交獻，以嘉魂魄，是謂合莫。然後退而合亨，體其犬豕牛羊，實其簠簋、籩豆、鉶羹。祝以孝告，嘏以慈告，是謂大祥。此禮之大成也。（《禮記》〈禮運〉）

狄儀之問

公叔朱有個同母異父的兄弟死了，向子游請教該服什麼喪服。子

遊說：「可能是大功吧？」狄儀有個同母異父的兄弟死了，向子夏請教該服什麼喪服。子夏說：「這種情況，我過去沒有聽說過。只知道魯國的做法是為他服齊衰。」於是狄儀就服齊衰。現在人們為同母異父兄弟服齊衰，就是經狄儀這一問才定下來的。[86]

【出處】

公叔木有同母異父之昆弟死，問於子游。子游曰：「其大功乎？」狄儀有同母異父之昆弟死，問於子夏，子夏曰：「我未之前聞也；魯人則為之齊衰。」狄儀行齊衰。今之齊衰，狄儀之問也。（《禮記》〈檀弓上〉）

情在於斯

有子和子游在一塊兒站著，看見一個小孩子在哭哭啼啼地尋找父母。有子對子遊說：「我一向不知道為什麼喪禮中有頓足的規定，我早就想廢除這條規定。現在看來，孝子抒發悲哀思慕的感情應該就和這孩子一樣，只要是發自內心，可以想怎麼哭就怎麼哭，還要什麼規定呢！」子遊說：「禮的種種規定，有的是用來約束感情的，有的是借外在的事物以引發人們內在的感情的。如果沒有統一的規定，誰想怎麼著就怎麼著，那是野蠻民族的做法。如果依禮而行則不然，人們遇到可喜之事就感到開心，感到開心就想唱歌。唱歌還不盡興，就晃

---

86. 中國古代服喪制度是按照嚴格的親疏遠近來制定的，從重到輕，依次分為斬衰、齊衰、大功、小功、緦麻五種，謂之「五服」。

動身體。晃動身體還不過癮，就跳舞。瘋狂地舞過之後又產生憤怒之心，有了憤怒之心就會感到悲戚，悲戚則導致感嘆。光感嘆還覺得發洩得不夠，於是就捶胸。捶胸還不夠味，那就要頓足了。將這種種感情和行動加以區別和節制，這就叫作禮。人一死，就要被人厭惡；而且死人沒有任何行為能力，人們就要背棄他。所以，製作絞衾以掩蓋屍體，設置蔞翣以為棺飾，就是為了使人不感到討厭。人剛死的時候，用肉脯肉醬來祭奠他；將要出葬，又設送行的遣奠；下葬以後，還有一系列饋食之祭。[87]雖然從來沒有看見鬼神來享用祭品，但是也並不因此而放棄祭祀，目的就在於不使人們背棄死者。所以，您剛才對禮提出的批評，實在也算不上是禮的毛病。」

【出處】

有子與子游立，見孺子慕者，有子謂子游曰：「予壹不知夫喪之踊也，予欲去之久矣。情在於斯，其是也夫？」子游曰：「禮：有微情者，有以故興物者；有直情而徑行者，戎狄之道也。禮道則不然，人喜則斯陶，陶斯詠，詠斯猶，猶斯舞，舞斯慍，慍斯戚，戚斯嘆，嘆斯辟，辟斯踊矣。品節斯，斯之謂禮。人死，斯惡之矣，無能也，斯倍之矣。是故制絞衾、設蔞翣，為使人勿惡也。始死，脯醢之奠；將行，遣而行之；既葬而食之，未有見其饗之者也。自上世以來，未之有舍也，為使人勿倍也。故子之所刺於禮者，亦非禮之訾也。」（《禮記》〈檀弓下〉）

---

87. 絞衾：入殮時裹束屍體的束帶和衾被。蔞翣：古代棺飾。蔞是多年生草本植物，多生於水濱，亦稱「白蒿」。遣奠：古代稱將葬時的祭奠。

辱臨其喪

　　司寇惠子死了，子游作為朋友前去弔喪，但穿的弔服很特別，衰是麻衰，絰是牡麻。文子辭謝說：「舍弟生前承蒙您和他交往，死了又承蒙您為他服此種弔服，真是不敢當。」子遊說：「這是符合禮的。」文子沒有覺察到子游的用意，就又退回原位，繼續哭泣。子游看到文子還不自覺，就快步走到家臣們哭弔的位置上。文子見子游就錯了位，又來辭謝說：「舍弟生前承蒙您和他交往，又承蒙您為他服弔服，而且還勞駕參加喪禮，實在不敢當。」子遊說：「千萬不要客氣。」文子這才明白子游的用意，於是退下，扶出惠子的嫡子虎南面而立，就主人的正位，並說：「舍弟生前承蒙您和他交往，死後又承蒙您為他服弔服，而且還勞駕參加喪禮，虎敢不回到主人的正位上來拜謝嗎？」子游見目的已經達到，就連忙由臣位走向客位。

【出處】

　　司寇惠子之喪，子游為之麻衰牡麻絰，文子辭曰：「子辱與彌牟之弟游，又辱為之服，敢辭。」子游曰：「禮也。」文子退反哭，子游趨而就諸臣之位，文子又辭曰：「子辱與彌牟之弟游，又辱為之服，又辱臨其喪，敢辭。」子游曰：「固以請。」文子退，扶適子南面而立曰：「子辱與彌牟之弟游，又辱為之服，又辱臨其喪，虎也敢不復位。」子游趨而就客位。（《禮記》〈檀弓上〉）

大同小康

　　從前，孔子曾作為來賓參與蜡祭。祭畢，孔子出來到宮門外的高臺上散步，不禁感慨而嘆。言偃在一旁問道：「老師為什麼嘆氣呢？」孔子說：「大道實行的時代，和夏商周三代傑出君主在位的時代，我沒有趕得上，而內心深懷嚮往。大道實行的時代，天下是公共的，大家推選有道德有才能的人為領導，彼此之間講究信譽，相處和睦。所以人們不只把自己的親人當作親人，不只把自己的子女當作子女，使老年人都能安度晚年，壯年人都有工作可做，幼年人都能健康成長，矜寡孤獨和殘廢有病的人，都能得到社會的照顧。男子都有職業，女子都適時而嫁。對於財物，人們只是不願讓它白白地扔在地上，倒不一定非藏到自己家裡不可；對於氣力，人們生怕不是出在自己身上，倒不一定是為了自己。所以鉤心鬥角的事沒有市場，明搶暗偷作亂害人的現象絕跡。所以，門戶只需從外面帶上而不需上鎖。這就叫大同。現在，大同社會的準則已經被破壞了，天下成為一家一姓的財產，人們各自親其雙親，各自愛其子女，財物生怕不歸自己所有，氣力則唯恐出於己身。天子、諸侯的寶座，時興父傳於子，兄傳於弟。並成為名正言順的禮制。修建城郭溝池作為堅固的防守，制定禮儀作為綱紀，用來規範君臣關係，用來使父子關係親密，用來使兄弟和睦，用來使夫婦和諧，用來設立制度，用來確立田地和住宅，用來表彰有勇有智的人，為自己建功立業。因此，鉤心鬥角的事隨之而生，兵戎相見的事也因此而起。夏禹、商湯、周文王、周武王、周成王、周公，就是三代中的傑出人物。這六位君子，沒有哪個不是把禮

當作法寶，用禮來表彰正義，考察誠信，指明過錯，傚法仁愛，講究禮讓，向百姓展示一切都是有規可循。如有不按禮辦事的，當官的要被撤職，民眾都把他看作禍害。這就是小康。」言偃又問道：「禮果真有這麼重要嗎？」孔子說：「禮，是先主用來遵循天的旨意，用來治理人間萬象的，所以誰失掉了禮誰就會死亡，誰得到了禮誰就能生存。《詩經》上說：『你看那老鼠還有個形體，做人怎能無禮。如果做人而無禮，還不如早點死掉為好。』因此，禮這個東西，一定是源出於天，傚法於地，參驗於鬼神，貫徹於喪禮、祭禮、射禮、鄉飲酒禮、冠禮、婚禮、朝禮、聘禮之中。所以聖人用禮來昭示天下，而天下國家才有可能步入正軌。」

【出處】

　　昔者仲尼與於蜡賓，事畢，出游於觀之上，喟然而嘆。仲尼之嘆，蓋嘆魯也。言偃在側曰：「君子何嘆？」孔子曰：「大道之行也，與三代之英，丘未之逮也，而有志焉。大道之行也，天下為公。選賢與能，講信修睦，故人不獨親其親，不獨子其子，使老有所終，壯有所用，幼有所長，矜寡孤獨廢疾者，皆有所養。男有分，女有歸。貨惡其棄於地也，不必藏於己；力惡其不出於身也，不必為己。是故謀閉而不興，盜竊亂賊而不作，故外戶而不閉，是謂大同。今大道既隱，天下為家，各親其親，各子其子，貨力為己，大人世及以為禮。城郭溝池以為固，禮義以為紀；以正君臣，以篤父子，以睦兄弟，以和夫婦，以設制度，以立田里，以賢勇知，以功為己。故謀用是作，而兵由此起。禹、湯、文、武、成王、周公，由此其選也。此六君子者，未有不謹於禮者也。以著其義，以考其信，著有過，刑仁講讓，

示民有常。如有不由此者，在勢者去，眾以為殃，是謂小康。」言偃復問曰：「如此乎，禮之急也？」孔子曰：「夫禮，先王以承天之道，以治人之情。故失之者死，得之者生。《詩》曰：『相鼠有體，人而無禮；人而無禮，胡不遄死？』[88]是故夫禮，必本於天，殽於地，列於鬼神，達於喪祭、射御、冠昏、朝聘。故聖人以禮示之，故天下國家可得而正也。」(《禮記》〈禮運〉)

子產之惠

子游問孔子說：「先生您極力稱道子產的仁愛，我可以得知其中的原因嗎？」孔子說：「子產的仁愛只不過在於他愛民罷了。」子游問：「愛民就是以道德教化百姓，為什麼只用施行仁愛來評述子產呢？」孔子說：「子產好比是眾人的母親，能夠餵養他們，卻不能教化他們。」子游問：「能說說這方面的例子嗎？」孔子說：「子產用自己乘坐的車子幫助冬天過河的人，這就是單純的仁愛而沒有施以教化。」

【出處】

子游問於孔子曰：「夫子之極言子產之惠也，可得聞乎？」孔子曰：「惠在愛民而已矣。」子游曰：「愛民謂之德教，何翅施惠哉？」孔子曰：「夫子產者，猶眾人之母也，能食之，弗能教也。」子游

88.「相鼠有體，人而無禮；人而無禮，胡不遄死」，出自《詩經》〈鄘風・相鼠〉。

曰：「其事可言乎？」孔子曰：「子產以所乘之輿濟冬涉者，是愛無教也。」（《孔子家語》〈正論解〉）

浸水之與天雨

　　季康子問子遊說：「講仁義的人愛人嗎？」子遊說：「當然。」季康子又問說：「人們也愛他嗎？」子遊說：「當然。」季康子說：「鄭國子產死後，鄭國的男子不佩玉飾，女子不戴珠環，夫婦相擁在里巷中哭泣，三個月聽不到琴瑟的聲音。孔子死後，我卻沒聽到魯國人像這樣懷念孔子，為什麼呢？」子遊說：「拿子產與孔子相比，就像以溝渠的水比天降的雨水。溝渠水流到的地方禾苗就能存活，澆灌不到的地方禾苗就會乾死。然而百姓的生存，卻需要上天及時下雨。只要能夠生存，老百姓就不再喜歡上天賜予的雨水了。所以說，拿子產與孔子相比，就像拿溝渠的水比天降的雨水一樣。」

【出處】

　　季康子謂子游曰：「仁者愛人乎？」子游曰：「然。」「人亦愛之乎？」子游曰：「然。」康子曰：「鄭子產死，鄭人丈夫舍玦佩，婦人舍珠珥，夫婦巷哭，三月不聞竽琴之聲。仲尼之死，吾不聞魯國之愛夫子奚也？」子游曰：「譬子產之與夫子，其猶浸水之與天雨乎？浸水所及則生，不及則死，斯民之生也必以時雨，既以生，莫愛其賜，故曰：譬子產之與夫子也，猶浸水之與天雨乎？」（《說苑》〈貴德〉）

繪事後素

　　子夏問孔子說：「『姣美的笑容嫵媚動人啊，明澈的眼珠流動生輝啊。潔白的生綃染上了絢爛的文采。』[89]這三句話是什麼意思？」孔子回答說：「繪畫要先有素描，然後才上彩著色。」子夏又問說：「禮樂的產生在仁義之後嗎？」孔子說：「卜商啊，現在可以和你討論《詩》了。」

【出處】

　　子夏問：「『巧笑倩兮，美目盼兮。素以為絢兮。』何謂也？」子曰：「繪事後素。」曰：「禮後乎？」孔子曰：「商始可與言詩已矣。」（《史記》〈仲尼弟子列傳〉）

各有所長

　　子夏問孔子說：「顏淵為人如何？」孔子說：「顏回為人誠信，這比我強。」子夏問：「子貢為人如何？」孔子說：「端木賜為人機敏，這比我強。」子夏問：「子路為人怎樣？」孔子說：「仲由為人勇敢，這比我強。」子夏再問：「子張為人怎樣？」孔子說：「顓孫師為人莊重，這比我強。」於是子夏起身離座說：「但他們四人為什麼要拜先生為師呢？」孔子說：「你坐下，我告訴你：顏回為人誠信

89.「巧笑倩兮，美目盼兮」，出自《詩經》〈衛風・碩人〉。

卻不善變通，端木賜雖然機敏卻不能受委屈，仲由雖然勇敢卻不知退縮，顓孫師雖然莊重卻不能合群。用他們四人的長處，來換取我的綜合能力，我還不願意呢。所以最聖明的人，一定能預見進和退哪樣有利，屈和伸哪樣有效。」

【出處】

子夏問仲尼曰：「顏淵之為人也，何若？」曰：「回之信，賢於丘也。」曰：「子貢之為人也，何若？」曰：「賜之敏，賢於丘也。」曰：「子路之為人也，何若？」曰：「由之勇，賢於丘也。」曰：「子張之為人也，何若？」曰：「師之莊，賢於丘也。」於是子夏避席而問曰：「然則四者何為事先生？」曰：「坐，吾語汝。回能信而不能反，賜能敏而不能屈，由能勇而不能怯，師能莊而不能同。兼此四子者，丘不為也。夫所謂至聖之士，必見進退之利，屈伸之用者也。」（《說苑》〈雜言〉）

天地之性

子夏對孔子說：「我見《山書》中寫道：『大地東西方向為緯，南北方向為經。山是積累德行的地方，河是積累刑罰的地方。居高代表生，居下代表死。丘陵代表雄性，溪谷代表雌性。蚌蛤龜珠隨日月變化而有滿和虛的不同。因此生長在堅硬土地上的人剛強，生長在鬆軟土地上的人柔弱；生長在丘陵地帶的人高大，生長在沙質土地上的人瘦小；生長在肥沃土地上的人美麗，生長在貧瘠土地上的人醜陋。

食水的動物善於游泳而且耐寒，食土的動物沒有心臟而且不用呼吸，食樹葉的動物力氣很大而且難以馴服，食草的動物善於奔跑但卻生性愚笨，食桑葉的動物會吐絲而且會變成飛蛾，食肉的動物勇敢堅毅但卻性情凶悍，食氣的動物神明而且長壽，食穀的動物富有智慧而且靈巧，不吃東西的動物不死而且化為神靈。所以說，長有羽翼的動物有三百六十種，而鳳凰居於首位；長有皮毛的動物有三百六十種，而麒麟居於首位；長有甲殼的動物有三百六十種，而龜居於首位；長有鱗片的動物有三百六十種，而龍居於首位；不長羽毛鱗甲的動物有三百六十種，而人居於首位。這就是天地的美妙之處。』不同形貌和類別的事物各有不同的氣數，因此作為王者行動必須遵循道，守靜也必須順應理，從而奉行天地萬物的本性，而不傷害它們所代表的事物，這就叫作仁聖。」

【出處】

　　子夏曰：「商聞山書曰：『地東西為緯，南北為經，山為積德，川為積刑，高者為生，下者為死，丘陵為牡，谿谷為牝，蚌蛤龜珠，與日月而盛虛。是故堅土之人剛，弱土之人柔，墟土之人大，沙土之人細，息土之人美，秏土之人醜。食水者善游而耐寒，食土者無心而不息，食木者多力而不治，食草者善走而愚，食桑者有緒而蛾，食肉者勇毅而捍，食氣者神明而壽，食穀者智惠而巧，不食者不死而神。故曰羽蟲三百有六十，而鳳為之長；毛蟲三百有六十，而麟為之長；甲蟲三百有六十，而龜為之長；鱗蟲三百有六十，而龍為之長；裸蟲三百有六十，而人為之長。此乾巛之美也。』殊形異類之數，王者動必以道動，靜必以道靜，必順理以奉天地之性，而不害其所主，謂之

仁聖焉？」（《孔子家語》〈執轡〉）

不共戴天

　　子夏問孔子說：「應該如何對待殺害父母的仇人？」孔子說：「睡在草墊上，枕著盾牌，不做官，和仇人不共戴天。不論在集市或官府，遇見他就和他決鬥，兵器常帶在身，不必返家去取。」子夏又問：「請問應該如何對待殺害親兄弟的仇人？」孔子說：「不和他在同一個國家裡做官，如奉君命出使，即使相遇也不和他決鬥。」子夏又問：「請問應該如何對待殺害叔伯兄弟的仇人？」孔子說：「自己不要帶頭動手，如果受害人的親屬為他報仇，你可以拿著兵器陪在後面協助。」

【出處】

　　子夏問於孔子曰：「居父母之仇如之何？」孔子曰：「寢苫枕干，不仕弗與共天下也。遇於朝市，不返兵而鬥。」曰：「請問居昆弟之仇如之何？」孔子曰：「仕，弗與同國，銜君命而使，雖遇之不鬥。」曰：「請問從昆弟之仇如之何？」曰：「不為魁，主人能報之，則執兵而陪其後。」（《孔子家語》〈曲禮子夏問〉）

食我以禮

　　孔子在季氏家裡吃飯，飯前進行食祭。主人沒有致祝辭，也不吃

肉，孔子於是也不飲酒，只顧埋頭進食。事後子夏問他說：「這符合禮儀嗎？」孔子說：「不合禮儀。我只是跟著主人做。我曾經在少施氏家裡吃飯，吃得很飽，少施氏請我吃飯時很講究禮儀。我進行食祭時，他起身致辭道：『粗茶淡飯，不值得您進行食祭啊。』我開始進餐時，他又起身致辭說：『粗茶淡飯，不成敬意。』主人不以禮相待，客人哪敢恪守禮儀；主人待之以禮，客人就不敢不恪守禮儀。」

【出處】

孔子食於季氏，食祭，主人不辭不食，亦不飲而餐，子夏問曰：「禮也？」孔子曰：「非禮也，從主人也。吾食於少施氏而飽，少施氏食我以禮，吾食祭，作而辭曰：『疏食不足祭也。』吾餐而作辭曰：『疏食不敢以傷吾子之性。』主人不以禮，客不敢盡禮，主人盡禮，則客不敢不盡禮也。」（《孔子家語》〈曲禮子夏問〉）

管仲遇盜

子夏問道：「起初做過大夫的家臣，後來被提拔到朝廷當官的人，卻還要反過來為原來的大夫服喪，這符合禮制嗎？」孔子說：「從前管仲遇上盜賊，制服他們之後，從中挑選了兩個人推薦給齊桓公做臣子，說：『他們只是與邪僻之人交往才做強盜的，其本身是可用之材。』齊桓公接受了。管仲去世後，桓公讓他們為管仲服喪。在大夫家當過家臣而要為原來的大夫服喪，是從管仲這兒開始的，因為有國君的命令啊。」

子夏問曰：「官於大夫，既升於公，而反為之服，禮與？」孔子曰：「管仲遇盜，取二人焉上之為公臣，曰：『所以游僻者，可人也。』公許，管仲卒，桓公使為之官於大夫者為之服，自管仲始也，有君命焉。」（《孔子家語》〈曲禮子夏問〉）

絕奸之萌

子夏說：「《春秋》上記載臣下殺害君主、兒子殺死父親的事件，至少要以十為單位來計算。而這種現象並不是一天形成的，都有一個逐漸積累的過程。」凡是奸人，陰謀活動的時間長了，勢力就有所積累；積累多了，力量就大；力量大了，就能殺人，所以明君應該及早消滅他們。現在田成子作亂，有苗頭露出來，君主卻不殺他。晏子不讓他的君主懲處侵權犯法的臣子，卻讓他施行恩惠，結果齊簡公遭遇禍害。所以子夏說：「善於掌握權勢的人，會及早杜絕奸邪的苗頭。」

子夏曰：「《春秋》之記臣殺君、子殺父者，以十數矣，皆非一日之積也，有漸而以至矣。凡奸者，行久而成積，積成而力多，力多而能殺，故明主蚤絕之。」今田常之為亂，有漸見矣，而君不誅。晏子不使其君禁侵陵之臣，而使其主行惠，故簡公受其禍。故子夏曰：「善持勢者，蚤絕奸之萌。」（《韓非子》〈外儲說右上〉）

均之君子

　　子夏三年服喪期滿，前來拜見孔子。孔子讓他彈琴，樂聲和諧歡樂。彈完後，子夏站起來說：「先王制定的禮儀，不敢不遵守。」孔子說：「你真是君子啊。」閔子騫三年服喪期滿，也前來拜見孔子。孔子讓他彈琴，樂聲沉鬱悲切。彈完後，閔子騫站起來說：「先王定下的禮儀，不敢超越。」孔子說：「你真是君子啊。」子貢不解，問孔子說：「閔子騫悲哀未盡，先生說他是君子；子夏悲哀已盡，先生也說他是君子。兩人的情感不同，您誇他們都是君子，為什麼呢？」孔子說：「閔於騫悲哀未盡，卻能以禮儀抑制；子夏悲哀已盡，卻能按禮儀行事。稱兩人為君子，不也應該嗎？」

【出處】

　　子夏三年之喪畢，見於孔子。子曰：「與之琴，使之弦。」侃侃而樂，作而曰：「先王制禮，弗敢過也。」子曰：「君子也。」閔子三年之喪畢，見於孔子。子曰：「與之琴，使之絃。」切切而悲，作而曰：「先王制禮，弗敢過也。」子曰：「君子也。」子貢曰：「閔子哀未盡。夫子曰：『君子也。』子夏哀已盡，又曰：『君子也。』二者殊情而俱曰君子，賜也或敢問之。」孔子曰：「閔子哀未忘，能斷之以禮；子夏哀已盡，能引之及禮。雖均之君子，不亦可乎。」（《孔子家語》〈六本〉）

三豕涉河

子夏到晉國去，路過衛國。聽到有人讀史書說：「晉國軍隊三豕渡過黃河。」子夏說：「錯了。『三豕』應該是『己亥』。『己』和『三』形體相近，『豕』和『亥』寫法類似。」到了晉國一問，果然是晉國軍隊己亥這天渡過黃河。一些言辭看似錯誤，其實是正確的；一些言辭看似正確，其實是錯誤的。正確和錯誤的界限，不能不區分清楚。即便是聖人，也要慎重對待。怎樣慎重對待呢？一定要順應自然和人事的情理來考察聽到的傳聞，這樣就能弄清事實的真相。

【出處】

子夏之晉，過衛，有讀史記者曰：「晉師三豕涉河。」子夏曰：「非也，是己亥也。夫『己』與『三』相近，『豕』與『亥』相似。」至於晉而問之，則曰「晉師己亥涉河」也。辭多類非而是，多類是而非。是非之經，不可不分。此聖人之所慎也。然則何以慎？緣物之情及人之情以為所聞，則得之矣。（《呂氏春秋》〈慎行論·察傳〉）

主人小殮

衛國的司徒敬子死了，子夏前去弔喪，當時主人還沒有舉行小殮，他就戴著絰[90]進去了。而子游前去弔喪，卻是穿著常服。在主人

---

90. 絰：舊時用麻做的喪帶。繫在腰或頭上，頭上為首絰，腰上為腰絰。小斂：亦作「小殮」。舊時喪禮之一，給死者沐浴，穿衣、覆衾等；死者入棺而未加蓋也為小殮。

行過小殮之後，子游就連忙出去，戴上絰以後才返回號哭。子夏就問子游：「你這種做法是聽到有誰這樣講過嗎？」子游說：「聽老師講過，在主人沒有改服以前，弔客不應戴絰。」

【出處】

衛司徒敬子死，子夏弔焉，主人未小斂，絰而往。子游弔焉，主人既小斂，子游出，絰反哭，子夏曰：「聞之也與？」曰：「聞諸夫子，主人未改服，則不絰。」（《禮記》〈檀弓下〉）

四海之內皆兄弟

司馬牛憂愁地說：「別人都有兄弟，唯獨我沒有。」子夏說：「我聽說過：『死生有命，富貴在天。』君子只要對待所做的事情嚴肅認真，不出差錯，對人恭敬而符合禮的規定，那麼，天下人就都是自己的兄弟了。君子何愁沒有兄弟呢？」

【出處】

司馬牛憂曰：「人皆有兄弟，我獨亡。」子夏曰：「商聞之矣：死生有命，富貴在天。君子敬而無失，與人恭而有禮，四海之內皆兄弟也。君子何患乎無兄弟也？」（《論語》〈顏淵〉）

自勝者強

子夏碰到了曾子，曾子說：「你怎麼胖了？」子夏回答說：「思想鬥爭勝利了，所以胖了。」曾子說：「這話怎麼講？」子夏說：「我在家裡學習先王的道理，總會非常敬仰，出門後看見富貴的樂事又總會十分羨慕，這兩種情緒在心裡發生了鬥爭，弄不清誰勝誰負，所以瘦了。現在先王的道理終於取勝，所以胖了。」因此立志的困難，不在於勝過別人，而在於戰勝自己。所以《老子》說：「能夠戰勝自我，就叫作強。」

【出處】

子夏見曾子。曾子曰：「何肥也？」對曰：「戰勝，故肥也。」曾子曰：「何謂也？」子夏曰：「吾入見先王之義則榮之，出見富貴之樂又榮之，兩者戰於胸中，未知勝負，故癯。今先王之義勝，故肥。」是以志之難也，不在勝人，在自勝也。故曰：「自勝之謂強。」（《韓非子》〈喻老〉）

離群索居

曾子說：「居喪期間生病，可以吃肉喝酒，還必須加上草木的滋味。」所謂「草木」，指的是生薑和肉桂。子夏因為兒子去世哭瞎了眼睛。曾子去慰問他，說：「我聽說過，朋友喪失了視力，應該為他難過得哭一場。」說完就哭了。子夏也跟著哭，說：「天啊！我是無

罪的，怎麼落到這種下場！」曾子一聽動了氣，說：「商！你怎麼無罪呢？我和你都在洙、泗之間跟著我們的老師學習本領，年紀大了，你就回到了西河地區，也沒聽說你如何頌揚老師，倒是使西河的居民把你比作我們的老師，這是你的第一條罪過。你的雙親死了，居喪期間，你也沒有讓當地居民看到你有什麼好的表現，這是你的第二條罪過。死了兒子，你就哭瞎了眼睛，說明你把兒子看得比老子還重要，這是你的第三條罪過。你怎麼會是沒有罪過呢？」子夏聽得很服氣，就拋開手杖下拜說：「我錯了！我錯了！我離開朋友而獨居，時間也太久了！」

【出處】

曾子曰：「喪有疾，食肉飲酒，必有草木之滋焉。」以為薑桂之謂也。子夏喪其子而喪其明。曾子弔之曰：「吾聞之也：朋友喪明則哭之。」曾子哭，子夏亦哭，曰：「天乎！予之無罪也。」曾子怒曰：「商，女何無罪也？吾與女事夫子於洙泗之間，退而老於西河之上，使西河之民疑女於夫子，爾罪一也；喪爾親，使民未有聞焉，爾罪二也；喪爾子，喪爾明，爾罪三也。而曰女何無罪與！」子夏投其杖而拜曰：「吾過矣！吾過矣！吾離群而索居，亦已久矣。」（《禮記》〈檀弓上〉）

高宗三年不言

子張問說：「《尚書》上說：『殷高宗三年時間都不輕易講話，

但他一講話就深得人心。」真有這種事情嗎？」孔子說：「怎麼能說沒有這事呢？古時天子去世，繼位的嫡長子就把國政交給冢宰管理三年。成湯死後，太甲曾聽命於伊尹；周武王死後，成王曾聽命於周公。其中的道理是一樣的。」

【出處】

子張問曰：「《書》云，高宗三年不言，言乃雍，有諸？」孔子曰：「胡為其不然也。古者天子崩，則世子委政於冢宰三年，成湯既沒，太甲聽於伊尹，武王既喪，成王聽於周公，其義一也。」（《孔子家語》〈正論解〉）

焉得仁

子張問孔子說：「令尹子文三次為楚國令尹，沒有顯出高興的樣子，三次被免職，也沒有顯出怨恨的樣子。他每次被免職都認真做好交接，你覺得這個人怎麼樣？」孔子說：「可以算得上忠了。」子張問：「算得上仁嗎？」孔子說：「不知道。這怎麼算得上仁呢？」子張又問：「崔杼殺死君主齊莊公，陳文子捨棄全部家產離開了齊國，到了另一個國家，他說，這裡的執政者和我們齊國大夫崔子差不多，於是離開到了另一個國家，又說，這裡的執政者也和我們的大夫崔子差不多，接著又選擇離開。這個人你看怎麼樣？」孔子說：「可算得上清高了。」子張說：「算得上仁嗎？」孔子說：「不知道。這怎麼能算得仁呢？」

焉得仁

【出處】

　　子張問曰：「令尹子文三仕為令尹，無喜色，三已之無慍色，舊令尹之政必以告新令尹，何如？」子曰：「忠矣。」曰：「仁矣乎？」曰：「未知，焉得仁？」「崔子弒齊君，陳文子有馬十乘，棄而違之。至於他邦，則曰：『猶吾大夫崔子也。』違之。之一邦，則又曰：『猶吾大夫崔子也。』違之，何如？」子曰：「清矣。」曰：「仁矣乎？」曰：「未知，焉得仁？」（《論語》〈公冶長〉）

亦只以異

　　子張問怎樣提高道德修養水平和辨別是非迷惑的能力。孔子說：「以忠信為主，使自己的思想合於義，這就是提高道德修養水平了。愛一個人，就希望他活下去，厭惡起來就恨不得他立刻死去，既要他活，又要他死，這就是迷惑。正如《詩經》所說的：『即使不是嫌貧愛富，也是喜新厭舊。』」

【出處】

　　子張問崇德辨惑，子曰：「主忠信，徙義，崇德也。愛之欲其生，惡之欲其死；既欲其生又欲其死，是惑也。『成不以富，亦祇以異。』」[91]（《論語》〈顏淵〉）

---

91. 「成不以富，亦祇以異」，出自《詩經》〈小雅・我行其野〉。

通達之士

子張問：「士怎樣才稱得上通達？」孔子說：「你說的通達是什麼意思？」子張答說：「在國君的朝廷和大夫的封地裡都有名望。」孔子說：「這只是有名望，不是通達。所謂通達，指的是品質正直，遵從禮義，善於察言觀色，總是想到謙退，經常想著謙恭待人。這樣的人，在國君的朝廷和大夫的封地裡都是通達。至於有名望的人，只是外表上裝出仁的樣子，而行動上卻違背仁，自己還以仁人自居，在國君的朝廷裡和大夫的封地裡騙取名望。」

【出處】

子張問：「士何如斯可謂之達矣？」子曰：「何哉爾所謂達者？」子張對曰：「在邦必聞，在家必聞。」子曰：「是聞也，非達也。夫達也者，質直而好義，察言而觀色，慮以下人。在邦必達，在家必達。夫聞也者，色取仁而行違，居之不疑。在邦必聞，在家必聞。」（《論語》〈顏淵〉）

五美四惡

子張問孔子說：「怎樣才可以治理政事呢？」孔子說：「尊重五種美德，排除四種惡政，這樣就可以治理政事了。」子張問：「五種美德是什麼？」孔子說：「君子要給百姓以恩惠而自己卻無所耗費；使百姓勞作而不使他們怨恨；要追求仁德而不貪圖財利；莊重而不傲

慢；威嚴而不凶猛。」子張說：「什麼叫給百姓恩惠而自己卻無所耗費呢？」孔子說：「讓百姓們去做對他們有利的事，不就是對百姓有利而不掏自己的腰包嗎？選擇可以讓百姓勞作的時間和事情讓百姓去做。有誰會怨恨呢？自己要追求仁德便得到仁，還有什麼可貪的呢？君子對人，無論多少，勢力大小，都不怠慢他們，這不就是莊重而不傲慢嗎？君子衣冠整齊，目不斜視，使人見了就有敬畏之心，這不是威嚴而不凶猛嗎？」子張問：「什麼叫四種惡政呢？」孔子說：「不經教化而殺戮叫作虐；不加告誡便要求成功叫作暴；不加監督而突然限期叫作賊；同樣是給人財物，卻出手吝嗇，叫作小氣。」

【出處】

子張問於孔子曰：「何如斯可以從政矣？」子曰：「尊五美，屏四惡，斯可以從政矣。」子張曰：「何謂五美？」子曰：「君子惠而不費，勞而不怨，欲而不貪，泰而不驕，威而不猛。」子張曰：「何謂惠而不費？」子曰：「因民之所利而利之，斯不亦惠而不費乎？擇可勞而勞之，又誰怨？欲仁而得仁，又焉貪？君子無眾寡，無小大，無敢慢，斯不亦泰而不驕乎？君子正其衣冠，尊其瞻視，儼然人望而畏之，斯不亦威而不猛乎？」子張曰：「何謂四惡？」子曰：「不教而殺謂之虐；不戒視成謂之暴；慢令致期謂之賊；猶之與人也，出納之吝謂之有司。」（《論語》〈堯曰〉）

莫敢相踰越

子張向孔子請教聖人用什麼來進行教化。孔子說：「子張啊，我

告訴你，聖人精通禮樂，把它們運用到政教上而已。」子張不明白，又問了一遍。孔子說：「子張，你以為一定得擺設席位，作揖謙讓，跑上跑下，相互敬酒，這樣才叫禮嗎？你以為一定得安排樂舞，手執羽籥，敲鐘擊鼓，這樣才叫作樂嗎？說過的話能夠去做，就是禮；做起來感到快樂，就是樂。聖人致力於做到這兩個方面，以敬肅己身，無為而治，這樣天下就太平了。萬民順從，百官盡職，上下有禮。禮制興盛，百姓就會接受統治；禮制廢弛，百姓就會犯上作亂。看上去很漂亮精巧的房子，一定會有外堂、內室和臺階。坐席總有上位下位，乘車必分左右尊卑，走路則有並行和隨行，站立則有隊列順序，這是自古以來的道理。建房沒有堂陾和臺階，就分不清廳堂和寢室了；坐席不分上位下位，坐席上的順序就混亂了；乘車不分左右尊卑，車上的次序就混亂了；走路不分並行和隨行，臺階和道路上的秩序就混亂了；列隊沒有次序，站立的位置就混亂了。從前明王和聖人嚴格區分貴賤長幼，端正男女內外之職，安排親疏遠近順序，沒有人敢超越本分，這些都是從上面的道理中演化出來的。」

【出處】

　　子張問聖人之所以教。孔子曰：「師乎，吾語汝，聖人明於禮樂，舉而措之而已。」子張又問，孔子曰：「師，爾以為必布几筵，揖讓升降，酌獻酬酢，然後謂之禮乎？爾以必行綴兆，執羽籥，作鐘鼓，然後謂之樂乎？言而可履，禮也；行而可樂，樂也。聖人力此二者，以躬己南面，是故天下太平，萬民順伏，百官承事，上下有禮也。夫禮之所以興，眾之所以治也；禮之所以廢，眾之所以亂也。目巧之室，則有陾阼，席則有上下，車則有左右，行則並隨，立則有列

序，古之義也。室而無隩阼，則亂於堂室矣；席而無上下，則亂於席次矣；車而無左右，則亂於車上矣；行而無並隨，則亂於階塗矣；列而無次序，則亂於著矣。昔者明王聖人，辯貴賤長幼，正男女內外，序親疏遠近，而莫敢相踰越者，皆由此塗出也。」（《孔子家語》〈問玉〉）

國昭子母死

　　國昭子的母親去世了，向子張請教說：「出葬到墓地後，男子和婦人應該怎樣就位？」子張說：「司徒敬子的喪事，是我的老師做司儀，男子和婦人分站墓道兩邊，男子面向西，婦人面向東。」國昭子說：「啊！別這樣。」接著又說：「我辦喪事的時候，會有許多賓客來觀禮。司儀由你來當，賓客一邊，主人一邊，主人這邊的婦人就跟在男子後面一律向西。」

【出處】

　　國昭子之母死，問於子張曰：「葬及墓，男子、婦人安位？」子張曰：「司徒敬子之喪，夫子相，男子西鄉，婦人東鄉。」曰：「噫！毋。」曰：「我喪也斯沾。爾專之，賓為賓焉，主為主焉，婦人從男子皆西鄉。」（《禮記》〈檀弓下〉）

君子入官

　　子張向孔子詢問做官的事。孔子說：「做到官位穩固又能有好的名聲很難。」子張說：「那該怎麼辦呢？」孔子說：「自己有長處不要獨自擁有，教別人學習不要懈怠，已出現的過錯不要再次發生，說錯了話不要為之辯護，不好的事不要繼續做下去，正在做的事不要拖延。君子做官能做到這六點，就可以使地位穩固聲譽好，從而政事也會順利。況且，怨恨多了，牢獄之災就會發生；拒絕勸諫，思慮就會受到阻塞；行為不莊重謹慎，就會失禮；做事鬆懈懶惰，就會喪失時機；辦事奢侈，財物就不充足；專斷獨權，事情就辦不成。君子做官，去掉這六種毛病，就可以使地位穩固聲譽好，從而政事也會順利。」

【出處】

　　子張問入官於孔子。孔子曰：「安身取譽為難。」子張曰：「為之如何？」孔子曰：「己有善勿專，教不能勿怠，已過勿發，失言勿揞，不善勿遂，行事勿留，君子入官，有此六者，則身安譽至而政從矣。且夫忿數者，官獄所由生也；距諫者，慮之所以塞也；慢易者，禮之所以失也；怠惰者，時之所以後也；奢侈者，財之所以不足也；專獨者，事之所以不成也。君子入官，除此六者，則身安譽至而政從矣。」（《孔子家語》〈入官〉）

祿在其中

　　子張向孔子請教謀求官職俸祿的辦法。孔子說：「多聽少說，對難以理解的不妄加評論，即使有把握，也要謹言慎語，這樣就會少犯錯誤；看好了再做，不會做的千萬不要妄自行動，即使有把握做好，也要謹慎而行，這樣就會減少懊悔；說話少犯錯誤、行動很少懊悔，你謀求的官職俸祿就在其中了。」

【出處】

　　子張學干祿，子曰：「多聞闕疑，慎言其餘，則寡尤；多見闕殆，慎行其餘，則寡悔。言寡尤，行寡悔，祿在其中矣。」（《論語》〈為政〉）

曾皙言志

　　曾蒧[92]侍候孔子，孔子對他說：「談談你的志趣吧。」曾蒧說：「穿著剛做好的春裝，和五六個成年人，六七個小孩子，在沂水裡洗個澡，在祈雨臺上吹吹風，唱著歌兒回來。」孔子聽了，喟然嘆息說：「我贊同你的志趣啊！」

---

92. 即曾點，字子皙。

曾蒧字皙。侍孔子，孔子曰：「言爾志。」蒧曰：「春服既成，冠者五六人，童子六七人，浴乎沂，風乎舞雩，詠而歸。」孔子喟爾嘆曰：「吾與蒧也！」（《史記》〈仲尼弟子列傳〉）

曾子芸瓜

曾子在瓜地裡鋤草，不小心鋤斷了瓜苗的根。父親曾皙大怒，舉起大木棍擊打他，曾子倒地不省人事，很久才甦醒，而後高高興興地從地上爬起來，向父親進言說：「剛才參得罪了父親大人，父親用盡力氣教訓參，該不會累病了吧？」曾子退下來回到房裡，鼓琴而歌，想讓父親聽到，得知他身體無恙。孔子聽到這件事很生氣，告訴門下弟子說：「如果曾參來了，不要讓他進來。」曾參自認為沒錯，派人向孔子請教。孔子說：「你沒聽說過嗎？從前有個瞎子的兒子叫舜，舜侍候瞎子時，瞎子要使喚他，他總在身邊，瞎子想抓住他殺死他，卻總是捉不到他。所以瞎子沒犯下身為父親的過錯，而舜也沒有失去孝道。如果是小木棍就等著被處罰，如果是大木棍就得逃走。如今你侍候父親，放任身體被父親暴打，寧肯一死也不躲避，豈知打死你就會陷父親於不義，相比你的不孝，哪一個罪大？你不是天子的百姓嗎？殺死天子的百姓，那該是什麼罪過啊！」以曾子這樣的賢人，並且還是孔子的學生，做了錯事也會不知道，可以想見：要使自己的行為樣樣符合禮義的要求，真是很難啊！

曾子芸瓜而誤斬其根，曾皙怒，援大杖擊之，曾子仆地；有頃蘇，蹶然而起，進曰：「曩者參得罪於大人，大人用力教參，得無疾乎！」退屏鼓琴而歌，欲令曾皙聽其歌聲，令知其平也。孔子聞之，告門人曰：「參來勿內也！」曾子自以無罪，使人謝孔子，孔子曰：「汝聞瞽叟有子名曰舜，舜之事父也，索而使之，未嘗不在側，求而殺之，未嘗可得；小箠則待，大箠則走，以逃暴怒也。今子委身以待暴怒，立體而不去，殺身以陷父，不義不孝，孰是大乎？汝非天子之民邪？殺天子之民罪奚如？」以曾子之材，又居孔子之門，有罪不自知處義，難乎！（《說苑》〈建本〉）

居必擇處

曾子跟從孔子到齊國，齊景公用下卿的禮儀來聘用曾子，曾子堅決推辭。將要動身的時候，晏子為他送行說：「我聽說，君子贈人財物，不如贈人言語。有塊三年的蘭草根，用鹿肉醬浸漬它，浸漬成功後就能換一匹馬。不是蘭草根美，關鍵在用什麼浸漬的。知道它用什麼浸漬後，再尋求它是怎麼浸漬的。我聽說君子居住一定要選擇地方，交遊一定要選擇賢士，選擇居處是為了尋求賢士。交遊選擇賢士是為了加強道德修養。我聽說違反常情改變本性的是貪欲，因此不能不謹慎。」

曾子從孔子於齊，齊景公以下卿禮聘曾子，曾子固辭，將行，晏子送之，曰：「吾聞君子贈人以財，不若以言。今夫蘭本三年，湛之以鹿醢，既成則易以匹馬，非蘭本美也。願子詳其所湛。既得所湛，亦求所湛。吾聞君子居必擇處，所以求士也；游必擇士，所以修道也。吾聞反常移性者欲也，故不可不慎也。」（《說苑》〈雜言〉）

與善人居

孔子對曾參說：「我死以後，子夏會越來越長進，子貢會越來越退步。」曾參問：「為什麼呢？」孔子說：「子夏喜歡與比自己賢能的人相處，子貢喜歡與不如自己的人交談。不瞭解兒子，可以看看他父親的樣子；不瞭解某個人的為人，可以看看他結交的朋友；不瞭解某個君主，可以看看他任用的大臣；不瞭解某個地方，可以看看那裡生長的草木。所以說，與好人相處，如同進入有香草的房間，時間久了聞不到香味，說明已經被香味同化；與壞人相處，如同進入魚市，時間久了聞不到臭味，說明已經被臭味同化。藏有硃砂的容器會變成紅色，藏有黑漆的容器會變成黑色，所以君子一定要慎重選擇與之相處的人。」

【出處】

孔子曰：「吾死之後，則商也日益，賜也日損。」曾子曰：「何謂也？」子曰：「商也好與賢己者處，賜也好說不若己者。不知其子

視其父，不知其人視其友，不知其君視其所使，不知其地視其草木。故曰與善人居，如入芝蘭之室，久而不聞其香，即與之化矣。與不善人居，如入鮑魚之肆，久而不聞其臭，亦與之化矣。丹之所藏者赤，漆之所藏者黑，是以君子必慎其所與處者焉。」（《孔子家語》〈六本〉）

回何敢死

曾子說：「君子走在路上，自然有他尊敬的父輩和老師。不尊敬父輩和老師，他還有什麼可稱道的呢？」曾點派他的兒子曾參外出，過了約定的日期還沒回來，人們都來看望曾點說：「怕不是遇難了吧。」曾點說：「我還活著，他怎麼敢自己不小心遭禍而死呢？」孔子被囚禁在匡地，顏淵最後趕到，孔子說：「我以為你死了。」顏淵說：「您還活著，我怎麼敢死呢？」顏回對待孔子，就如同曾參侍奉父親。古代的賢人，他們尊重老師達到這種地步，所以老師也會盡心竭力地教誨他們。

【出處】

曾子曰：「君子行於道路，其有父者可知也，其有師者可知也。夫無父而無師者，余若夫何哉！」此言事師之猶事父也。曾點使曾參，過期而不至，人皆見曾點曰：「無乃畏邪？」曾點曰：「彼雖畏，我存，夫安敢畏？」孔子畏於匡，顏淵後，孔子曰：「吾以汝為死矣。」顏淵曰：「子在，回何敢死？」顏回之於孔子也，猶曾參之事

父也。古之賢者，其尊師若此，故師盡智竭道以教。(《呂氏春秋》〈孟夏紀・勸學〉)

受人者畏人

曾子衣著破舊，在田野裡耕作，魯國國君派人給他送來采邑封地，對他說：「請用這些來置辦衣物。」曾子不肯接受。使者返回後又來，曾子仍然不接受。使者說：「並不是先生有所求，人家奉送給你的，為什麼不接受呢？」曾子說：「我聽說：接受別人的東西就會懼怕別人，給予別人東西就會對人傲慢。即使國君賞賜我，不對我傲慢，但我能不懼怕嗎？」終於沒有接受。孔子知道這件事後評論說：「曾參的這些話，足以保全他的氣節。」

【出處】

曾子衣弊衣以耕，魯君使人往致邑焉，曰：「請以此修衣。」曾子不受，反復往，又不受，使者曰：「先生非求於人，人則獻之，奚為不受？」曾子曰：「臣聞之，受人者畏人，予人者驕人；縱子有賜不我驕也，我能勿畏乎？」終不受。孔子聞之曰：「參之言，足以全其節也。」(《說苑》〈立節〉)

罪莫重於不孝

曾子說：「人的身體是父母所生，使用父母給予的身體，怎敢不

小心謹慎呢？居家不恭敬，不是孝順；侍奉君主不忠誠，不是孝順；居官不謹慎，不是孝順；交友不誠實，不是孝順；臨戰不勇敢，不是孝順。上面五種情況不能做到，災禍就會連累親人，怎麼敢不小心謹慎呢？」《商書》上說：「刑法三百條，罪過沒有比不孝順更重的了。」

【出處】

曾子曰：「身者，父母之遺體也。行父母之遺體，敢不敬乎？居處不莊，非孝也；事君不忠，非孝也；蒞官不敬，非孝也；朋友不篤，非孝也；戰陳無勇，非孝也。五行不遂，災及乎親，敢不敬乎？」《商書》曰：「刑三百，罪莫重於不孝。」（《呂氏春秋》〈孝行覽‧孝行〉）

治天下者五

曾子說：「先王用來治理天下的方法有五條：貴德、貴貴、貴老、敬長、慈幼。這五條，就是先王用來安定天下的辦法。所以貴德，是因為它接近於聖賢；所以貴貴，是因為它接近於君主；所以貴老，是因為它接近於父母；所以敬長，是因為它接近於兄長；所以慈幼，是因為它接近於弟弟。」

【出處】

曾子曰：「先王之所以治天下者五：貴德、貴貴、貴老、敬長、

慈幼。此五者，先王之所以定天下也。所謂貴德，為其近於聖也；所謂貴貴，為其近於君也；所謂貴老，為其近於親也；所謂敬長，為其近於兄也；所謂慈幼，為其近於弟也。」（《呂氏春秋》〈孝行覽·孝行〉）

何以為孝

曾子說：「父母生我，兒不敢毀壞；父母養我，兒不敢廢棄；父母給我健全的身體，兒不敢損傷毀壞，所以渡水時乘船而不泅水，走路時走大路而不抄小道。能保全身體髮膚，以守住宗廟，就稱得上孝順了。」

【出處】

曾子曰：「父母生之，子弗敢殺；父母置之，子弗敢廢；父母全之，子弗敢闕。故舟而不游，道而不徑，能全支體，以守宗廟；可謂孝矣。」（《呂氏春秋》〈孝行覽·孝行〉）

示之以儉

曾子說：「晏子是一個知禮的人。禮的要害在於恭敬，晏子做得很好。」有若說：「晏子一件狐皮袍子穿了三十年，辦理父親的喪事

時，只用一輛遣車[93]，隨葬器物也少，所以很快就安葬完畢。按規矩來說，國君遣奠所取牲體是七包，遣車也應該是七輛；大夫是五包，遣車應是五輛。晏子全不按規矩來辦，怎麼能說他是知禮的人呢？」曾子說：「在國家尚未治理好的時候，君子以照搬禮數的規定為恥；在國人奢侈成風時，君子應該做節儉的表率；在國人節儉成風時，君子應該按高標準禮儀規格辦事。」

【出處】

曾子曰：「晏子可謂知禮也已，恭敬之有焉。」有若曰：「晏子一狐裘三十年，遣車一乘，及墓而反；國君七個，遣車七乘；大夫五個，遣車五乘，晏子焉知禮？」曾子曰：「國無道，君子恥盈禮焉。國奢，則示之以儉；國儉，則示之以禮。」（《禮記》〈檀弓下〉）

曾參殺人

曾參在鄭地的時候，鄭人中有個人跟曾參同名同姓，他殺了人，有人便跑去告訴曾參的母親說：「曾參殺人了！」母親聽了若無其事地織布。不一會兒，又有人來告訴她這件事，曾參的母親說：「我兒子不會殺人。」過了不久，又有人跑來告訴她曾參殺人了。於是母親扔開梭子從織布機上下來，翻牆就跑。以曾參的品德和母親對他的信任，三個人的話就使母親產生懷疑，信念動搖。

---

93. 遣車：古代指送葬載牲體的車子。

昔者，曾參之處，鄭人有與曾參同名姓者殺人，人告其母曰：
「曾參殺人。」其母織自若也。頃然一人又來告之，其母曰：「吾子
不殺人。」有頃，一人又來告，其母投杼下機，逾牆而走。夫以曾參
之賢，與其母信之也，然三人疑之，其母懼焉。（《新序》〈雜事〉）

曾子殺豬

　　曾子的妻子去趕集，兒子哭鬧著要跟去。母親說：「你回去吧，
等我回來殺豬給你吃。」妻子趕集回來，曾子正在準備殺豬。妻子阻
攔說：「我不過跟孩子開玩笑而已。」曾子說：「孩子可不能開玩笑。
小孩子智力有限，樣樣做做父母，完全聽從父母的教誨。現在你欺騙
他，等於是教他學會騙人。做母親的欺騙孩子，孩子就不會相信母
親，這不是教育孩子的辦法。」於是把豬殺了。

【出處】

　　曾子之妻之市，其子隨之而泣，其母曰：「女還，顧反為女殺
彘。」妻適市來，曾子欲捕彘殺之。妻止之曰：「特與嬰兒戲耳。」
曾子曰：「嬰兒非與戲也。嬰兒非有知也，待父母而學者也，聽父母
之教。今子欺之，是教子欺也。母欺子，子而不信其母，非以成教
也。」遂烹彘也。（《韓非子》〈外儲說左上〉）

襲裘而弔

曾子掩著正服上襟，以凶服的裝束去弔喪。子游卻敞開正服上襟，以吉服的裝束去弔喪。曾子指著子游對眾人說：「你們看這個人，號稱禮學專家，怎麼竟穿著吉服來弔喪了？」小殮以後，主人袒衣而露出左臂，去掉髮髻上的笄縰[94]，重新用麻束髮。子游看到主人已經變服，就快步走出，掩起正服前襟，冠上加了葛絰，腰上纏條葛帶，也變為凶服裝扮，然後再進來。曾子看到後，才恍然大悟，說：「我錯了！我錯了！這個人的做法才是對的。」

【出處】

曾子襲裘而弔，子游裼裘而弔。曾子指子游而示人曰：「夫夫也，為習於禮者，如之何其裼裘而弔也？」主人既小斂、袒、括髮；子游趨而出，襲裘帶絰而入。曾子曰：「我過矣，我過矣，夫夫是也。」（《禮記》〈檀弓上〉）

喪欲速貧，死欲速朽

有子問曾子說：「你從夫子那裡聽說過如何對待丟掉官職嗎？」曾子說：「聽夫子說過：丟掉官職，最好快點貧窮；死了，最好快點爛掉。」有子搖頭說：「這不像夫子說的話。」曾子說：「是我親耳從

---

94. 笄縰：笄是固定髮髻的簪，縰是包裹髮髻的帛。

夫子那裡聽到的。」有子堅持說:「夫子不會說這種話。」曾子說:
「我是跟子游一起聽夫子講的。」有子說:「雖然如此,夫子一定是
有所針對。」曾子告訴子游。子遊說:「有子的話太對了。從前夫子
在宋國,見到桓司馬為自己製造石棺,花了三年功夫還沒做好,夫
子就說:『像他這樣奢侈,死了還不如快點爛掉為好。』死了最好快
點爛掉,這是針對桓司馬說的。南宮敬叔丟官以後,每次返國,一
定滿載珍寶去晉見國君。夫子說:『像他這樣行賄求官,丟了官,還
不如快點貧窮為好。』丟掉官職最好快點貧窮,這是針對南宮敬叔說
的。」曾子把子游這番話講給有子聽,有子點頭說:「這就對了。我
本來就說過這不像夫子講的嘛。」曾子說:「你憑什麼這樣認為呢?」
有子說:「夫子當中都宰時,曾經規定內棺四寸厚,外槨五寸厚,這
證明夫子是不主張人死了就快點爛掉的。還有,從前夫子失去魯國司
寇的官職,準備到楚國應聘做官,就先派子夏去安排,接著又派冉有
去幫辦,這證明夫子並不主張丟了官就快點貧窮。」

【出處】

　　有子問於曾子曰:「問喪於夫子乎?」曰:「聞之矣:喪欲速貧,
死欲速朽。」有子曰:「是非君子之言也。」曾子曰:「參也聞諸夫子
也。」有子又曰:「是非君子之言也。」曾子曰:「參也與子游聞之。」
有子曰:「然,然則夫子有為言之也。」曾子以斯言告於子游。子游
曰:「甚哉,有子之言似夫子也。昔者夫子居於宋,見桓司馬自為石
槨,三年而不成。夫子曰:『若是其靡也,死不如速朽之愈也。』死
之欲速朽,為桓司馬言之也。南宮敬叔反,必載寶而朝。夫子曰:
『若是其貨也,喪不如速貧之愈也。』喪之欲速貧,為敬叔言之也。」

曾子以子游之言告於有子，有子曰：「然，吾固曰：非夫子之言也。」
曾子曰：「子何以知之？」有子曰：「夫子制於中都，四寸之棺，五
寸之槨，以斯知不欲速朽也。昔者夫子失魯司寇，將之荊，蓋先之以
子夏，又申之以冉有，以斯知不欲速貧也。」（《禮記》〈檀弓上〉）

示民有知

　　仲憲對曾子說：「夏代用不堪使用的明器陪葬，是要向人民表示
死者是無知覺的。殷人用可以使用的祭器陪葬，是要向人民表示死者
是有知覺的。周人兼用明器和祭器，是要向人民表示，死者是有知或
無知還難於肯定。」曾子說：「恐怕不是這樣吧！所謂明器，是為鬼
魂特製的器皿；所謂祭器，是孝子用自己正在使用的器皿奉祭先人。
二者都是用來表示孝子心意的。上古的人幹嘛要認定死去的親人就毫
無知覺呢！」

【出處】

　　仲憲言於曾子曰：「夏后氏用明器，示民無知也；殷人用祭器，
示民有知也；周人兼用之，示民疑也。」曾子曰：「其不然乎！其不
然乎！夫明器，鬼器也；祭器，人器也；夫古之人，胡為而死其親
乎？」（《禮記》〈檀弓上〉）

魯人攻鄪

魯國人攻打鄪邑，曾子向鄪君告辭說：「請允許我出逃吧。敵寇罷兵後我再回來，請暫時不要讓豬狗進入我的房子。」鄪君說：「我對待先生如此恭敬，無人不曉。現在魯國人來攻打我，先生卻要離開，我幹嘛還要守護先生的房子呢？」魯國人攻下鄪邑，列數了鄪君的十條罪過，其中曾子勸誡過的就有九條。魯軍撤退後，鄪君重修了曾子的房舍，然後迎回了曾子。

【出處】

魯人攻鄪，曾子辭於鄪君曰：「請出，寇罷而後復來，請姑毋使狗豕入吾舍。」鄪君曰：「寡人之於先生也，人無不聞；今魯人攻我而先生去我，我胡守先生之舍？」魯人果攻鄪而數之罪十，而曾子之所爭者九。魯師罷，鄪君復修曾子舍而後迎之。（《說苑》〈尊賢〉）

樂自順此生

樂正子春下堂時扭傷了腳，腳好後幾個月都不出門，臉上一直有憂傷的顏色。學生們問他說：「先生為什麼而憂傷呢？」樂正子春說：「我聽曾子轉述孔子的話說，父母把我們完好地生下來，我們就要完好地把身體歸還父母，不損傷自己的身子，不毀壞自己的形體，這就是孝順了。君子一舉一動都不能忘記孝道，我忘記了孝道，所以憂愁。」所以說，身體不是自己私有的，而是父母賜予的。做人最根

本的教養是孝順，行孝道是奉養。奉養父母可以做到，恭敬父母卻很難做到；恭敬父母可以做到，使父母舒適卻難以做到；使父母舒適可以做到，能始終如一卻難以做到；父母死了以後，自己行為謹慎，不要帶給父母壞名聲，這才叫善始善終。所謂仁，就是以孝道為仁；所謂禮，就是實行孝道；所謂義，就是以孝道為宜；所謂信，就是以孝道為信；所謂強，就是以孝道為強。歡樂會由於實行孝道而生，刑法會因為違背孝道而行。

【出處】

樂正子春下堂而傷足，瘳而數月不出，猶有憂色。門人問之曰：「夫子下堂而傷足，瘳而數月不出，猶有憂色，敢問其故？」樂正子春曰：「善乎而問之！吾聞之曾子，曾子聞之仲尼：父母全而生之，子全而歸之，不虧其身，不損其形，可謂孝矣。君子無行咫步而忘之。余忘孝道，是以憂。」故曰，身者非其私有也，嚴親之遺躬也。民之本教曰孝，其行孝曰養。養可能也，敬為難；敬可能也，安為難；安可能也，卒為難。父母既沒，敬行其身，無遺父母惡名，可謂能終矣。仁者，仁此者也；禮者，履此者也；義者，宜此者也；信者，信此者也；強者，強此者也。樂自順此生也，刑自逆此作也。（《呂氏春秋》〈孝行覽・孝行〉）

學而未能

公明宣跟著曾子學習，三年沒讀書。曾子說：「宣，你投在我

門，三年不學習，為什麼呢？」公明宣說：「我哪敢不學習呢？我見先生居家時，父母親在，怒斥聲未曾加於牛馬，我很敬慕，想學還沒學到；我見先生應酬賓客，恭敬儉約而不懈惰，我很敬慕，想學還沒學到；我見先生身在朝廷，威嚴地治理下民卻不傷害他們，我很敬慕，想學還沒學到。我敬慕這三種待人處世的態度，卻還未能學到。投在您的門下，我哪敢不學習呢？」曾子離開座位向他道歉說：「我趕不上你，稍有所學就不再上進。」

【出處】

公明宣學於曾子，三年不讀書。曾子曰：「宣，而居參之門，三年不學，何也？」公明宣曰：「安敢不學？宣見夫子居宮庭，親在，叱吒之聲未嘗至於犬馬，宣說之，學而未能；宣見夫子之應賓客，恭儉而不懈惰，宣說之，學而未能；宣見夫子之居朝廷，嚴臨下而不毀傷，宣說之，學而未能。宣說此三者學而未能，宣安敢不學而居夫子之門乎？」曾子避席謝之曰：「參不及宣，其學而已。」（《說苑》〈反質〉）

北面而弔

曾子和客人站在門旁，有個弟子要快步出門。曾子問他說：「你要到哪裡去？」弟子說：「我父親死了，我要到巷子裡去哭。」曾子說：「回去吧，就在你住的房間裡哭。」然後曾子面向北，就賓位而向弟子致弔。

　　曾子與客立於門側，其徒趨而出。曾子曰：「爾將何之？」曰：「吾父死，將出哭於巷。」曰：「反，哭於爾次。」曾子北面而弔焉。（《禮記》〈檀弓上〉）

鳥之將死，其鳴也哀

　　曾子有病，孟敬子去看望他。曾子對他說：「鳥快死了，它的叫聲是悲哀的；人快死了，他說的話是善意的。君子所應當重視的道有三個方面：使自己的容貌莊重嚴肅，這樣可以避免粗暴、放肆；使自己的臉色一本正經，這樣就接近於誠信；使自己說話的言辭和語氣謹慎小心，這樣就可以避免粗野和背理。至於祭祀和禮節儀式，自有主管這些事務的官吏來負責。」

【出處】

　　曾子有疾，孟敬子問之。曾子言曰：「鳥之將死，其鳴也哀；人之將死，其言也善。君子所貴乎道者三：動容貌，斯遠暴慢矣；正顏色，斯近信矣；出辭氣，斯遠鄙倍矣。籩豆之事，則有司存。」（《論語》〈泰伯〉）

曾子寢疾

　　曾子臥病在床，病得很厲害。弟子樂正子春坐在床下，兒子曾元、曾申坐在腳旁。一名兒童手執火炬坐在牆角。兒童看到曾子身下的竹蓆，讚歎說：「多麼漂亮光滑！是大夫用的竹蓆嗎？」子春說：「別吭聲！」曾子聽到了，猛然驚醒過來，有氣無力地出了口氣。兒童又說：「多麼漂亮光滑！是大夫用的竹蓆嗎？」曾子說：「是的。是季孫送的，我因為病重，沒能及時換掉。元兒，起來把蓆子換掉！」曾元說：「您老人家病得很重，不能移動。等到天亮再幫您換掉吧。」曾子說：「你愛我的心意還不如小孩子。君子愛人，是考慮如何成全他的美德；小人愛人，是考慮如何讓他苟且偷安。此刻我還求什麼呢？能夠合乎禮儀地死去，我的願望就滿足了。」大家只好抬起曾子換席，而後再把曾子放回床上，還沒有放好，曾子就斷氣了。

【出處】

　　曾子寢疾，病。樂正子春坐於床下，曾元、曾申坐於足，童子隅坐而執燭。童子曰：「華而睆，大夫之簀與？」子春曰：「止！」曾子聞之，瞿然曰：「呼！」曰：「華而睆，大夫之簀與？」曾子曰：「然，斯季孫之賜也，我未之能易也。元，起易簀。」曾元曰：「夫子之病革矣，不可以變，幸而至於旦，請敬易之。」曾子曰：「爾之愛我也不如彼。君子之愛人也以德，細人之愛人也以姑息。吾何求哉？吾得正而斃焉斯已矣。」舉扶而易之。反席未安而沒。（《禮記》〈檀弓上〉）

慎終如始

曾子生病，曾元抱住他的頭，曾華抱住他的腳。曾子說：「我沒有顏回一樣的才能，拿什麼來告誡你們呢？雖然無能，君子也要努力學好。開花多而結果少，是自然規律；說得多而做得少，是人之常態。飛鳥以為山低，便在山頂築巢；魚鱉覺得池淺，就在水底鑽洞；之所以能夠捕到它們，是因為有誘餌。人如果不因貪利害身，屈辱從何而來？官做大了往往懈怠，疾病在剛痊癒時加重，災禍大多因懈怠懶惰而發生，孝道衰落於妻子兒女。明察這四種情況，自始至終都要保持謹慎。《詩經》上說：『任何事情都有開端，卻很少能有結果。』」

【出處】

曾子有疾，曾元抱首，曾華抱足，曾子曰：「吾無顏氏之才，何以告汝？雖無能，君子務益。夫華多實少者，天也；言多行少者，人也。夫飛鳥以山為卑，而層巢其巔；魚鱉以淵為淺，而穿穴其中；然所以得者餌也。君子苟能無以利害身，則辱安從至乎？官怠於宦成，病加於少愈，禍生於懈惰，孝衰於妻子；察此四者，慎終如始。《詩》曰：『靡不有初，鮮克有終。』」[95]（《說苑》〈敬慎〉）

95.「靡不有初，鮮克有終」，出自《詩經》〈大雅・蕩〉。

以貌取人

澹台滅明，武城人，字子羽，比孔子小三十九歲。他的體態相貌很醜陋，想要侍奉孔子，孔子認為他資質低下。從師學習以後，回去就致力於修身實踐，處事光明正大，不走邪路，不是為了公事，從來不去會見公卿大夫。他往南遊歷到長江，追隨他的學生有三百人，其獲取、給予、離棄、趨就完美無缺，聲譽傳遍了四方諸侯。孔子聽到這些事，感嘆說：「我只憑言辭判斷人，對宰予的判斷錯了；單以相貌取人，對子羽的判斷也錯了。」

【出處】

澹台滅明，武城人，字子羽。少孔子三十九歲。狀貌甚惡。欲事孔子，孔子以為材薄。既已受業，退而修行，行不由徑，非公事不見卿大夫。南游至江，從弟子三百人，設取予去就，名施乎諸侯。孔子聞之，曰：「吾以言取人，失之宰予；以貌取人，失之子羽。」（《史記》〈仲尼弟子列傳〉）

旁引其肘

魯國國君派宓子賤擔任單父的行政長官，子賤辭別時，順便提了個要求，希望能借兩個擅長書法的人，讓他們書寫憲書作為教品，魯君答應了。到了單父，宓子賤讓兩人抄寫憲書，子賤在一邊拉他們的胳膊肘，他們寫不好，子賤就責罵他們，剛要把字寫好的時候，子賤

又去拽拉。兩位書手十分苦惱，要求辭職回去。回到都城後，書手把事情匯報給魯君，魯君說：「子賤是擔心我干擾他，使他難於施行仁政。」於是命令有關官員不得擅自向單父徵調民夫和物資。單父被宓子賤治理得井井有條。孔子評價說：「子賤真是君子啊！假如魯國沒有君子，這種人從哪裡學到的好品德呢？」

【出處】

魯君使宓子賤為單父宰，子賤辭去，因請借善書者二人，使書憲為教品；魯君予之。至單父，使書，子賤從旁引其肘，書醜則怒之，欲好書則又引之，書者患之，請辭而去。歸以告魯君，魯君曰：「子賤苦吾擾之。使不得施其善政也。」乃命有司無得擅徵發單父，單父之化大治。故孔子曰：「君子哉子賤，魯無君子者，斯安取斯？」美其德也。（《新序》〈雜事〉）

毋迎而距

宓子賤要去單父擔任縣令，來向孔子辭行。孔子告誡他說：「對百姓不要拒而遠之，也不要有求必應。拒而遠之就會閉目塞聽，有求必應就會喪失原則，從政的人好比高山深池，仰望它見不到頂峰，丈量它不知深淺。」子賤說：「對，一定會謹記老師的教誨！」

【出處】

宓子賤為單父宰，辭於夫子，夫子曰：「毋迎而距也，毋望而許

也；許之則失守，距之則閉塞。譬如高山深淵，仰之不可極，度之不可測也。」子賤曰：「善，敢不承命乎！」(《說苑》〈政理〉)

釣道有二

宓子賤要去單父做縣令，經過陽晝的住所，問他說：「你有什麼話交代我嗎？」陽晝說：「我從小家境貧賤，不懂得治民之道。只有釣魚的兩點體會，供你參考。」子賤說：「哪兩點體會？」陽晝說：「拋下釣絲投放誘餌，馬上來吞食的魚，名叫陽橋，這種魚肉少且味道不美；如果是若隱若現、似食不食的魚，名叫魴，這種魚肉質肥，味道也美。」宓子賤說：「講得好。」他還沒到達單父，在大道上迎接他的官吏來往不斷，子賤說：「快趕車走，快趕車走，陽晝所說的『陽橋魚』來了。」到達單父後，他專門去拜訪那些德高望重的老人，邀請他們共同治理單父。

【出處】

宓子賤為單父宰，過於陽晝曰：「子亦有以送僕乎？」陽晝曰：「吾少也賤，不知治民之術，有釣道二焉，請以送子。」子賤曰：「釣道奈何？」陽晝曰：「夫扱綸錯餌，迎而吸之者也，陽橋也，其為魚薄而不美；若存若亡，若食不食者，魴也，其為魚也博而厚味。」宓子賤曰：「善。」於是未至單父，冠蓋迎之者交接於道，子賤曰：「車驅之，車驅之。」夫陽晝之所謂陽橋者至矣，於是至單父請其耆老尊賢者而與之共治單父。(《說苑》〈政理〉)

有術而御

宓子賤在單父做縣令，有若去看望他說：「您怎麼瘦了？」宓子賤說：「君王不知道我沒有德才，派我治理單父，政務繁忙，心裡憂愁，所以瘦了。」有若說：「從前舜彈著五絃琴，歌唱著《南風》之詩，天下卻能大治。現在單父只是個小地方，你卻為治理發愁，倘若要你治理天下該怎麼辦呢？所以治國有方的人，即便安閒地坐在朝廷裡，臉上有少女般紅潤的氣色，國家照樣得到治理；如果治國無方，即便身體累瘦累垮，也還是不見效果。」

【出處】

宓子賤治單父。有若見之曰：「子何臞也？」宓子曰：「君不知齊不肖，使治單父，官事急，心憂之，故臞也。」有若曰：「昔者舜鼓五弦、歌《南風》之詩而天下治。今以單父之細也，治之而憂，治天下將奈何乎？故有術而御之，身坐於廟堂之上，有處女子之色，無害於治；無術而御之，身雖瘁臞，猶未益也。」（《韓非子》〈外儲說左上〉）

治猶未至

宓子賤治理單父，每天在堂上靜坐彈琴，把單父治理得很好。巫馬期披星戴月，早朝晚退，晝夜不閒，親自處理各種政務，也把單父治理得很好。巫馬期向宓子賤詢問其中的緣故。宓子說：「我的做法

是使用人才，你的做法是使用力氣。使用力氣的人當然勞苦，使用人才的人當然安逸。」宓子賤算得上君子了。使四肢安逸，耳目清閒，心氣平和，而官府的各種事務處理得很好，這是應該的，因為他使用的方法正確。巫馬期卻不是這樣。他費心勞神，手足並用，政令煩瑣，儘管也治理得不錯，但卻沒達到最高境界。

【出處】

宓子賤治單父，彈鳴琴，身不下堂而單父治。巫馬期以星出，以星入，日夜不居，以身親之，而單父亦治。巫馬期問其故於宓子，宓子曰：「我之謂任人，子之謂任力；任力者故勞，任人者故逸。」宓子則君子矣。逸四肢，全耳目，平心氣，而百官以治，義矣，任其數而已矣。巫馬期則不然，弊生事精，勞手足，煩教詔，雖治猶未至也。（《呂氏春秋》〈開春論‧察賢〉）

誠乎此者刑乎彼

宓子賤治理單父三年，巫馬旗到亶父去觀察施行教化的情況。看到夜裡捕魚的人，得到魚又扔回水裡。巫馬旗問他說：「既然是捕魚，為什麼要把魚扔回水裡呢？」回答說：「宓子賤不想讓人們捕取小魚，我扔回水裡的都是小魚。」巫馬旗回去後告訴孔子說：「宓子賤的德政達到極點了，他能讓人們在黑夜中獨自做事，就像旁邊有法官一樣不敢為非作歹。請問宓子賤是用什麼辦法達到這種境地的？」孔子說：「我曾經跟他說過：『自己心誠，就能實行於外。』」宓子賤

一定是在亶父實行這個主張了。」

【出處】

　　三年，巫馬旗短褐衣弊裘而往觀化於亶父，見夜漁者，得則舍之。巫馬旗問焉，曰：「漁為得也，今子得而舍之，何也？」對曰：「宓子不欲人之取小魚也。所舍者小魚也。」巫馬旗歸，告孔子曰：「宓子之德至矣，使民暗行，若有嚴刑於旁。敢問宓子何以致於此？」孔子曰：「丘嘗與之言曰：『誠乎此者刑乎彼。』宓子必行此術於亶父也。」（《呂氏春秋》〈審應覽・具備〉）

聽觀天下

　　孔子問宓子賤說：「你治理單父得到眾人的好評，告訴我你是怎麼做的。」子賤說：「我像對待自己的父親一樣對待百姓的父親，像愛護自己的子女一樣愛護百姓的子女。撫卹所有的孤兒，為百姓的喪事而哀痛。」孔子說：「不錯，但這只是小的善行，能使平民親附，但還不夠啊。」子賤又說：「我當作父親一樣對待的有三人，當作兄長一樣對待的有五人，結交的好友有十一人。」孔子說：「當作父親一樣對待的三人，能夠用來教育人們盡孝道；當作兄長一樣對待的有五人，能夠用來教育人們敬愛兄長；結交十一個好友，能夠以此教育人們互相學習。這些只是中等的善行，中等階層的人會親附，但還不夠。」子賤說：「當地百姓中比我賢明的有五人，我虛心向他們學習，他們教給我從政治民的方法。」孔子說：「要想成就大事，關鍵

就在這裡！從前堯、舜放下架子，考察、瞭解天下的賢才，致力於招攬賢人。推舉賢人是百福之宗、神明之主。可惜子賤治理的地方太小了。如果子賤治理的地方很大，他的政績該與堯、舜相提並論了。」

【出處】

孔子謂宓子賤曰：「子治單父而眾說，語丘所以為之者。」曰：「不齊父其父，子其子，恤諸孤而哀喪紀。」孔子曰：「善小節也小民附矣，猶未足也。」曰：「不齊也，所父事者三人，所兄事者五人，所友者十一人。」孔子曰：「父事三人，可以教孝矣；兄事五人，可以教弟矣；友十一人，可以教學矣。中節也，中民附矣，猶未足也。」曰：「此地民有賢於不齊者五人，不齊事之，皆教不齊所以治之術。」孔子曰：「欲其大者，乃於此在矣。昔者堯、舜清微其身，以聽觀天下，務來賢人，夫舉賢者，百福之宗也，而神明之主也，不齊之所治者小也，不齊所治者大，其與堯、舜繼矣。」（《說苑》〈政理〉）

民樂有寇

齊國軍隊攻打魯國，途中經過單父。單父的老人們向宓子賤請求說：「地裡的麥子已經熟了。如今齊國軍隊來侵，來不及讓農民收割自家的麥子。請求放百姓出城，讓他們去搶收近郊的麥子。這樣既可以增加糧食，也不會讓侵略者得到好處。」老人們再三請求，宓子賤不肯答應。麥子果然被齊國軍隊所獲。季孫氏聽說這件事，大為惱

怒，派人斥責宓子賤說：「百姓寒冬耕作，炎夏鋤草，卻沒有收穫糧食，怎能不讓人心痛呢？你不知道還可原諒，有人再三懇求你卻不聽，你這是為百姓著想嗎？」宓子賤恭敬而又誠懇地說：「今年沒有麥子，明年還可以再種。如果讓不耕種的人收穫糧食，就會讓百姓樂於敵人入侵。況且獲得單父一年的麥子，魯國也不會因此更強；失去單父一年的麥子，魯國也不會因此削弱。如果讓百姓有隨便獲取他人成果的念頭，由此造成的傷害必將殃及後代。」季孫氏聽說，慚愧不已地說：「真想找個地洞鑽進去，我怎麼好意思再看到宓子呢！」

【出處】

　　齊人攻魯，道由單父，單父之老請曰：「麥已熟矣，今齊寇至，不及人人自收其麥，請放民出，皆獲傅郭之麥，可以益糧，且不資於寇。」三請而宓子不聽。俄而齊寇逮於麥，季孫聞之怒，使人以讓宓子曰：「民寒耕熱耘，曾不得食，豈不哀哉？不知猶可，以告者而子不聽，非所以為民也。」宓子蹴然曰：「今茲無麥，明年可樹，若使不耕者獲，是使民樂有寇，且得單父一歲之麥，於魯不加強，喪之不加弱，若使民有自取之心，其創必數世不息。」季孫聞之，赧然而愧曰：「地若可入，吾豈忍見宓子哉。」（《孔子家語》〈屈節解〉）

所得者三

　　孔子有個弟子叫孔蔑，與宓子賤同時做官。孔子經過孔蔑的住處，問他說：「自從你做官以來，得到些什麼，失去些什麼？」孔蔑

說：「自從我做官後，沒得到什麼，失去的卻有三樣。一是公事纏身，過去所學的知識不能溫習，因此不能融會貫通，這是一失；二是俸祿太少，連稀飯都不夠供給親戚，親戚日益疏遠，這是二失；三是公事繁忙緊張，不能前往弔唁死者和探望病人，因此朋友關係日益疏遠，這是三失。」孔子聽了不大高興，又去看望宓子賤，問他說：「自從你做官後，得到些什麼，失去些什麼？」子賤說：「自從我做官後，沒有失去什麼，卻有三樣所得。一是當初記誦的文章，現在得到踐行的機會，真正做到了融會貫通；二是俸祿雖少，卻有稀飯供給親戚，因此親戚更加親近；三是公事雖然繁忙緊張，夜間抽時間去弔唁死者和探望病人，因此朋友關係更加親密了。」孔子聽了，讚揚宓子賤說：「真是君子啊！魯國如果沒有君子，子賤是從哪裡學到這些優秀的品德呢？」

【出處】

孔子弟子有孔蔑者，與宓子賤皆仕，孔子往過孔蔑，問之曰：「自子之仕者，何得、何亡？」孔蔑曰：「自吾仕者未有所得，而有所亡者三，曰：王事若襲，學焉得習，以是學不得明也，所亡者一也。奉祿少鬻，鬻不足及親戚，親戚益疏矣，所亡者二也。公事多急，不得弔死視病，是以朋友益疏矣，所亡者三也。」孔子不說，而復往見子賤曰：「自子之仕，何得、何亡也？」子賤曰：「自吾之仕，未有所亡而所得者三：始誦之文，今履而行之，是學日益明也，所得者一也。奉祿雖少鬻，鬻得及親戚，是以親戚益親也，所得者二也。公事雖急，夜勤，弔死視病，是以朋友益親也，所得者三也。」孔子謂子賤曰：「君子哉若人！君子哉若人！魯無君子也，斯焉取斯？」（《說苑》〈政理〉）

行己之道

孔蔑請教孔子立身處世的方法。孔子說：「知道而不去做，不如不知道；親近而不信任，不如不親近；高興的時候儘管高興，但不要驕傲；禍患發生時要思考對策，而不要憂愁。」孔蔑問：「這樣做就能立身處世了嗎？」孔子說：「虛心學習不會做的事情，彌補不具備的才能。不要因為自己做不到就懷疑別人，不要因為自己能做到就向人炫耀。說話不留下話柄，做事不種下禍患，只有明智的人才能做到。」

【出處】

孔蔑問行己之道。子曰：「知而弗為，莫如勿知；親而弗信，莫如勿親。樂之方至，樂而勿驕；患之將至，思而勿憂。」孔蔑曰：「行己乎？」子曰：「攻其所不能，補其所不備。毋以其所不能疑人，毋以其所能驕人。終日言，無遺己之憂，終日行，不遺己患，唯智者有之。」（《孔子家語》〈子路初見〉）

危言危行

原憲問孔子什麼是可恥。孔子說：「國家有道，做官拿俸祿；國家無道，還做官拿俸祿，這就是可恥。」原憲又問：「好勝、自誇、怨恨、貪欲都沒有的人，可以算做到仁了吧？」孔子說：「這可以說

是很難得的，但至於是不是符合仁，我就不知道了。」孔子說：「國家有道，要正言正行；國家無道，也要正直，但說話要隨和謹慎。」

【出處】

憲問恥，子曰：「邦有道，穀；邦無道，穀，恥也。」「克、伐、怨、欲不行焉，可以為仁矣？」子曰：「可以為難矣，仁則吾不知也。」子曰：「邦有道，危言危行；邦無道，危行言孫。」（《論語》〈憲問〉）

學所以益才

孔伋說：「學習是為了增長才幹，磨刀是為了使刀刃鋒利。我曾經獨居並認真思考，卻不如學習收效快；我曾經踮起腳來眺望，卻不如登高見廣。順著風向呼喊，聲音並沒有加大，聽見的人卻很多；登上山坡招手，手臂並沒有增長，很遠的人都能看見。所以魚兒利用的是水，鳥兒利用的是風，草木生長利用的是時節。」

【出處】

子思曰：學所以益才也，礪所以致刃也，吾嘗幽處而深思，不若學之速；吾嘗跂而望，不若登高之博見。故順風而呼，聲不加疾而聞者眾；登丘而招，臂不加長而見者遠。故魚乘於水，鳥乘於風，草木乘於時。（《說苑》〈建本〉）

舉善以觀民

　　魯穆公問子思說：「我聽說龐氏的孩子不孝順，你覺得他品行如何？」子思回答說：「君子尊重賢人以崇尚道德，列舉善行來給民眾做表率。至於過錯行為，只有小人才會關注，我不知道。」子思出去後，子服厲伯入見，穆公再問同樣的問題，子服厲伯回答說：「龐氏這孩子，有三條過錯。」講的都是穆公沒聽說過的事。從此以後，穆公看重子思而輕看子服厲伯。

【出處】

　　魯穆公問於子思曰：「吾聞龐㒓氏之子不孝，其行奚如？」子思對曰：「君子尊賢以崇德，舉善以觀民。若夫過行，是細人之所識也，臣不知也。」子思出。子服厲伯入見，問龐㒓氏子，子服厲伯對曰：「其過三。」皆君之所未嘗聞。自是之後，君貴子思而賤子服厲伯也。（《韓非子》〈難三〉）

反服之禮

　　魯穆公向子思請教說：「大夫光明正大地離開故國，故國對他仍然以禮相待，在這種情況下，故國君主死了，大夫回故國為舊君服齊衰三月，這是古來就有的禮節嗎？」子思說：「古代的君主，在用人時是以禮相待，在不用人時也是以禮相待，所以才有為舊君行服喪之禮。然而現在的君主，用人時恨不得把人摟在懷裡，辭退時恨不得把

人推入深淵。不興兵討伐他就不錯了，哪裡還談得上為舊君行服喪之禮呢？」

【出處】

穆公問於子思曰：「為舊君反服，古與？」子思曰：「古之君子，進人以禮，退人以禮，故有舊君反服之禮也；今之君子，進人若將加諸膝，退人若將隊諸淵，毋為戎首，不亦善乎！又何反服之禮之有？」（《禮記》〈檀弓下〉）

君子猶鳥

孔思請求離開魯國，魯國君主說：「天下的君主不跟我一樣嗎？你將要到哪裡去呢？」孔思回答說：「我聽說君子就像鳥一樣，受到驚嚇就會飛走。」魯國君主說：「君主不賢德，天下都是一樣。離開不賢德的君主，去侍奉另一個不賢德的君主。你自以為很瞭解天下的君主嗎？鳥之所以飛走，都是因為受到驚嚇，想飛到不受驚嚇的地方去，驚嚇與不驚嚇，誰能知道？離開受驚嚇的地方，飛到仍然受驚嚇的地方，為什麼要飛走呢？」這樣來看，孔思對魯國君主的要求也太過分了。

【出處】

孔思請行，魯君曰：「天下主亦猶寡人也，將焉之？」孔思對曰：「蓋聞君子猶鳥也，駭則舉。」魯君曰：「主不肖而皆以然也，

違不肖，過不肖，而自以為能論天下之主乎？凡鳥之舉也，去駭從不駭。去駭從不駭，未可知也。去駭從駭，則鳥曷為舉矣？」孔思之對魯君也，亦過矣。（《呂氏春秋》〈審應覽·審應〉）

吾何慎哉

子思的母親在父親死後改嫁到衛國，現在死了，子思前去奔喪。衛國有個叫柳若的對子思說：「您是聖人的後代，各地的人都在關注您如何為嫁母持喪，您可得當心一點。」子思說：「我聽說，按禮的規定做該做的，如果財力不足，君子是無法行禮的；按禮的規定應該做，財力也足夠，但沒有機會，君子也是無法行禮的。我有什麼可當心的呢！」

【出處】

子思之母死於衛，柳若謂子思曰：「子，聖人之後也，四方於子乎觀禮，子蓋慎諸。」子思曰：「吾何慎哉？吾聞之：有其禮，無其財，君子弗行也；有其禮，有其財，無其時，君子弗行也。吾何慎哉！」（《禮記》〈檀弓上〉）

不喪出母

　　子上的生母[96]死了，但子上沒有為她穿孝服。子思的門人感到迷惑不解，就請教子思說：「從前您的父親為出母戴不戴孝？」子思回答說：「戴孝。」門人又問：「那麼您不讓您的兒子子上為出母戴孝，是何道理？」子思回答說：「從前我父親的做法並不失禮。依禮，該提高規格時就提高，該降低規格時就降低。我孔伋怎麼敢和先父相比呢？我的原則是：只要是我孔伋的妻子，自然也就是阿白的母親；只要不是我孔伋的妻子，自然也就不是阿白的母親。」所以，孔家的人不為出母掛孝，是從子思開始的。

【出處】

　　子上之母死而不喪。門人問諸子思曰：「昔者子之先君子喪出母乎？」曰：「然。」「子之不使白也喪之。何也？」子思曰：「昔者吾先君子無所失道；道隆則從而隆，道污則從而污。伋則安能？為伋也妻者，是為白也母；不為伋也妻者，是不為白也母。」故孔氏之不喪出母，自子思始也。(《禮記》〈檀弓上〉)

養志忘身

　　原憲居住在魯國，居室只有一間小屋。屋頂是用沒曬乾的蒿草

---

96. 一說出母即生母，一說即被休之母，結合下文看，似為被休之母更恰當些。被休之母可能是生母，也可能不是。

蓋的，門是蓬草編的，拿破瓦罐當窗戶，把桑條折成幾股當門軸，房頂漏雨，地面潮濕，他卻正襟危坐在那裡彈琴唱歌。子貢聽說這件事後，身著華服，駕著高頭大馬，乘坐著窄巷無法通過的豪華馬車來拜訪原憲。原憲戴著樹葉編的帽子，拄著藜杖來開門。他要是扶正帽子，帽帶就拉斷了；抬手整整衣襟，胳膊肘就露了出來；提一提鞋子，鞋後跟就會斷裂。子貢說：「唉！先生怎麼病成這個樣子呢？」原憲昂著頭回答說：「我聽說，沒有錢財稱之貧窮，學了一套大道理而不能身體力行叫病。我是貧窮，並不是病。那些迎合世俗，結黨營私，求學只是為了裝點門面，收受弟子只為收取學費，以仁義的缺失，獲得車馬的豪華裝飾，那都是我不願意去做的。」子貢進退不安，面有愧色，沒有告辭就離開了。原憲拖著手杖，趿拉著鞋子，一邊走一邊唱著《商頌》回到自己的破屋子，高昂的聲音響徹雲天，就像鐘磬發出的一般。天子不能使他為臣，諸侯不能攀他為友。所以說，磨煉心志的人不在意自己的身體。連自己的身體也不在意，還有誰能拖累他呢！《詩經》中說：「我的心不是石頭，不能隨意轉動；我的心不是蓆子，不能隨意捲曲。」[97]說的就是這種情形啊！

【出處】

原憲居魯，環堵之室，茨以生蒿，蓬戶甕牖，揉桑以為樞，上漏下濕，匡坐而絃歌。子貢聞之，乘肥馬，衣輕裘，中紺而表素，軒車不容巷，往見原憲。原憲冠桑葉冠，杖藜杖而應門，正冠則纓絕，衽襟則肘見，納履則踵決。子貢曰：「嘻，先生何病也？」原憲仰而應

97.「我心匪石，不可轉也；我心匪席，不可卷也」，出自《詩經》〈邶風·柏舟〉。

之曰：「憲聞之無財謂之貧，學而不能行謂之病。憲貧也，非病也。若夫希世而行，此周而交，學以為人，教以為己，仁義之慝，輿馬之飾，憲不忍為也。」子贛逡巡，面有愧色，不辭而去。原憲曳杖拖履，行歌商頌而反，聲滿天地，如出金石，天子不得而臣也，諸侯不得而友也。故養志者忘身，身且不愛，庸能累之。《詩》曰：「我心匪石，不可轉也；我心匪席，不可卷也。」此之謂也。（《新序》〈節士〉）

禹稷躬稼

南宮适問孔子說：「羿善於射箭，奡善於水戰，最後都不得好死。禹和稷都親自種植莊稼，卻得到了天下。」孔子沒有回答，南宮适出去後，孔子說：「這個人真是個君子呀！這個人真尊重道德。」

【出處】

南宮适問於孔子曰：「羿善射，奡盪舟，俱不得其死然；禹、稷躬稼而有天下。」夫子不答。南宮适出，子曰：「君子哉若人！尚德哉若人！」（《論語》〈憲問〉）

何以別乎

孟懿子問什麼是孝，孔子說：「孝就是不要違背禮。」後來樊遲給孔子駕車，孔子告訴他：「孟孫問我什麼是孝，我回答他說不要違

背禮。」樊遲說：「不違背禮是什麼意思？」孔子說：「父母活著的時候，要按禮侍奉他們；父母去世後，要按禮埋葬他們、祭祀他們。」又說：「如今所謂的孝，只是說能夠贍養父母便足夠了。然而，即便是犬馬也能夠得到飼養。如果不存心孝敬父母，那麼贍養父母與飼養犬馬又有什麼區別呢？」

【出處】

孟懿子問孝，子曰：「無違。」樊遲御，子告之曰：「孟孫問孝於我，我對曰『無違』。」樊遲曰：「何謂也？」子曰：「生，事之以禮；死，葬之以禮，祭之以禮。」子游問孝。子曰：「今之孝者，是謂能養。至於犬馬皆能有養；不敬，何以別乎？」（《論語》〈為政〉）

智不如葵

樊遲問孔子說：「鮑牽侍奉齊國國君，執政正直無私，可以說非常忠誠，但國君卻砍了他的腳。是他過於愚昧不明嗎？」孔子說：「古時的士人，國君有道就竭盡忠誠輔佐他，國君無道就退身隱居避開他。現在鮑莊子在荒淫無道的朝廷中供職，不考慮君主是明聖還是昏暗，以致遭受嚴酷的刖刑，這說明他的智慧還不如葵菜[98]，葵菜尚且能夠保護自己的腳呢。」

---

98. 「智不如葵」語見《左傳》〈成公十七年〉。杜預註解孔子此處所稱之葵說：「葵傾葉向日，以蔽其根。」這種聰明到「能衛其足」的「葵」，是一種其嫩莖葉可作蔬菜食用的草本植物，據說喜生長於陰濕處，根莖畏日曬，其葉片乃張垂遮擋以覆衛之。

樊遲問於孔子曰：「鮑牽事齊君，執政不撓，可謂忠矣，而君刖之，其為至暗乎？」孔子曰：「古之士者，國有道則盡忠以輔之，國無道則退身以避之。今鮑疾子食於淫亂之朝，不量主之明暗，以受大刖，是智之不如葵，葵猶能衛其足。」（《孔子家語》〈正論解〉）

一朝之忿

樊遲陪著孔子在舞雩臺下散步，說：「請問怎樣提高品德修養？怎樣消除自己的邪念？怎樣辨別迷惑？」孔子說：「問得好！先努力致力於事，然後才有所收穫，不就是提高品德了嗎？批判自己的惡行，不去攻擊別人的惡行，不就是消除自己的邪念了嗎？由於一時的氣憤，就忘記了自身安危，以致於牽連自己的親人，這不就是迷惑嗎？」

【出處】

樊遲從游於舞雩之下，曰：「敢問崇德、修慝、辨惑。」子曰：「善哉問！先事後得，非崇德與？攻其惡，無攻人之惡，非修慝與？一朝之忿，忘其身，以及其親，非惑與？」（《論語》〈顏淵〉）

樊遲問仁

樊遲請教什麼是仁，孔子說：「愛人。」樊遲請教什麼是智，孔

子說：「瞭解人。」樊遲還不明白。孔子說：「選拔正直的人，罷黜邪惡的人，這樣就能使邪者歸正。」樊遲退出來，見到子夏說：「剛才我見到老師，問他什麼是智，他說：『選拔正直的人，罷黜邪惡的人，這樣就能使邪者歸正。』這是什麼意思？」子夏說：「這話說得多麼深刻呀！舜有天下，在眾人中挑選人才，把皋陶選拔出來，不仁的人就被疏遠了。湯有了天下，在眾人中挑選人才，把伊尹選拔出來，不仁的人就被疏遠了。」

【出處】

樊遲問仁，子曰：「愛人。」問知，子曰：「知人。」樊遲未達，子曰：「舉直錯諸枉，能使枉者直。」樊遲退，見子夏，曰：「鄉也吾見於夫子而問知，子曰：『舉直錯諸枉，能使枉者直。』何謂也？」子夏曰：「富哉言乎！舜有天下，選於眾，舉皋陶，不仁者遠矣。湯有天下，選於眾，舉伊尹，不仁者遠矣。」（《論語》〈顏淵〉）

樊遲請學稼

樊遲向孔子請求學種莊稼，孔子說：「我不如老農。」又請求學種蔬菜，孔子說：「我不如菜農。」樊遲退下後，孔子評論說：「樊須真是個志向淺薄的小人啊！統治者倡導禮儀，百姓沒人敢不尊敬的；統治者倡導誠信，老百姓沒人敢不講真話的。教化如此，四面八方的百姓就會扶老攜幼前來投奔，哪裡用得著自己種莊稼呢？」樊遲於是向孔子請教什麼是仁，孔子說：「愛所有的人！」又問什麼是

智，孔子回答說：「智就是瞭解人。」

【出處】

樊遲請學稼，孔子曰：「吾不如老農。」請學圃，曰：「吾不如老圃。」樊遲出，孔子曰：「小人哉樊須也！上好禮，則民莫敢不敬；上好義，則民莫敢不服；上好信，則民莫敢不用情。夫如是，則四方之民襁負其子而至矣，焉用稼！」樊遲問仁，子曰：「愛人。」問智，曰：「知人。」（《史記》〈仲尼弟子列傳〉）

不憂不懼

司馬牛問怎樣做一個君子。孔子說：「君子不憂愁，不恐懼。」司馬牛說：「不憂愁，不恐懼，這樣就可以稱作君子了嗎？」孔子說：「自己問心無愧，那還有什麼憂愁和恐懼呢？」

【出處】

司馬牛問君子，子曰：「君子不憂不懼。」曰：「不憂不懼，斯謂之君子已乎？」子曰：「內省不疚，夫何憂何懼？」（《論語》〈顏淵〉）

內省不疚

子牛（司馬耕）話多且性情急躁。他向孔子請教什麼是仁，孔子說：「有仁德的人，說話非常謹慎。」子牛反問說：「說話謹慎就稱

得上仁嗎？」孔子說：「行事困難，說話能不謹慎嗎！」子牛又問孔子怎樣才算是君子，孔子說：「君子既不憂愁，也不畏懼。」子牛又反問說：「不憂不懼就可以算是君子嗎？」孔子說：「自我反省，內心無愧，當然無憂無懼了。」

【出處】

牛多言而躁。問仁於孔子，孔子曰：「仁者其言也 。」曰：「其言也 ，斯可謂之仁乎？」子曰：「為之難，言之得無訒乎！」問君子，子曰：「君子不憂不懼。」曰：「不憂不懼，斯可謂之君子乎？」子曰：「內省不疚，夫何憂何懼！」（《史記》〈仲尼弟子列傳〉）

言人之美

孔子問漆雕馬人說：「你侍奉過臧文仲、武仲、孺子容，你覺得三個大夫哪個最賢？」漆雕馬人回答說：「臧氏家裡有個大龜，名叫蔡龜。文仲立為大夫時，三年才占卜一次；武仲繼立後，三年占卜兩次；孺子容繼立，三年占卜三次；這是我親眼所見。若要問三個大夫賢與不賢，我不知道。」孔子說：「漆雕氏這人真是君子啊！他說別人的好處，含蓄卻很明白；他說別人的過失，微妙卻很到位。智慧達不到、眼光看不遠的人，能不多次占卜嗎？」

【出處】

孔子問漆雕馬人曰：「子事臧文仲、武仲、孺子容，三大夫者，

孰為賢？」漆雕馬人對曰：「臧氏家有龜焉，名曰蔡；文仲立三年為一兆焉；武仲立三年為二兆焉；孺子容立三年為三兆焉，馬人立之矣。若夫三大夫之賢不賢，馬人不識也。」孔子曰：「君子哉！漆雕氏之子，其言人之美也，隱而顯；其言人之過也，微而著。故智不能及，明不能見，得無數卜乎？」（《說苑》〈權謀〉）

得之於學

　　子張原是魯國的粗俗之人，顏涿聚本是梁父山上的大盜，後來求學於孔子；段干木本是晉國馬市上的販子，後求學於子夏；商何、縣子石本是齊國的暴徒，被鄉里驅逐，後求學於墨子；索盧參本是東方有名的狡詐之人，後求學於禽滑黎。這六個人本該是受到刑罰、殺戮、蒙受恥辱的人，由於從師學習，不僅免予刑罰、殺戮和恥辱，而且成為享譽天下的名人顯士，得以善終，王公大人對他們禮待有加，這些都得力於學習啊。

【出處】

　　子張，魯之鄙家也；顏涿聚，梁父之大盜也；學於孔子。段干木，晉國之大駔也，學於子夏。高何、縣子石，齊國之暴者也，指於鄉曲，學於子墨子。索盧參，東方之鉅狡也，學於禽滑黎。此六人者，刑戮死辱之人也。今非徒免於刑戮死辱也，由此為天下名士顯人，以終其壽，王公大人從而禮之，此得之於學也。（《呂氏春秋》〈孟夏紀·尊師〉）

近而逾明

孔子對兒子孔鯉說：「鯉，君子不能不學習。與人見面不能不修飾，不修飾就沒有好容貌，沒有好容貌就會失去理性，喪失理性就缺乏忠誠，缺乏忠誠就會喪失禮儀，喪失禮儀就不能立身處世。在遠處顯得容光煥發的，是修飾；接近後讓人感覺爽目的，是學習。你看那污水池，水流傾注，菅茅、菖蒲生長其中，從上面看，就知道它不是水源。」

【出處】

孔子曰：「鯉，君子不可以不學，見人不可以不飾；不飾則無根，無根則失理；失理則不忠，不忠則失禮，失禮則不立。夫遠而有光者，飾也；近而逾明者，學也。譬之如污池，水潦注焉，菅蒲生之，從上觀之，知其非源也。」（《說苑》〈建本〉）

問一得三

陳亢問伯魚：「你在老師那裡聽到過什麼特別的教誨嗎？」伯魚回答說：「沒有呀。有一次他獨自站在堂上，我快步從庭裡走過，他說：『學《詩》了嗎？』我回答說：『沒有。』他說：『不學《詩》，就不懂得怎麼說話。』我回去就學《詩》。又有一天，他又獨自站在堂上，我快步從庭裡走過，他說：『學《禮》了嗎？』我回答說：『沒有。』他說：『不學《禮》就不懂得怎樣立身。』我回去就學《禮》。

我就聽到過這兩件事。」陳亢回去高興地說:「我提一個問題,得到三方面的收穫,聽了關於《詩》的道理,聽了關於《禮》的道理,又聽了君子不偏愛自己兒子的道理。」

【出處】

陳亢問於伯魚曰:「子亦有異聞乎?」對曰:「未也。嘗獨立,鯉趨而過庭,曰:『學《詩》乎?』對曰:『未也。』『不學《詩》,無以言。』鯉退而學《詩》。他日,又獨立,鯉趨而過庭,曰:『學《禮》乎?』對曰:『未也。』『不學《禮》,無以立。』鯉退而學《禮》。聞斯二者。」陳亢退而喜曰:「問一得三,聞《詩》,聞《禮》,又聞君子之遠其子也。」(《論語》〈季氏〉)

君不食奸

孔子的弟子琴張和宗魯是朋友。衛國的齊豹把宗魯推薦給公子孟縶。孟縶以他為參乘。後來齊豹準備攻擊孟縶,讓宗魯迴避。宗魯說:「我由於您的推薦而侍奉孟公子,如今聽說他有災難而獨自逃走,這是使您的話沒有信用。您辦您的事吧,我會以死來保守祕密,我回去死在公子那裡就可以了。」齊氏執戈攻擊孟縶,宗魯以身體掩護他,折斷了臂膀。孟縶和宗魯雙雙被殺。琴張聽說宗魯死了,打算前往弔唁。孔子說:「齊豹之所以存心不善,孟縶之所以遭受禍害,都是由於宗魯的緣故,你為什麼要去弔唁呢?君子不享用奸人給的俸祿,不接受動亂,不為私利而容忍邪惡,不心懷邪念侍奉別人,不掩

蓋不義的事情，不做出非禮的舉動。你憑什麼要去弔唁呢？」琴張於
是作罷。

【出處】

　　孔子之弟子琴張與宗友衛齊豹，見宗魯於公子孟縶，孟縶以為驂
乘焉，及齊豹將殺孟縶，告宗魯，使行。宗魯曰：「吾由子而事之，
今聞難而逃，是僭子也。子行事乎，吾將死以事周子，而歸死於公孟
可也。」齊氏用戈擊公孟，宗以背蔽之，斷肱中，公孟、宗魯皆死。
琴張聞宗魯死，將往弔之。孔子曰：「齊豹之盜，孟縶之賊也，汝何
弔焉？君不食奸，不受亂，不為利病於回，不以回事人，不蓋非義，
不犯非禮，汝何弔焉？」琴張乃止。（《孔子家語》〈曲禮子夏問〉）

貴賤之等

　　孔子的弟子凡是從遠方來的，孔子就拄著手杖來問候他，說：
「你的祖父祖母還好吧？」然後持杖拱手行禮；再問候說：「你的父
母還好吧？」然後拄著手杖拱手行禮；又問候說：「你的兄弟姐妹還
好吧？」拖著手杖轉過身去；最後問候說：「你的妻子兒女還好吧？」
所以，孔子僅用六尺長的手杖，就讓人知道了貴賤等級，辨明了親疏
關係，又何況用尊貴的地位、豐厚的俸祿呢？

【出處】

　　孔子之弟子從遠方來者，孔子荷杖而問之曰：「子之公不有恙

乎？」搏杖而揖之，問曰：「子之父母不有恙乎？」置杖而問曰：「子之兄弟不有恙乎？」戈步而倍之，問曰：「子之妻子不有恙乎？」故孔子以六尺之杖，論貴賤之等，辨疏親之義，又況於以尊位厚祿乎？（《呂氏春秋》〈孟冬紀・異用〉）

君子慎所從

　　孔子看見用網捕鳥的人，見他所捕的鳥，全是黃口小鳥。孔子說：「你捉的全是小鳥，偏偏沒捉到大鳥，這是為什麼呢？」捕鳥的人回答說：「小鳥跟從大鳥的，就捕不到；大鳥跟從小鳥的，就可以捕到。」孔子回頭告誡弟子說：「君子應該慎重選擇跟從的人，跟隨不適當的人，就有進入羅網的禍患啊。」

【出處】

　　孔子見羅者，其所得者皆黃口也，孔子曰：「黃口盡得，大爵獨不得，何也？」羅者對曰：「黃口從大爵者不得，大爵從黃口者可得。」孔子顧謂弟子曰：「君子慎所從，不得其人則有羅網之患。」（《說苑》〈敬慎〉）

道亦不隱

　　伯常騫對孔子說：「我伯常騫雖然是周國一名地位低下的小吏，但我並不認為自己不賢，我將要去侍奉齊國的國君，冒昧地向您請

教：我想完全按正道行事，卻又不被世人接納；想違背正道行事，卻
又於心不忍。現在我既想讓世人接受，又想不違背正道，有什麼辦法
能做到呢？」孔子說：「您提出的問題很好！我曾經聽說，如果道無
法讓人理解，就不會被人接受；如果道過於奇特詭異，就不會被人相
信。也曾聽說如果制度不著邊際，事情就做不成；如果政令過於細緻
明晰，老百姓就不得安寧。又曾聽說剛直不阿的人難得善終，平易近
人會屢受傷害，傲慢無禮的人沒人親近，追逐私利的人難免失敗。善
於安身處世的君子，做簡單的事情不搶在前面，面對危難不躲在後
面，不強行違犯法令，論述正道時不違背世間的常理。這四個方面，
就是我所聽到的道理。」

【出處】

　　伯常騫問於孔子曰：「騫固周國之賤吏也，不自以不肖，將北面
以事君子，敢問正道宜行，不容於世，隱道宜行，然亦不忍。今欲身
亦不窮，道亦不隱，為之有道乎？」孔子曰：「善哉！子之問也。自
丘之聞，未有若吾子所問辯且說也。丘嘗聞君子之言道矣，聽者無
察，則道不入，奇偉不稽，則道不信。又嘗聞君子之言事矣，制無度
量，則事不成，其政曉察，則民不保。又嘗聞君子之言志矣，剛折者
不終，徑易者則數傷，浩倨者則不親，就利者則無不弊。又嘗聞養世
之君子矣，從輕勿為先，從重勿為後，見像而勿強，陳道而勿怫。此
四者，丘之所聞也。」（《孔子家語》〈三恕〉）

施仁無倦

齊國的高庭向孔子請教說：「我翻山越嶺，遠道而來，身穿草衣，手提禮物，誠心誠意地來請教侍奉君子的方法，希望先生告訴我。」孔子說：「忠誠地協助他，恭敬地輔佐他，施行仁義時毫不厭倦。發現君子就加以舉薦，發現小人就加以斥退，打消你邪惡的念頭，忠實地與人共事。傚法他的行為，修習他的禮儀，那麼即使相隔千里之外，你們也會親如兄弟；不傚法他的行為，不修習他的禮儀，那麼即使住在對面，也不會和你互相往來。整天言談，也不會給自己留下憂慮；整天做事，也不會給自己留下禍患，只有聰明的人才能做到這樣。因此注重自我修養的人，一定要心懷恐懼以消除禍患，恭敬謙遜以避免災難。一輩子都在做好事的人，可能會因一句話而身敗名裂，能不謹慎嗎？」

【出處】

齊高庭問於孔子曰：「庭不曠山，不直地，衣穰而提贄，精氣以問事君子之道，願夫子告之。」孔子曰：「貞以干之，敬以輔之，施仁無倦，見君子則舉之，見小人則退之。去汝惡心而忠與之，效其行，修其禮，千里之外，親如兄弟。行不效，禮不修，則對門不汝通矣。夫終日言，不遺己之憂，終日行，不遺己之患；唯智者能之。故自修者必恐懼以除患，恭儉以避難者也。終身為善，一言則敗之，可不慎乎。」（《孔子家語》〈六本〉）

祭而亡牲

魯國公索氏準備祭祀的時候，丟失了祭祀用的犧牲。孔子聽說這件事後預言說：「公索氏三年之內就一定會滅亡。」一年之後，公索氏果然滅亡了。弟子問孔子說：「從前公索氏丟失了祭祀用的犧牲，先生說不出三年一定會滅亡，現在剛滿一年，真的滅亡了。先生憑什麼知道公索氏將要滅亡呢？」孔子說：「祭祀先祖是為了求索。索的含義就是盡，意思是孝子應該盡其所有來祭祀先祖親人。祭祀時丟失犧牲，平常丟失的東西就更多了。我因此知道公索氏將要滅亡。」

【出處】

魯公索氏將祭而亡其牲。孔子聞之，曰：「公索氏比及三年必亡矣。」後一年而亡。弟子問曰：「昔公索氏亡牲，夫子曰：『比及三年必亡矣。』今期年而亡。夫子何以知其將亡也？」孔子曰：「祭之為言索也。索也者盡也，乃孝子所以自盡於親也。至祭而亡其牲，則余所亡者多矣。吾以此知其將亡矣。」（《說苑》〈權謀〉）

相師之道

樂師冕來見孔子，走到臺階邊上，孔子說：「這兒是臺階。」走到坐席旁，孔子說：「這是坐席。」等大家都坐下來，孔子告訴他：「某某在這裡，某某在這裡。」師冕走了以後，子張就問孔子：「這

就是與樂師談話的道嗎？」孔子說：「這就是幫助樂師的道。」[99]

【出處】

師冕見，及階，子曰：「階也。」及席，子曰：「席也。」皆坐，子告之曰：「某在斯，某在斯。」師冕出。子張問曰：「與師言之道與？」子曰：「然，固相師之道也。」（《論語》〈衛靈公〉）

欲速成者

闕里的一個童子來向孔子傳話。有人問孔子：「這是個求上進的孩子嗎？」孔子說：「我看見他坐在成年人的位子上，又見他和長輩並肩而行，他不是要求上進的人，只是個急於求成的人。」

【出處】

闕黨童子將命，或問之曰：「益者與？」子曰：「吾見其居於位也，見其與先生並行也。非求益者也，欲速成者也。」（《論語》〈憲問〉）

不與其退

孔子認為很難與互鄉那個地方的人談話，但互鄉的一個童子卻受

---

99. 古時的樂師多為盲人。

到了孔子的接見，學生們都感到迷惑不解。孔子說：「我是肯定他的進步，不是肯定他的倒退。何必做得太過分呢？人家改正了錯誤以求進步，我們肯定他改正錯誤，不要死抓住他的過去不放。」

【出處】

互鄉難與言，童子見，門人惑。子曰：「與其進也，不與其退也，唯何甚？人潔己以進，與其潔也，不保其往也。」（《論語》〈述而〉）

何陋之有

孔子想要搬到九夷地方去居住。有人說：「那裡非常落後閉塞，不開化，怎麼能住呢？」孔子說：「有君子在，就不會閉塞落後了。」

【出處】

子欲居九夷。或曰：「陋，如之何？」子曰：「君子居之，何陋之有！」（《論語》〈子罕〉）

原壤失親

孔子有個老相識叫原壤，他的母親去世了，孔子幫他整治棺木。原壤噔噔地敲擊著棺木說：「我很久沒有用歌聲來寄託情思了。」於

是唱道：「斑白的狸貓之首[100]，牽著你柔軟的手。」孔子沒有當面指責他，裝作沒聽見走開了。隨從的人問孔子說：「先生不能阻止他唱歌嗎？」孔子說：「據我所知，未失去的親人才是親人，未失去的老相識才是老相識。」

【出處】

孔子之舊曰原壤，其母死，夫子將助之以沐椁。子路曰：「由也，昔者聞諸夫子曰：『無友不如己者，過則勿憚改。』夫子憚矣，姑已若何？」孔子曰：「凡民有喪，匍匐救之，況故舊乎非友也，吾其往。」及為椁，原壤登木曰：「久矣予之不托於音也。」遂歌曰：「狸首之班然，執女手之卷然。」夫子為之隱，佯不聞以過之。子路曰：「夫子屈節而極於此，失其與矣，豈未可以已乎？」孔子曰：「吾聞之親者不失其為親也，故者不失其為故也。」（《孔子家語》〈屈節解〉）

哭踊有節

弁地有個人死了母親，其哭聲像幼兒哭母，任情號哭，全無節奏。孔子說：「這種哭法，就表達悲哀而言沒啥說的，問題在於一般人都學不了。禮在制定的時候，就要考慮如何才能傳給後代，如何使人人都可以做到。所以，喪禮中的哭泣和頓足，都是有一定之規的。」

100.棺木的花紋就像狸貓的頭一樣斑斕。

【出處】

弁人有其母死而孺子泣者，孔子曰：「哀則哀矣，而難為繼也。夫禮，為可傳也，為可繼也。故哭踊有節。」（《禮記》〈檀弓上〉）

完山之鳥

孔子早晨站在廳堂裡，聽見有人哭得很傷心。孔子拿起琴來彈奏，音調與哭聲相同。孔子走出廳堂，弟子中有人在大聲嘆息。孔子問：「是誰？」回答說：「是顏回。」孔子問：「顏回為什麼嘆息？」顏回說：「今天有個哭泣的人，他的哭聲很悲哀，不只哭死別的人，還哭生離的人。」孔子問：「你怎麼知道的？」顏回說：「那哭聲就像完山的鳥啼。」孔子問：「怎麼樣呢？」顏回說：「完山的鳥生下四隻小鳥，羽毛翅膀長成後，就要分飛四方，它哀叫著送別小鳥，因為小鳥一去不返。」孔子讓人詢問哭泣的人，哭泣的人說：「我父親去世了，家裡貧窮，只得賣子葬父，將與兒子分別，所以悲傷。」孔子感嘆說：「顏回真是聖人啊！」

【出處】

孔子晨立堂上，聞哭者聲音甚悲，孔子援琴而鼓之，其音同也。孔子出，而弟子有吒者，問：「誰也？」曰：「回也。」孔子曰：「回何為而吒？」回曰：「今者有哭者其音甚悲，非獨哭死，又哭生離者。」孔子曰：「何以知之？」回曰：「似完山之鳥。」孔子曰：「何如？」回曰：「完山之鳥生四子，羽翼已成乃離四海，哀鳴送之，為

是往而不復返也。」孔子使人問哭者，哭者曰：「父死家貧，賣子以葬之，將與其別也。」孔子曰：「善哉，聖人也！」(《說苑》〈辨物〉)

日中則昃，月盈則食

　　孔子讀《易》，讀到損卦、益卦時，不禁喟然嘆息。子夏起身離座問他：「先生為什麼感嘆呢？」孔子說：「自謙者受益，自滿者受損，我因此感嘆。」子夏問：「通過學習不就可以得到好處嗎？」孔子說：「不能籠統這麼講。自然界、人世間的規律說明，成功的事情未必能保持長久。如果以謙虛的態度來接受知識，自然會有所補益；如果自驕自滿，天下的善言就裝不進耳朵了。從前唐堯登上天子的高位，仍然保持誠信恭敬的姿態，謙虛恬靜地對待臣民，所以歷經百年而事業長盛，其聖明至今為人頂禮膜拜。昆吾自以為是，志得意滿，登上高位仍不知滿足，所以在當時就受到挫敗，至今仍令人不齒。這就是滿招損、謙受益最好的例子啊！所以我說：所謂謙虛，就是用恭敬來保存自己的地位。豐卦說要趁日中時行動，因為那時光明普照，能夠達到豐大；但達到豐大就會開始虧缺。太陽過了中午就開始偏西，月亮圓過就開始變缺，天地間的盈虛一直是這樣彼消此長。因此聖人從不敢自負盛名，坐在車上遇見三個人就要下車行禮，遇見兩個人就會扶軾致敬。善於調節盈虛關係，盛名才能保持長久啊。」子夏說：「好。我會終身記住這番教誨。」

【出處】

孔子讀《易》至於損益，則喟然而嘆，子夏避席而問曰：「夫子何為嘆？」孔子曰：「夫自損者益，自益者缺。吾是以嘆也。」子夏曰：「然則學者不可以益乎？」孔子曰：「否，天之道成者，未嘗得久也。夫學者以虛受之，故曰得，苟不知持滿，則天下之善言不得入其耳矣。昔堯履天子之位，猶允恭以持之，虛靜以待下，故百載以逾盛，迄今而益章。昆吾自臧而滿意，窮高而不衰，故當時而虧敗，迄今而逾惡，是非損益之徵與？吾故曰謙也者，致恭以存其位者也。夫豐明而動故能大，苟大則虧矣，吾戒之，故曰天下之善言不得入其耳矣。日中則昃，月盈則食，天地盈虛，與時消息；是以聖人不敢當盛。升輿而遇三人則下，二人則軾，調其盈虛，故能長久也。」子夏曰：「善，請終身誦之。」（《說苑》〈敬慎〉）

敏而好學

孔子閒居在家，長嘆一聲說：「銅鞮伯華[101]如果不死，天下就有安定的時候了！」子路說：「他的為人怎樣？」孔子說：「他小時候機敏好學，壯年時勇敢不屈，老年時有修養並且謙恭待人。」子路說：「幼小時機敏好學、壯年時勇敢不屈都不錯，但他老來修養得道，又何必屈己待人呢？」孔子說：「你不明白。你聽我說，以眾敵少，沒有不攻克的，以尊貴的地位謙恭待人，沒有不得民心的。從前周公旦裁決天下的政事，還禮待賢士七十人，難道他沒有道德修養

101.《晉太康三年地記》：「銅鞮，晉大夫羊舌赤之邑，世號赤曰『銅鞮伯華』。」

嗎？那是因為他想得到賢士的緣故。那些有道德修養又能禮待天下賢
士的人，才是真正的君子啊！」

【出處】

孔子閒居，喟然而嘆曰：「銅鞮伯華而無死，天下其有定矣。」
子路曰：「願聞其為人也何若。」孔子曰：「其幼也敏而好學，其壯
也有勇而不屈，其老也有道而能以下人。」子路曰：「其幼也敏而好
學則可，其壯也有勇而不屈則可；夫有道又誰下哉？」孔子曰：「由
不知也。吾聞之，以眾攻寡而無不消也；以貴下賤，無不得也。昔在
周公旦制天下之政而下士七十人，豈無道哉？欲得士之故也，夫有道
而能下於天下之士，君子乎哉！」（《說苑》〈尊賢〉）

天高地厚

孔子讀《詩經》，讀到〈小雅·正月〉第六章時，神色凜然說：
「君子生不逢時，可真是不幸啊！順從君主因循世俗，就會廢棄大
道；違抗君命脫離世俗，就會危及自身。大家都不肯開口，只有自己
出頭，反而被視為妖孽。因此夏桀殺死關龍逢，商紂殺死王子比干。
所以賢人生不逢時，總會擔心不得善終。《詩經》上說：『要說天高，
卻不敢不彎腰；要說地厚，卻不敢大步往前走。』講的就是這種情形
啊。」

孔子論《詩》至於正月之六章，懼然曰：「不逢時之君子，豈不殆哉？從上依世則廢道，違上離俗則危身；世不與善，己獨由之，則曰非妖則孽也；是以桀殺關龍逢，紂殺王子比干，故賢者不遇時，常恐不終焉。《詩》曰：『謂天蓋高，不敢不局；謂地蓋厚，不敢不蹐。』[102]此之謂也。」（《說苑》〈敬慎〉）

合而後行

大凡受賞識，一定要遇到合適的機遇。機遇不到，比翼鳥死在樹上，比目魚死在海裡。孔子周遊天下，兩次向當世君主謀求官職，到過齊國衛國，謁見過八十多位君主。獻上見面禮拜他為師的學生有三千人，其中成績卓著的學生有七十人。這七十人中的任何一個都有資格做大國君主的老師。不能說孔子門下沒有人才。然而孔子帶領這些人周遊列國，最大的官也只是做到魯國的司寇。

【出處】

凡遇，合也。時不合，必待合而後行。故比翼之鳥死乎木，比目之魚死乎海。孔子周流海內，再干世主，如齊至衛，所見八十餘君。委質為弟子者三千人，達徒七十人。七十人者，萬乘之主得一人用可為師，不為無人。以此游，僅至於魯司寇。（《呂氏春秋》〈孝行覽·遇合〉）

102.「謂天蓋高，不敢不局；謂地蓋厚，不敢不蹐」，出自《詩經》〈小雅·正月〉。

異能之士

孔子說，「跟隨我學習而精通六藝的弟子有七十七人」，他們都是具有特殊才能的人。德行方面比較突出的有顏淵、閔子騫、冉伯牛、仲弓等；擅長處理政事的有冉有、季路等；善於言辭的有宰我、子貢等；文章博學的有子游、子夏等。顓孫師偏激，曾參魯鈍，高柴愚笨，仲由粗魯，顏回經常貧得一無所有。端木賜不甘受窮而去經商，他對行情的預測往往很準。孔子所禮敬的人，包括周朝的老子，衛國的蘧伯玉，齊國的晏仲平，楚國的老萊子，鄭國的子產，魯國的孟公綽等。他也經常稱讚臧文仲、柳下惠、銅鞮伯華、介山子然等人，孔子出生的時間比他們晚，不是同一時代的人。

【出處】

孔子曰「受業身通者七十有七人」，皆異能之士也。德行：顏淵，閔子騫，冉伯牛，仲弓。政事：冉有，季路。言語：宰我，子貢。文學：子游，子夏。師也辟，參也魯，柴也愚，由也喭，回也屢空。賜不受命而貨殖焉，億則屢中。孔子之所嚴事：於周則老子；於衛，蘧伯玉；於齊，晏平仲；於楚，老萊子；於鄭，子產；於魯，孟公綽。數稱臧文仲、柳下惠、銅鞮伯華、介山子然，孔子皆後之，不併世。（《史記》〈仲尼弟子列傳〉）

生於亂世

孔子生於亂世，他的學說不被時代接納。他的原則是自己的主張被君王施行，恩澤施加到百姓身上，然後才去做官；如果自己的主張不被君王採用，恩澤不能施加給百姓，他就隱退安居。孔子懷著上天覆蓋大地一樣的胸襟，具有仁慈聖明的品德，惋惜當時世俗的污濁，哀傷法度的廢棄敗壞，肩負重任，遊歷四方，周遊應聘，尋找等待機會施行他的主張，來愛撫百姓。但諸侯列國沒有誰能任用他。因此德澤積蓄起來而不顯明，重大的政治主張被扭曲而不能伸張，海內不能蒙受他的教化，萬民不能承受他的恩惠。所以孔子喟然嘆息說：「如果有人能用我，我將要在東方復興文、武之道。」孔子周遊列國，並不是要在一個地方運用他一人的才德，而是想把他的學說推廣到全世界，植根於萬民之中。

【出處】

孔子生於亂世，莫之能容也。故言行於君，澤加於民，然後仕。言不行於君，澤不加於民則處。孔子懷天覆之心，挾仁聖之德，憫時俗之污泥，傷紀綱之廢壞，服重歷遠，周流應聘，乃俟幸施道以子百姓，而當世諸侯莫能任用，是以德積而不肆，大道屈而不伸，海內不蒙其化，群生不被其恩，故喟然而嘆曰：「而有用我者，則吾其為東周乎！」故孔子行說，非欲私身，運德於一城，將欲舒之於天下，而建之於群生者耳。（《說苑》〈至公〉）

怨天尤人

　　孔子一生遊說了七十個諸侯國君，長期居無定所。他想要使天下的百姓都得到安寧，但他的學說卻得不到認可。於是他隱退專注修訂《春秋》。他採訪細如毫毛的好事，針砭小如纖芥的壞事。人事通達，王道完備，精心調和聖王的禮制，上與天相感應而麒麟[103]來到，這是上天瞭解孔子。孔子喟然長嘆說：「以為上天光明不可能被矇蔽吧，為什麼會有日食呢？以為大地最安穩不可動搖吧，為什麼會發生地震呢？」天地都有被矇蔽和震動的時候；聖賢的學說在世上不能推行，那一定是災禍和怪異現象同時發生的結果。孔子說：「不怨天，不尤人。人在世上學習而通達於上天，瞭解我的大概是上天吧！」

【出處】

　　夫子行說七十諸侯無定處，意欲使天下之民各得其所，而道不行。退而修《春秋》，采毫毛之善，貶纖介之惡，人事浹，王道備，精和聖制，上通於天而麟至，此天之知夫子也。於是喟然而嘆曰：「天以至明為不可蔽乎？日何為而食也？地以至安為不可危乎？地何為而動？」天地尚有動蔽，是故賢聖說於世而不得行其道，故災異並作也。夫子曰：「不怨天，不尤人，下學而上達，知我者其天乎！」（《說苑》〈至公〉）

103.麒麟：古人認為，麒麟出沒處必有祥瑞。有時也用以比喻才能傑出、德才兼備的人。

何以知之

　　孔子逝世後，學生們都很懷念他。有若長得很像孔子，學生們就擁戴他充任教師，就像當年侍奉孔子一樣對待他。有一天，學生進來問他說：「從前先生出行，就讓同學們帶好雨具，不久天果真下起雨來。同學們請教說：『先生怎麼知道要下雨呢？』先生回答說：『《詩經》裡不是說，月亮依附於畢星的位置，接著就會下雨。昨天晚上月亮不是宿在畢星的位置嗎？』商瞿年紀大了還沒有兒子，他的母親要替他另外娶妻。孔子派他到齊國去，商瞿的母親請求不要派他。孔子說：『不要擔憂，商瞿四十歲以後會有五個兒子。』後來果真如此。請問先生當年怎麼能提前預知呢？」有若沉默無以回答。學生們站起來說：「有若同學，你下來吧，這個位置不是您能坐的啊！」

【出處】

　　孔子既沒，弟子思慕，有若狀似孔子，弟子相與共立為師，師之如夫子時也。他日，弟子進問曰：「昔夫子當行，使弟子持雨具，已而果雨。弟子問曰：『夫子何以知之？』夫子曰：『《詩》不云乎？月離於畢，俾滂沱矣。[104]昨暮月不宿畢乎？』他日，月宿畢，竟不雨。商瞿年長無子，其母為取室。孔子使之齊，瞿母請之。孔子曰：『無憂，瞿年四十後當有五丈夫子。』已而果然。問夫子何以知此？」有若默然無以應。弟子起曰：「有子避之，此非子之座也！」（《史記》〈仲尼弟子列傳〉）

104.「月離於畢，俾滂沱矣」，出自《詩經》〈小雅・漸漸之石〉。

見若斧者

　　埋葬孔子的時候，有人從遙遠的燕國趕來參觀，住在子夏家裡。子夏說：「這又不是聖人葬人，不過是我們這些人在葬聖人罷了，有什麼值得您參觀的呢？過去夫子曾經談及築墳的樣式，說：『我見過墳築得有像堂基的，有像堤防的，有像兩簷飛出的門廊，有像斧頭刃向上的。我死後就用斧頭刃向上的樣子好了。』斧頭刃向上，俗名叫作馬露封。今天為他築墳，一天之內就聚土四尺來高，築成了斧頭刃向上的形式，這也算我們完成了夫子的遺願吧。」

【出處】

　　孔子之喪，有自燕來觀者，舍於子夏氏。子夏曰：「聖人之葬人與？人之葬聖人也。子何觀焉？昔者夫子言之曰：『吾見封之若堂者矣，見若坊者矣，見若覆夏屋者矣，見若斧者矣。』從若斧者焉。馬鬣封之謂也。今一日而三斬板，而已封，尚行夫子之志乎哉！」（《禮記》〈檀弓上〉）

附　邾（鄒）國卷

　　邾國，又名邾婁國、鄒國，子爵。曹姓，周代為魯國附庸國。位於現山東省鄒城市境內。相傳黃帝之孫顓頊後裔陸終娶鬼方氏妹女嬇生六子，第五子名晏安，為曹姓之祖。周武王滅商後，封晏安後人挾於邾，史稱「邾挾」或「曹挾」，為邾國之開國始祖。邾國於戰國後期為楚考烈王所滅。魯文化也稱鄒魯文化，皆因為邾國人貢獻了被譽為「亞聖」的孟軻。此外，邾文公在位五十一年，是邾國在位最長的國君。西元前六一四年，邾文公力排眾議、遷都於嶧山，令人印象深刻。

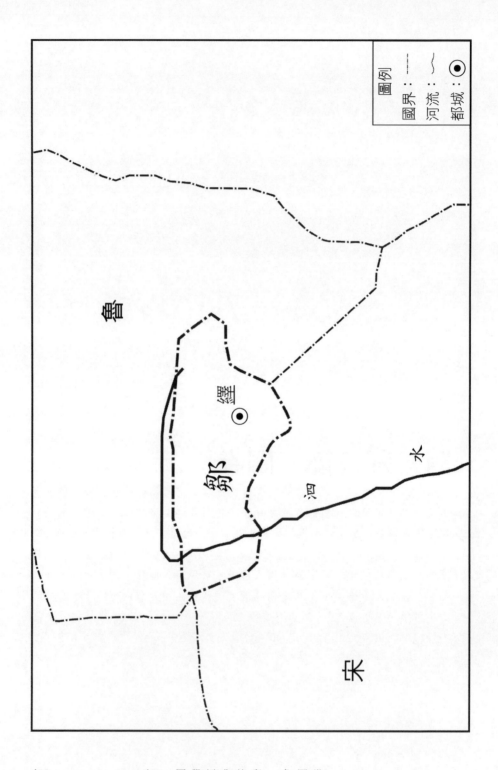

命在牧民

邾文公想遷都到嶧山，占卜的太史說：「遷都對人民有利，但對君主不利。」邾文公說：「假如對人民有利，就是對我有利。上天為生民確立國君，就是為了對他們有利。老百姓既然能得到好處，那我就不應該有所猶豫。」文公身邊的侍從說：「不遷都可以延長壽命，君王何故如此呢？」邾文公說：「治理好國家是我的使命。壽命再長，也有期限。如果老百姓能得到利益，不是一件大好事嗎？」於是果斷遷都到嶧山。

【出處】

邾文公卜徙於繹，史曰：「利於民不利於君。」君曰：「苟利於民，寡人之利也，天生烝民而樹之君，以利之也，民既利矣，孤必與焉！」侍者曰：「命可長也，君胡不為？」君曰：「命在牧民，死之短長，時也；民苟利矣，吉孰大焉。」遂徙於繹。（《說苑》〈君道〉）

不敢忘其祖

邾國在為邾定公辦喪事時，徐國國君派容居來弔喪，並行飯含之禮[1]。容居以天子所遣使者的口氣說道：「敝國國君派我來跪著行飯含之禮，致送侯爵所含的玉璧。現在請讓我來行飯含之禮。」邾國的接

---

1. 飯含之禮：古代的一種喪葬習俗。亦稱口含、飯玉、含口、含殮，即將米、貝、玉、珠等物置於死者口中，以示死後口不常虛。

待人員說：「勞駕各國諸侯屈尊來到敝國，如果派臣子來，我們就以臣禮相待；如果國君親來，我們就以君禮相待。派來的是臣子卻企圖得到國君的禮遇，這是從來沒有的事。」容居無所收斂地回答說：「鄙人聽說，作為臣子就不敢忘掉國君，作為子孫就不敢忘掉祖先。過去我們的先君駒王對西方進行討伐，還渡過了黃河，他一貫都是用這種口氣講話的。鄙人雖然魯鈍，但也不敢忘掉祖先是怎麼講話的。」

【出處】

邾婁考公之喪，徐君使容居來弔含，曰：「寡君使容居坐含進侯玉，其使容居以含。」有司曰：「諸侯之來辱敝邑者，易則易，于則于，易于雜者未之有也。」容居對曰：「容居聞之：事君不敢忘其君，亦不敢遺其祖。昔我先君駒王西討濟於河，無所不用斯言也。容居，魯人也，不敢忘其祖。」（《禮記》〈檀弓下〉）

瞿然失席

邾婁定公在位的時候，發生兒子殺害父親的事。官員將此事報告給定公，定公驚駭地離開席位說：「這和寡人沒有教育好也有關係。」又說：「我曾學過怎樣審斷這種案子：如果是臣子殺其君主，那麼舉國官員無論職位大小，都有權利把他殺掉，決不寬恕；如果是兒子殺害父親，那麼所有家庭成員無論輩分高低，都有資格把他殺掉，決不寬恕。不僅要把兇手殺掉，還要拆毀兇手的住室，在地基上挖個大

坑，再灌滿水。國君這個月還不能飲酒。」

【出處】

邾婁定公之時，有弒其父者。有司以告，公瞿然失席曰：「是寡人之罪也。」曰：「寡人嘗學斷斯獄矣：臣弒君，凡在官者殺無赦；子弒父，凡在宮者殺無赦。殺其人，壞其室，洿其宮而豬焉。蓋君逾月而後舉爵。」（《禮記》〈檀弓下〉）

閽乞肉焉

邾莊公和夷射姑喝酒[2]，夷射姑出去小便。守門人向他討肉吃，他奪過守門人的棍子打了他一頓。定公三年春二月，邾莊公在門樓上，下臨庭院。守門人用瓶裝水灑在庭院裡。邾莊公遠遠看見，非常生氣。守門人說：「是夷射姑在這裡小便。」邾莊公命令把夷射姑抓起來。沒有抓到，更加生氣，自己從床上跳下來，摔在爐子裡的炭火上，皮肉潰爛，不久就死了。邾莊公急躁而愛乾淨，所以才弄到這種地步。

【出處】

邾莊公與夷射姑飲酒，私出。閽乞肉焉。奪之杖以敲之。三年春二月辛卯，邾子在門臺，臨廷。閽以瓶水沃廷。邾子望見之，怒。閽曰：「夷射姑旋焉。」命執之，弗得，滋怒。自投於床，廢於爐炭，

---

2. 《韓非子》〈內儲說下六微〉記載為齊王與夷射喝酒。

闇乞肉焉

爛，遂卒。先葬以車五乘，殉五人。莊公卞急而好潔，故及是。（《左傳》〈定公三年〉）

為甲以組

邾國的老辦法，製作甲裳時用帛來連綴。公息忌對邾君說：「不如改用絲帶來連綴。甲裳之所以堅固結實，是因為甲裳的縫隙都被塞滿了。現在甲裳連綴的縫隙雖然塞滿了，但是只能承受一半的力量。要是用絲帶來連綴。縫隙塞滿後，就能承受全力了。」邾君認為他說得對，問他說：「從哪兒得到絲帶呢？」公息忌回答說：「只要君主用它，人民就會去製作。」邾君說：「好！」於是下令製作甲裳一律改用絲帶連綴。公息忌知道自己的主張得到採納，就讓家人去製造絲帶。有人詆毀他說：「公息忌所以提倡用絲帶，是因為他家製造了很多絲帶。」邾君聽了很不高興，於是又下令製造甲裳不准用絲帶連綴。這就是邾君的狹隘了。製作甲裳用絲帶連綴如果有好處，公息忌即使大量製造絲帶，又有什麼害處呢？公息忌製不製造絲帶，都不足以損害公息忌主張使用絲帶的本意啊。

【出處】

邾之故法，為甲裳以帛。公息忌謂邾君曰：「不若以組。凡甲之所以為固者，以滿竅也。今竅滿矣，而任力者半耳。且組則不然，竅滿則盡任力矣。」邾君以為然，曰：「將何所以得組也？」公息忌對曰：「上用之則民為之矣。」邾君曰：「善。」下令，令官為甲必以

組。公息忌知說之行也，因令其家皆為組。人有傷之者曰：「公息忌之所以欲用組者，其家多為組也。」邾君不說，於是復下令，令官為甲無以組。此邾君之有所尤也。為甲以組而便，公息忌雖多為組，何傷也？以組不便，公息忌雖無為組，亦何益也？為組與不為組，不足以累公息忌之說，用組之心，不可不察也。（《呂氏春秋》〈有始覽‧去尤〉）

先戮以蒞民

　　鄒國國君愛用長長的帽帶，近侍也都跟著用長長的帽帶，帽帶的價格因此很高。鄒君為此擔憂。近侍說：「您喜歡佩帶，百姓都跟著佩帶，因此價格就貴了。」鄒君於是先把自己的帽帶割斷，然後外出巡遊，鄒國民眾見到，也都不再用長帽帶了。君主沒有下令民眾不得佩帶長帽帶，卻割斷自己的帽帶出巡，以示為民先導，這是先行委屈自己，再去引導民眾的做法。

【出處】

　　鄒君好服長纓，左右皆服長纓，纓甚貴。鄒君患之，問左右，左右曰：「君好服，百姓亦多服，是以貴。」君因先自斷其纓而出，國中皆不服纓。君不能下令為百姓服度以禁之，乃斷纓出以示先民，是先戮以蒞民也。（《韓非子》〈外儲說左上〉）

囊漏貯中

　　鄒穆公下令，飼養鴨鵝大雁只能用癟穀，不准用小米。倉庫裡的癟穀吃光了，就跟百姓交換，兩石小米換一石癟穀，主管的官吏認為不划算，建議用小米飼養。穆公說：「退下吧，這不是你能明白的。老百姓餵飽了牛耕種，頂著烈日的暴曬耘地，辛勤勞苦而不懈怠，難道是為了鳥獸嗎？粟米是人的上等食物，怎能用它來養鳥呢？而且你只知道算小賬，卻不懂得算大賬。周朝的諺語說：『口袋裡漏的糧食落在倉庫裡。』你難道沒聽說過嗎？君主是百姓的父母，把國庫裡的小米轉到百姓手裡，不還是我的小米嗎？鳥吃癟穀，就不會消耗小米了。小米在國庫還是在老百姓手裡，對我有什麼不同呢？」鄒國的老百姓聽說了，都懂得了私人儲糧和國庫儲糧是一回事。這就叫懂得國家富足的道理。

【出處】

　　鄒穆公有令食鳧鷹必以秕，無得以粟，於是倉無秕，而求易於民，二石粟而得一石秕，吏以為費，請以粟食之。穆公曰：「去，非汝所知也！夫百姓飽牛而耕，暴背而耘，勤而不惰者，豈為鳥獸哉？粟米，人之上食，奈何其以養鳥？且爾知小計，不知大會。周諺曰：『囊漏貯中。』而獨不聞與？夫君者，民之父母，取食之粟，移之於民，此非吾之粟乎？鳥苟食鄒之秕，不害鄒之粟也，粟之在倉與在民，於我何擇？」鄒民聞之，皆知私積與公家為一體也，此之謂知富邦。（《新序》〈刺奢〉）

死而不救

　　鄒國與魯國交戰。鄒國吃了敗仗，死傷不少將士。鄒穆公很不高興，問孟子說：「我的官吏死了三十三個，百姓卻沒有一個肯為他們拚命的。殺他們吧，殺也殺不完；不殺他們吧，又實在恨他們見死不救。該怎麼辦呢？」孟子回答說：「記得當年鬧饑荒，您的百姓遭災，年老體弱的棄屍於山溝，年輕力壯的四處逃荒，差不多有幾千人；而您的糧倉裡堆滿糧食，國庫裡裝滿財寶，官吏們卻不向您報告老百姓的慘狀，這是他們漠視和魚肉百姓的表現。曾子說：『小心啊，小心啊！你怎樣對待別人，別人也會怎樣對你。』現在就是老百姓報復他們的時候。請您不要怪罪百姓。只要您施行仁政，老百姓自然會親近他們的上司，自覺為他們賣命。」

【出處】

　　鄒與魯鬨。穆公問曰：「吾有司死者三十三人，而民莫之死也。誅之，則不可勝誅；不誅，則疾視其長上之死而不救，如之何則可也？」孟子對曰：「凶年饑歲，君之民老弱轉乎溝壑，壯者散而之四方者，幾千人矣；而君之倉廩實，府庫充，有司莫以告，是上慢而殘下也。曾子曰：『戒之戒之！出乎爾者，反乎爾者也。』夫民今而後得反之也。君無尤焉。君行仁政，斯民親其上，死其長矣。」（《孟子》〈梁惠王下〉）

昌明文庫・悅讀國學 A0602018

國學經典故事：魯國卷

主　　　編	萬安培	
版權策畫	李煥芹	

發 行 人	林慶彰
總 經 理	梁錦興
總 編 輯	張晏瑞
編 輯 所	萬卷樓圖書股份有限公司
排　　　版	菩薩蠻數位文化有限公司
印　　　刷	百通科技股份有限公司
封面設計	菩薩蠻數位文化有限公司

出　　　版	昌明文化有限公司

桃園市龜山區中原街 32 號

電話 (02)23216565

發　　　行　萬卷樓圖書股份有限公司

臺北市羅斯福路二段 41 號 6 樓之 3

電話 (02)23216565

傳真 (02)23218698

電郵 SERVICE@WANJUAN.COM.TW

大陸經銷　廈門外圖臺灣書店有限公司

　　電郵 JKB188@188.COM

ISBN 978-986-496-552-6

2020 年 2 月初版

定價：新臺幣 620 元

如何購買本書：

1. 轉帳購書，請透過以下帳戶

　　合作金庫銀行 古亭分行

　　戶名：萬卷樓圖書股份有限公司

　　帳號：0877717092596

2. 網路購書，請透過萬卷樓網站

　　網址 WWW.WANJUAN.COM.TW

大量購書，請直接聯繫我們，將有專人為您

服務。客服：(02)23216565 分機 610

如有缺頁、破損或裝訂錯誤，請寄回更換

國家圖書館出版品預行編目資料

國學經典故事：魯國卷 / 萬安培主編.-- 初
版.-- 桃園市：昌明文化出版；臺北市：萬
卷樓發行, 2020.02

　面；　　公分.--(昌明文庫；A0602018)

ISBN 978-986-496-552-6(平裝)

1.漢學 2.通俗作品

　　　　　030　　　　　　　　　109002906